FOKUS DEUTSCH
für AQA

Corinna Schicker

Eleanor Caldwell

OXFORD

Inhalt

Introduction

Welcome to *Fokus Deutsch für AQA*. This course has been written not only with your examination, but very much with you, in mind. The four modules take you systematically through the four topic areas of your GCSE examination, and help you develop your listening, speaking, reading and writing skills to a high level.

You'll have a chance to go over work you've already done in earlier years, but you'll also meet new language and activities that will challenge you to ensure you're ready for the exam.

Here's a quick guide to the symbols and headings in the book:

 = listen to the cassette/CD with this activity

 = work with a partner

 = work with a group

GRAMMATIK	explanation and practice of an important grammar point
TIPP	tips on study skills to help you with your coursework and examination
PROJEKT	for group work on preparing and presenting more ambitious projects, bringing together what you've learned

Don't forget there's a special website to help you prepare for your exams.
Visit it at: www.oup.com/uk/fokusdeutsch

We hope you enjoy working through the course and wish you success in the examination.

Viel Glück und viel Erfolg!

Anweisungen

Here are some of the instructions you will need to understand in
Fokus Deutsch für AQA

Antworte mit den Informationen unten!	*Answer with the information below.*
Arbeite mit einem Partner/einer Partnerin!	*Work with a partner.*
Beantworte ...	*Answer ...*
Beantworte die Fragen in ganzen Sätzen/ auf Deutsch!	*Answer the questions in complete sentences/ in German.*
Beispiel:	*Example:*
Beschreib ...	*Describe ...*
Bilde Sätze!	*Make sentences.*
Bring die Sätze in die richtige Reihenfolge!	*Put the sentences in the correct order.*
Du bist dran!	*It's your turn.*
Ergänze ...	*Complete ...*
Ergänze die Lücken!	*Fill in the blanks.*
Finde ...	*Find ...*
Finde die passenden Bilder/Sätze!	*Find the correct pictures/sentences.*
Finde folgende Informationen heraus!	*Find out the following information.*
Frag ...	*Ask ...*
Füll die Lücken/Tabelle aus!	*Fill in the gaps/table.*
Hör dir ... an!	*Listen to ...*
Hör zu.	*Listen.*
Korrigiere die falschen Sätze!	*Correct the incorrect sentences.*
Kreuz die passenden Antworten an!	*Tick the correct answers.*
Lies ...	*Read ...*
Lies die Sätze/den Artikel!	*Read the sentences/the article.*
Mach ...	*Do ...*
Mach das Kreuzworträtsel!	*Do the crossword puzzle.*
Mach eine Liste!	*Make a list.*
Mach Notizen auf Deutsch!	*Make notes in German.*
Macht Dialoge!	*Make up dialogues.*
Ordne die Buchstaben!	*Put the letters in order.*
Schau/Sieh (dir) ... an!	*Look at ...*
Schau die Bilder an!	*Look at the pictures.*
Schreib ...	*Write ...*
Schreib (ganze) Sätze!	*Write (complete) sentences.*
Schreib die Antworten auf Deutsch auf!	*Write down the answers in German.*
Schreib Antworten zu den Fragen!	*Write answers to the questions.*
Schreib die passenden Wörter auf!	*Write down the matching words.*
Sind die Sätze richtig oder falsch?	*Are the sentences true or false?*
Sortiere ...	*Sort ...*
Stell (ihm/ihr) Fragen!	*Ask (him/her) questions.*
Verbinde die Sätze mit den Bildern!	*Match up the sentences with the pictures.*
Wähle ...	*Choose ...*
Wähle die passenden Satzteile/Wörter!	*Choose the matching sentence halves/words.*
Wähle die richtige Antwort!	*Choose the right answer.*
Was ist die richtige Reihenfolge?	*What is the correct order?*
Was passt zusammen?	*What matches?*
Wie heißen die Wörter auf Deutsch?	*What do the words mean in German?*

A Hallo, wie geht's?

1 Begrüßungen

Hör zu! Wähle das passende Bild und schreib den Text!

Beispiel: **1** – *c* (*Guten Abend!*)

A__ Wi_d__s___n!

G_t__ T__!

_u_en A___d!

G_t_ _a_h_!

Hallo!	Guten Abend!	Auf Wiedersehen!
Grüß Gott!	Gute Nacht!	Bis später!
Guten Tag!	Tschüs!	

2 Das deutsche ABC

BUCHSTABIEREN	
A = ah	N = enn
B = beh	O = oh
C = tseh	P = peh
D = deh	Q = koo
E = eh	R = err
F = eff	S = ess
G = geh	T = teh
H = hah	U = oo
I = ee	V = fow
J = yot	W = veh
K = kah	X = iks
L = ell	Y = oopsilon
M = emm	Z = tsett
ä, ö, ü	ß = ess-tsett

Kopiere die Tabelle! Hör zu! Schreib die Namen auf!

Vorname	Nachname
Martin	GROHER

Beispiel: 1

Wie heißt du?/Wie ist dein Name?	Ich heiße …
Wie heißen Sie?/Wie ist Ihr Name?	Mein Name/
	Vorname/Nachname/
	Familienname ist …
Wie schreibt/buchstabiert man das?	

❸ Partnerarbeit

 a Buchstabiert eure Namen!

   Beispiel: **A** *Wie heißt du?*
   B *Ich heiße Julia Brown.*
   A *Wie schreibt man das?*
   B *J-U-L-I-A B-R-O-W-N.*

b Buchstabiert diese deutschen Namen!

Florian Kellner

Verena Neitz

Andreas Buchholz

Katja Steffen

❹ Frau Optimist und Herr Pessimist

Lies die Sätze! Sind sie richtig oder falsch?
Korrigiere die falschen Sätze!

1 Am Montag geht es Frau Optimist gut.
2 Am Montag geht es Herrn Pessimist
   nicht gut, weil er Kopfschmerzen hat.
3 Am Dienstag geht es Frau Optimist sehr
   gut, weil sie gut geschlafen hat.
4 Am Mittwoch geht es Herrn Pessimist
   schlecht, weil er Bauchschmerzen hat.
5 Am Donnerstag geht es Herrn
   Pessimist besser, weil morgen
   Freitag ist.
6 Am Freitag geht es Frau Optimist
   wirklich schlecht, weil sie mit Herrn
   Pessimist Schluss macht.

> Wie geht es dir/Ihnen?
>
> Es geht mir sehr gut, weil ich gut geschlafen habe.
> Es geht mir schlecht, weil ich Kopfschmerzen habe.

❺ Partnerarbeit

Schaut euch die Bilder an! Macht Dialoge!

Beispiel: **A** *Bild B!*
   B *Wie geht es Ihnen?*
   A *Nicht gut, weil ich
   Bauchschmerzen habe.*

A (du)   B (Sie)   C (du)

Wir lernen uns besser kennen

❶ Wann hast du Geburtstag?

a Verbinde die Sätze mit den Daten!

Beispiel: **1 – b**

b **1** Ich habe am zwölften Oktober Geburtstag.

a **2** Ich habe am fünfundzwanzigsten Januar Geburtstag.

d **3** Ich habe am ersten März Geburtstag.

c **4** Ich habe am dritten Juni Geburtstag.

b Frag fünf Freunde: „Wann hast du Geburtstag?" und schreib die Antworten in ganzen Sätzen auf!

Beispiel: *Sarah hat am dreizehnten Juli Geburtstag.*

- Der Wasti hat am siebenundzwanzigste October Geburtstag
- Die Sharon hat am vierundzwanzigsten April Geburtstag.

❷ Und wann haben diese Leute Geburtstag?

 a Hör zu und mach Notizen!

Jahr	Geburtsdatum	Geburtsort
1970	5. November	Flensburg (Norddeutschland)

b „Wann und wo bist du geboren?" Schreib fünf Sätze – für dich und deine Familie.

Beispiel: *Ich bin am 4. Juni 1986 in Glasgow geboren. Meine Mutter ist am …*

Ich bin am 24. April 1969 in Liverpool geboren

Wann/Wo bist du geboren?
Ich bin 3.6 Jahre alt.
Ich habe am 24.4 … Geburtstag.
Ich bin am 1969 in L'pool geboren.
Welche Nationalität/Staatsangehörigkeit hast du?
Ich bin Engländerin.
Wo wohnst du? in Beckenham
Wie ist deine Adresse/Wohnort?

Meine Adresse/Hausnummer ist …
Ich wohne in …
Wie ist deine Telefonnummer?
Meine Telefonnummer/Vorwahl ist …
Ich mag/mag nicht …

❸ Wie viele Fehler?

a Hör zu! Lies dann das Formular! Was ist nicht richtig? Korrigiere die falschen Details!

Nachname: *NEITZ*

Vorname: *VERENA*

Alter: *15*

Geburtsdatum: *05.08.85*

Geburtsort: *Hannover*

Staatsangehörigkeit: *Deutsche*

Adresse: *Neustädterstraße 38*
30615 Altdorf

Telefonnummer: *03251 63 54 73*

Mag/mag nicht: *Popmusik/Computerspiele*

b Schreib ein Formular für dich selbst!

❹ Partnerarbeit

Macht Interviews! Macht Notizen!

Beispiel: **A** *Wie heißt du mit Nachnamen?*
B *Ich heiße JONES.*
A *Wie schreibt man das? …*

⑤ Darf ich vorstellen?

a Verena stellt ihre Familie vor. Verbinde die passenden Bilder mit den Wörtern!

Beispiel: **1 – c**

1 Tante
2 Vater
3 Bruder
4 Vetter
5 Großvater
6 Onkel
7 Mutter
8 Kusine
9 Großmutter
10 Ich!

b Wer ist wer? Hör gut zu und ergänze die Sätze!

Kusine	María	Opa	Vetter
Tobias	Paul	Frau Müller	

kusin (handwritten)

1 Verenas _Opa_ ist 87 Jahre alt.
2 Verenas Bruder heißt _Tobias_ .
3 Verenas Oma heißt _Frau Müller_
4 Verenas Onkel heißt _Paul_ .
5 Tante _Maria_ ist mit Paul verheiratet.
6 Verenas _Kusine_ ist vier Jahre alt.
7 Baby Max ist Verenas _kusin/Vetter_

c Namenspiel: **A** wählt jemanden von **Übung 5a** und stellt ihn/sie vor, **B** sagt den Namen.

Beispiel: **A** *Darf ich vorstellen? Das ist mein Bruder. Er heißt …*
B *Tobias!*

introduce (handwritten)
Darf ich vorstellen?
Das ist mein Vater/meine Mutter.
Das sind meine Eltern/Großeltern/
Geschwister.
Er/Sie heißt …

Freunde und Familie

❶ Hochzeitsfoto

🔊 Wer ist das? Hör zu und finde die passenden Bilder!

Beispiel: **1** – *g*

a   b   c   d   e   f   g

❷ Partnerarbeit

 a   *choose*
A wählt eine Person in der Klasse und beschreibt die Person, **B** sagt, wer das ist!

     Beispiel: **A** *Sie hat kurze blonde Haare.*
               Sie trägt eine Brille. Sie ist jung …

🔊 **b** Beschreib zwei Personen (z.B. Pop- oder Sportstars usw.) – du magst Person 1, aber Person 2 magst du nicht! Schreib ganze Sätze!

     Beispiel: *Ich mag … sehr gern.*
            Er hat kurze braune
            Haare und er hat blaue Augen.
            Er trägt einen Ohrring.
            Er ist ledig …   *single*

❸ Haustiere

🔊 **a** Tina und Uwe beschreiben ihre Haustiere. Wie sind sie? Hör zu und mach Notizen!

     Beispiel: *Tina: Schlange – Hector: sehr lang, grün und gelb, drei Jahre alt*

b Partnerarbeit: Was für Haustiere habt ihr? Wie sehen sie aus? Macht Dialoge!

     Beispiel: **A** *Ich habe eine Katze.*
               B *Wie heißt deine Katze?*
               A *Sie heißt Tigger.*
               B *Wie sieht Tigger aus?*
               A *Sie ist orange und weiß und sehr groß.*
               B *Und wie alt ist sie?*
               A *Sie ist elf Jahre alt.*

Ich habe	blaue/blonde/rote/schwarze Haare.	Ich habe	einen Fisch/Hamster/Hund/Wellensittich. *Budgerigar*
Er/Sie hat	blaue/braune/grüne Augen.		eine Katze/Maus/Schildkröte/Schlange. *snake*
	einen Bart/Schnurrbart/eine Glatze.		ein Kaninchen/Meerschweinchen/Pferd. *Rabbit*
Er/Sie trägt	eine Brille/Ohrringe.	Er/Sie/Es ist	blau/braun/gelb/grau/grün/orange/rot/ schwarz/weiß.
Er/Sie ist	ziemlich/sehr/groß/klein/alt/jung. ledig/verheiratet/geschieden/ getrennt. ein Zwilling.		

❹ Wer ist wer?

Verbinde die Bilder mit den richtigen Berufen.

Zahnarzt/ärztin
Beamter/Beamtin
Fahrer/-in
Kaufmann/frau
Kellner/-in
Krankenschwester/pfleger
Lehrer/-in
Mechaniker/-in
Polizist/-in
Verkäufer/-in
Programmierer/-in
Sekretär/-in
arbeitslos/ohne Arbeit

❺ Gruppenarbeit

Macht eine Umfrage: „Was ist dein Vater/deine Mutter von Beruf?" Schreibt die Resultate auf!

Beispiel: *5 Schüler/Schülerinnen sagen: Mein Vater/meine Mutter ist Verkäufer/Verkäuferin.*

3 Schüler/Schülerinnen sagen: Mein Vater/meine Mutter ist arbeitslos.

❻ Meine Familie

 Alexa beschreibt ihre Familie. Hör zu und mach Notizen!

versteht sich gut mit ...	Warum?
Tom	lustig

hat oft Streit mit ...	Warum?

❼ Deine Familie

Beschreib deine Familie! Wie sind sie? Mit wem verstehst du dich gut/nicht gut und warum (nicht)? Schreib ganze Sätze!

Beispiel: *Ich verstehe mich sehr gut mit meinem Vater. Er ist tolerant und gar nicht autoritär. Aber ich habe oft Streit mit ...*

❽ Extra!

Frag deinen Partner: „Wie ist deine Familie? Mit wem verstehst du dich gut/nicht gut und warum (nicht)?" Nimm die Antworten auf Kassette auf.

Beispiel: **A** *Ich verstehe mich nicht gut mit meiner Mutter. Wir haben oft Streit, weil sie sehr altmodisch ist.*

Ich verstehe mich mit ... sehr gut/nicht so gut.
Ich komme (nicht) gut mit ... aus.

Ich	habe nie Streit mit meinen Eltern,	weil sie sehr lieb sind.
	streite mich oft mit meiner Schwester,	weil wir ein Zimmer teilen.
	habe manchmal Probleme mit meinem Bruder,	weil er ziemlich frech ist.

B Meine Interessen

❶ Interessen

 Hör zu und mach Notizen! Markiere mit ✓ (er/sie mag das Hobby) oder mit ✗ (er/sie mag das Hobby nicht)!

Christina	✓	✓						✗	✓	
Thomas										
Cornelia										

❷ Gruppenarbeit

Sprecht in einer Gruppe über eure Hobbys!

Beispiel: **A** *Was machst du gern in deiner Freizeit?*
B *Ich höre gern Musik und ich koche gern. Und du?*
C *Ich mag gern Tiere …*

> Ich lese/tanze/fotografiere/koche gern.
> Ich sehe gern fern.
> Ich höre gern Musik.
> Ich spiele gern Gitarre/Klavier/Fußball/Tennis.
> Ich mag gern Tiere.
> Ich sammle Briefmarken.
> Ich interessiere mich für Mode.

❸ Partnerarbeit

a Könnt ihr das richtige Zimmer identifizieren? Seht euch diese vier Zimmer an! **A** beschreibt die Hobbys. **B** rät, wessen Zimmer das ist.

Beispiel: **A** *Diese Person liest gern Bücher und Zeitschriften …*
B *Das ist Verenas Zimmer.*

b Was machen deine Geschwister/deine Freunde gern? Was sind ihre Hobbys und Interessen? Schreib vier Beschreibungen!

Beispiel: *Mein Bruder fotografiert gern, aber sein Lieblingshobby ist Fußball. Er interessiert sich auch für …*

4 Wann, mit wem, wo?

 Fünf Personen beschreiben, was sie in ihrer Freizeit machen.
Hör zu und mach Notizen!

	was?	wann?/wie oft?	mit wem?	wo?
1	schwimmen	samstags	Freundin	im Sportzentrum
2				
3				

> jeden Tag/jeden Abend/jeden Morgen/jeden Samstag
> samstags/montags/morgens/abends
> einmal/zweimal in der Woche
> einmal am Tag
> mit meiner Freundin/mit meinem Freund/mit meinen Freunden/allein
> im Tennisklub/auf dem Fußballplatz/im Park/zu Hause

5 Gruppenarbeit

a Kopiert die Tabelle in **Übung 4**!
Besprecht eure Hobbys in Gruppen!
Füllt die Tabelle aus!

Beispiel: **A** *Was machst du in deiner*
Freizeit?
B *Ich spiele Fußball.*
A *Wann machst du das?*
B *Jeden Samstag.*
A *Mit wem?*
B *Mit meinen Freunden.*
A *Und wo?*
B *Im Park.*

b Schreib Sätze!

Beispiel: *Mark spielt jeden Samstag mit*
Freunden im Park Fußball.

6 Umfrage

Mach eine Klassenumfrage: „Was ist dein
Lieblingshobby? Welche Hobbys findest du
interessant/langweilig?" Schreib die Resultate auf!

Beispiel: *Sarahs Lieblingshobby ist Fernsehen. Sie*
findet Computer interessant, aber sie findet
Sport langweilig.

7 Extra!

Was ist dein Lieblingshobby? Welche Hobbys findest
du super/interessant/langweilig/anstrengend? Was
machst du gern/lieber/am liebsten/nicht gern?
Schreib Sätze und sprich dann vor der Klasse!

Beispiel: *Mein Lieblingshobby ist Lesen. Ich finde*
auch Musik super, aber Sport finde ich
anstrengend. Ich koche auch ziemlich gern,
aber ich sehe lieber fern. Und am liebsten
spiele ich Fußball!

> Mein Lieblingshobby ist ...
> Ich finde ... interessant/langweilig/anstrengend.
> Ich ... gern/lieber/am liebsten/nicht/gern.
> Ich interessiere mich für ...
> Er/Sie interessiert sich für ...

Gehen wir aus?

1 Was machst du heute Abend?

 Kopiere die Tabelle! Hör zu und mach Notizen!

	was?	mit wem?	wo?	wann?	Eintritt – wie viel?
Silke	Disco	Clique	Herderplatz	20.00	€20
Julia					
Martin					
Ina					

2 Partnerarbeit

Was machst du heute Abend? Mit wem?
Wo/wann? Was kostet der Eintritt?
Macht Dialoge mit den Informationen!

Beispiel: **A** *Was machst du heute Abend?*
   B *Ich spiele mit meiner Mannschaft*
      Fußball.
   A *Wo spielst du – und wann?*
   B *Auf dem Sportplatz um 18 Uhr.*

Was machst du	heute Abend? am Samstagabend? am Wochenende?
Ich gehe (mit ...)	in die Disco. ins Café/Kino/Theater. ins Jugendzentrum. ins Freizeitzentrum. in ein Konzert. zu einer Party. mit Freunden aus.
Ich sehe fern. Ich lese Zeitschriften.	
Das Konzert Die Vorstellung	beginnt um ... Uhr.
Der Eintritt kostet ... Euro.	

Mannschaft
Sportplatz - 18 Uhr

VIDEOS!
m. Susi u. Tanja, bei
Susi - 19 Uhr 30

PARTY!
PARTY!
PARTY!
bei Tom
– Gartenstr. 2
20 Uhr

Jugendklub
am Bahnhof
20 Uhr · 3 Euro

Burger
am Markt
m. Tina u. Uwe - 18 Uhr 45

Hallenbad,
5 Euro

❸ Gruppenarbeit

a Stellt Fragen in einer Gruppe von vier oder fünf Personen!

- Was machst du heute/Freitag/Samstagabend/am Wochenende?
- Mit wem machst du das?
- Wo?
- Wann?
- Was kostet der Eintritt?

b Schreib Sätze!

Beispiel: *Sarah geht heute Abend mit ihrer Freundin ins Kino.*

❹ Das Konzert

Hör zu und lies die Sätze! Sind sie richtig oder falsch? Korrigiere die falschen Sätze!

1 Ines möchte Karten für das Konzert heute Abend.
2 Sie möchte zwei Karten.
3 Das Konzert beginnt um 21 Uhr.
4 Sie muss die Karten an der Kasse abholen.
5 Andi möchte Karten für das Konzert morgen Abend.
6 Er möchte vier Karten mit Stehplatz.
7 Die Karten kosten 19 Euro.
8 Die Bushaltestelle ist direkt vor dem Forum.

❺ Partnerarbeit

A möchte Konzertkarten. **B** ist Verkäufer/Verkäuferin. Lest die Informationen und macht weitere Dialoge!

Beispiel: **A** *Guten Tag, ich möchte Karten für das Fishbone-Konzert.*
B *Für wann?*
A *Für das Konzert am 9. September, bitte.*
B *Wie viele Karten möchten Sie?*
A *Zwei Karten, bitte. Was kosten die Karten?*
B *Die Karten kosten 9 Euro.*
A *Und wann beginnt die Vorstellung?*
B *Die Vorstellung beginnt um 20 Uhr.*

PC 69		
FISHBONE Stone Temple Pilots	€ 9,–	9.9. 20.00 Uhr
RUN DMC	€ 6,–	26.9. 21.00 Uhr
DIE ÄRZTE	€ 11,–	29.10. 20.00 Uhr
OMD Stadthalle	€ 8,50	15.11. 20.00 Uhr
IGGY POP	€ 15,–	5.12. 21.00 Uhr

PC69-Musikbetrieb: Am Stadtholz 11a • Bielefeld 1
Konzertbüro ☎ 05 21-6 08 93 • Fax 6 76 53

❻ Heute Abend gehe ich aus

a Sandra schreibt eine Nachricht an ihre Mutter. Ergänze die Lücken!

b Du bist dran. Was machst du heute Abend/am Wochenende? Schreib eine Nachricht! Die Informationen von **Übung 6a** helfen dir.

Hallo, Mama!

Ich gehe heute Abend **1** _____ . Ich treffe mich

2 _____ mit Katja und Lars **3** _____ .

Wir gehen zuerst **4** _____ – in die Pizzeria

5 _____ . Danach gehen wir **6** _____ .

Die Vorstellung beginnt **7** _____ . Ich bin **8** _____ wieder zu Hause.

Bis dann!

Letztes Wochenende

❶ Gegenwart oder Vergangenheit?

Hör zu! Markiere mit ↓ , wenn es heute ist, und mit ↶ , wenn es letztes Wochenende war!

Beispiel: 1 ↓

❷ Letztes Wochenende

a Hör zu und sieh dir die Bilder rechts und unten an! Schreib die passenden Buchstaben in die Tabelle!

Beispiel:

	Verena	Martin	Jörg	Silke
Samstag	l, h, a			
Sonntag				

b Schreib Sätze mit den Informationen in **Übung 2a!**

Beispiel: *Verena ist am Samstagmorgen mit ihrer Mutter in die Stadt gegangen.*

Ich bin Er/Sie ist	in die Stadt ins Kino	gegangen.

Ich habe Er/Sie hat	Fußball Spaghetti einen Pullover	gespielt. gegessen. gekauft.

c **Partnerarbeit.**
A wählt drei Bilder. **B** stellt Fragen.

Beispiel: **B** *Was hast du am Wochenende gemacht?*
A *Ich habe Fußball gespielt.*
B *Mit wem?*
A *Mit meinem Großvater.*
B *Wann?*

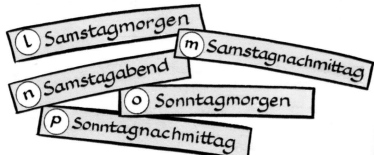

l Samstagmorgen
m Samstagnachmittag
n Samstagabend
o Sonntagmorgen
p Sonntagnachmittag

❸ Briefe von Holger und Annette

a Lies die Briefe!

Letztes Wochenende bin ich am Samstagmorgen in die Schule gegangen. Ich habe dann zu Hause Fisch gegessen. Von 14 Uhr bis 16 Uhr habe ich Hausaufgaben gemacht. Um 16 Uhr bin ich in den Park gegangen. Dort habe ich Fußball gespielt. Am Abend bin ich mit meinen Freunden ins Restaurant gegangen. Wir haben Pizza gegessen.

Holger

Ich habe am Samstag bis 13 Uhr in einem Blumengeschäft gearbeitet. Es war sehr hektisch. Um 13 Uhr habe ich einen Hamburger und Pommes mit Mayo in der Stadt gegessen. Ich bin nach Hause gegangen und habe von 14 bis 16 Uhr einen Film im Fernsehen gesehen. Um 16 Uhr habe ich ein Bad genommen. Dann bin ich mit meinem Freund in die Disco gegangen.

Annette

b **Partnerarbeit. A** ist Holger. **B** stellt Fragen. Dann ist **B** Annette und **A** stellt Fragen.

Beispiel: **B** *Was hast du am Samstagmorgen gemacht?*
A *Ich bin in die Schule gegangen …*

A *Was hast du am Samstagmorgen gemacht?*
B *Ich habe in einem Blumengeschäft gearbeitet.*

Was hast du am Samstagmorgen gemacht?
Wo hast du zu Mittag gegessen?
Was hast du gegessen?
Was hast du zwischen 14 und 16 Uhr gemacht?
Was hast du um 16 Uhr gemacht?
Was hast du am Abend gemacht?

c **Partnerarbeit.** Stell Fragen an deinen Partner oder deine Partnerin! Was hast *du* am Wochenende gemacht?

❹ Mein Tagebuch schreiben

a Schreib dein Tagebuch für letztes Wochenende!

Beispiel:

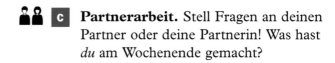

Samstagmorgen: in die Stadt gegangen…

oder:

b Schreib einen Brief an Holger oder Annette! Beschreib letztes Wochenende!

Beispiel:

Liebe Annette,
letztes Wochenende habe ich …

C Meine Umgebung

❶ Wo wohnst du?

 Schau die Landkarte an! Hör zu! Schreib den richtigen Buchstaben und Namen!

Beispiel: **1** = *A Hamburg*

❷ Partnerarbeit

A beschreibt einen Ort auf der Landkarte, sagt aber den Namen nicht. **B** rät, welche Stadt oder welches Dorf das ist.

Beispiel: **A** *Eine große Stadt, südlich von Hamburg.*
B *Wo liegt das?*
A *Im Norden.*
B *Hannover?*

> ... ist eine große/mittelgroße/kleine Stadt.
>
> ... ist ein Dorf nicht weit von ...
>
> Wo liegt das?
>
> im Norden/im Westen/im Süden/im Osten
> nördlich/südlich/östlich/westlich von ...
>
> in Nord-/West-/Süd-/Ost/Mittelengland/
> Schottland/Irland/Wales

❸ Wo wohnen sie?

 a Hör zu und verbinde die passenden Bilder mit den Namen!

| Tine | Anne | Markus | Ollie |

a

b

c

d

b Wo wohnst du? Und wo wohnt dein bester Freund/deine beste Freundin? Schreib zwei Sätze.

Beispiel: *Mein bester Freund wohnt in Pluckley. Das ist ein kleines Dorf westlich von Ashford.*

❹ Ich wohne in einem Bungalow!

Lies die Informationen! Verbinde die passenden Bilder mit den Informationen!

a

b

c

d

Wir verkaufen:

1   Reihenhaus (165 qm²) in beliebter Wohnsiedlung in Leipzig-West, mit Garten, ideal f. Familie mit Kindern, **KP 120.000 Euro**

2   Wohnung (3- Zimmer) in mod. Wohnblock am Stadtrand von Leipzig (Ellerfeld), 20 Min. z. Cityzentrum, **KP 185.000 Euro** (keine Provision)

3   Einfamilienhaus am Stadtrand von Leipzig, renovierter Altbau (m. Zentralheizung), 4 Zimmer, sofort beziehbar, **KP 145.000 Euro + Maklergebühr**

4   Bungalow, 15 Jahre alt, im Stadtzentrum (Nähe Hauptbahnhof), **KP 196.000 Euro + Maklergebühr**, Besichtigung ab 18.00–19.00 Uhr möglich

Besichtigung jederzeit möglich.

ifab Bauträgerges. mbH
INFO: Feldstraße 31, 20637 Leipzig
Telefon: (05063) 693578
Fax: (05063) 6930256 E-Mail: info@ifab-leipzig.de

---

❺ Gruppenarbeit

 a Arbeitet zuerst mit einem Partner/einer Partnerin! Beschreibt euren Wohnort und eure Häuser/Wohnungen! Macht Notizen!

Beispiel: **A** *Ich wohne in einer kleinen Stadt im Nordwesten Englands. Ich wohne in einem Einfamilienhaus am Stadtrand.*

 b Arbeitet jetzt mit zwei anderen Partnern! Beschreib den Wohnort und das Haus/die Wohnung deines Partners/deiner Partnerin! Macht Notizen!

Beispiel: **A** *Sam wohnt in einer kleinen Stadt im Nordwesten Englands. Er wohnt in einem Einfamilienhaus am Stadtrand.*

 c Schreibt Details über die vier Wohnorte und Häuser/Wohnungen in **Übungen 5a** und **5b** für ein Immobiliengeschäft auf!

Zu Hause

❶ Das ist unser Haus

a 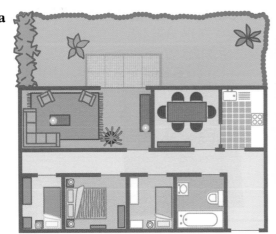 b  c

 a Hör zu! Welches Haus ist das? Schreib *a*, *b* oder *c*!

b Beschreib eines der anderen Häuser für deinen Partner/deine Partnerin!

Beispiel: **A** *Die Küche ist sehr klein. Hier links ist das Esszimmer. …*

> der Garten/im Garten
> die Küche/in der Küche
> das Wohnzimmer/im Wohnzimmer
> das Schlafzimmer/im Schlafzimmer
>
> das Esszimmer/im Esszimmer
> das Badezimmer/im Badezimmer
> das Arbeitszimmer/im Arbeitszimmer

❷ Partnerarbeit

A stellt eine Frage. **B** beantwortet die Frage.

Beispiel: **A** *Wo schläft man?*
　　　　　B *Im Schlafzimmer.*

- Wo schläft man?
- Wo wäscht man sich?
- Wo sieht man fern?
- Wo sitzt man in der Sonne?

- Wo isst man?
- Wo schreibt man?
- Wo kocht man?

❸ Beschreib das Haus!

 Zwei junge Deutsche sprechen. Hör zu und mach Notizen!

	Garten	Garage	Terrasse	Balkon	Wohnz.	Schlafz.	Essz.	Badez.	Toilette	Gästez.	Spielz.	Kinderz.	Keller	Dachboden	Arbeitsz.
1	✓	✓ groß													
2															

④ Was hat Verena in ihrem Schlafzimmer?

 a Hör zu! Schreib die passenden Buchstaben auf!

Beispiel: *e, …*

b Partnerarbeit: Was sagt Verena? **A** fängt an, dann ist **B** dran.

Beispiel: **A** *Ich habe einen Kleiderschrank.*
B *Ich habe eine Kommode.*

⑤ Gruppenarbeit

Thaguzgane .

Spielt das Gedächtnisspiel!

Beispiel: **A** *In meinem Zimmer habe ich ein Bett.*
B *In meinem Zimmer habe ich ein Bett und einen Kleiderschrank.*

own

Ich habe mein eigenes Zimmer.
Ich teile mein Zimmer.

In meinem Zimmer habe ich/gibt es …
einen Kleiderschrank/Spiegel/Stuhl.
eine Kommode/Lampe.
ein Bett/Poster/Radio/Sofa/Telefon.
Kuscheltiere.

Der/Die/Das … ist …
auf/neben/unter/hinter/vor dem/der …

⑥ *Unter, auf, neben, hinter* oder *vor*?

 Hör zu und wähle das passende Bild!

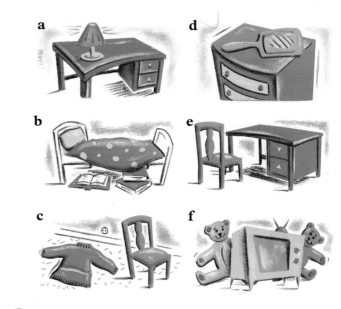

⑦ Verenas Zimmer

Lies die Beschreibung! Zeichne einen Plan ihres Zimmers!

magazines →

Auf der linken Seite steht das Bett, unter dem Fenster. Auf der rechten Seite, an der Wand, ist der Schreibtisch. Auf dem Schreibtisch liegen Zeitschriften. Vor dem Schreibtisch gibt es einen Stuhl. In der Mitte der Wand mit der Tür gibt es den Kleiderschrank. Links neben dem Kleiderschrank ist ein Sofa. Viele Kuscheltiere sitzen auf dem Sofa. Rechts neben dem Kleiderschrank steht eine Kommode. Auf der Kommode stehen eine Lampe und ein Spiegel. An den Wänden gibt es viele Poster.

⑧ Partnerarbeit

a Zeichne einen einfachen Plan deines Zimmers! Beschreib mündlich dein Zimmer! Dein Partner/Deine Partnerin zeichnet es.

b Beschreib schriftlich dein Zimmer! Gib die Beschreibung einer anderen Person! Diese Person muss dein Zimmer zeichnen.

Meine Meinung

❶ Was gibt's dort zu tun?

 Hör zu und schreib ✗ oder ✓ !

	🗓🤸	⛸	🎭	📖👥	🏟	🏊	🎶	🎧💃	🍽	☕
Jörg			✗	✗	✓	✓		✗		✓
Ulrike										
Georg										
Barbara										

❷ Gruppenarbeit

a Benutzt ein Wörterbuch und macht Brainstorming in einer Gruppe! Was hat eine ideale Stadt? Welche Gruppe hat die meisten Ideen?

b Beschreibt eure ideale Stadt der Klasse! **A** sagt einen Satz, dann ist **B** dran usw.

Beispiel: **A** *Die Stadt hat ein Kino.*
B *Die Stadt hat auch einen Bahnhof.*

Beispiel:

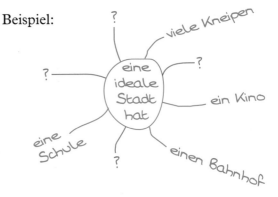

❸ Wie finden sie den Ort, wo sie wohnen?

1 Sonja   4 Verena   7 Holger
2 Florian   5 Silke   8 Annette
3 Thomas   6 Jörg

 Hör zu! Verbinde die Bilder mit den Aussagen!

Beispiel: **1** *Sonja – c*

> Es gibt (nicht) viele Grünanlagen/
>   Geschäfte/Sportmöglichkeiten.
> Es gibt (nicht) viel zu tun.
> Die Stadt hat (kein) ein Kino.
> Die Stadt hat (nicht) viel Industrie.
> Hier ist es ruhig/lebendig.

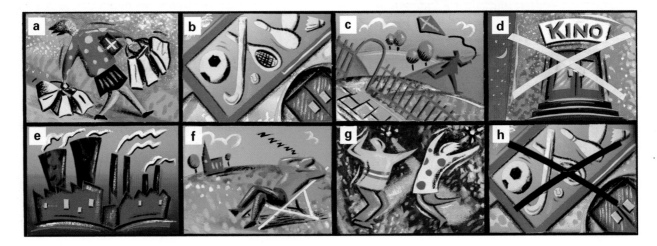

❹ Umfrage

a Mach eine Umfrage in der Klasse!
Stell die Fragen:

- Wo wohnst du?
- Wohnst du gern dort?
- Warum (nicht)?

Kopiere die Tabelle und mach Notizen!

Name	wo?	gern?	warum (nicht)?
Sarah	Newtown	ja	ein Kino

b Wohnen sie gern/nicht gern dort? Warum (nicht)? Schreib Sätze!

Beispiel: *Sarah wohnt gern in Newtown, weil es ein Kino hat.*

Die Stadt/Das Dorf hat Es gibt	einen Dom/Fluss/Jugendklub/Markt(platz)/Museum/Park/Zoo. eine Brücke/Eisbahn/Tankstelle. ein Freizeitzentrum/Kino/Rathaus/Schloss. ein paar/viele Kneipen/Restaurants. viele Sportmöglichkeiten. Grünanlagen/Landschaft. Berge/Blumen/Geschäfte/(nicht) viel Industrie.
Ich wohne (nicht) gern hier, weil es viel/kein(e) ... gibt.	

❺ Wie ist deine Wohnort?

Vier Schüler/Schülerinnen beschreiben ihren Wohnort. Lies die Webseite und schreib dann einen kurzen Artikel über *deinen* Wohnort:

- Wo wohnst du?
- Was gibt es dort?
- Wohnst du gern dort?
- Warum (nicht)?

www.freunde.com

In meiner Stadt fahren viele Leute mit dem Rad – das finde ich gut. In der ganzen Stadt gibt es viele Radwege nur für Radfahrer. Ich fahre überall mit dem Rad hin: zur Schule, zum Einkaufen, in die Disco ...
Martin

Ich wohne im Süden an der Küste in einem sehr kleinen Ort. In der Ferienzeit ist hier immer viel los. Leider ist das Wetter nicht sehr gut: auch im Sommer ist es oft zu kalt um schwimmen zu gehen und den Rest des Jahres regnet es oft.
Sara

Hier zu Hause gibt es leider viel Industrie – die Stadt tut sehr wenig für die Umwelt. Fast alle Einwohner fahren überall mit dem Auto hin. Radfahren ist zu gefährlich – ich muss mit dem Bus oder der U-Bahn zur Schule fahren.
Anna

Ich wohne in den Bergen in einem sehr bekannten Skigebiet. Hier gibt es über 60 Hotels und 26 Skilifte. Im Winter haben wir jedes Jahr von November bis April Schnee. Dann kommen sehr viele Touristen in unser Dorf – zu viele, finde ich!
David

Grammatik 1a

Present tense (1)

To talk about what is happening now and what happens regularly, we use the present tense. English has two ways of doing this: *I swim* and *I am swimming*. However, in German there is only one way of saying this, simply: *ich schwimme*. You must learn the correct endings for each part (person) of the verb.

Here are the endings for regular verbs:

ich spiel**e**   wir spiel**en**
du spiel**st**   ihr spiel**t**
er/sie/es spiel**t**   sie/Sie spiel**en**

All regular verbs like *wohnen*, *kaufen*, *machen* and *spielen* use these endings in the present tense.

Remember: all verbs are listed in the dictionary in the infinitive form which normally ends in *-en*: *wohnen*, *spielen*, etc. You just have to remember to remove the *-en* and add on the correct ending.

---

1 Copy the sentences and add the correct verb ending.

1 Wir geh___ gern in die Disco.
2 Wie find___ Sie Filme?
3 Ihr spiel___ heute Nachmittag Tennis.
4 Der Film beginn___ um 20 Uhr 30.
5 Karl hör___ sehr gern Rap-Musik.
6 Meine Großeltern wohn___ in einer Wohnung in der Stadtmitte.
7 Ich heiß___ Katrin und ich komm___ aus Hannover.
8 Spiel___ du gern Fußball?

---

2 Complete the sentences and translate them into English.

1 ich...   2 du...   3 meine
Mutter...   4 meine
Großeltern...   5 wir...

Other verbs are irregular. The endings are still the same, but there are often changes to the stem of the verb in the 'du' and 'er/sie/es' forms. You'll need to learn each part of these verbs separately. (See the list of 'Starke Verben' on pages 178–180.)

Here are some familiar examples:

sehen (to see)   essen (to eat)

ich seh**e**	wir seh**en**		ich ess**e**	wir ess**en**
du **sieh**st	ihr seht		du **iss**t	ihr esst
er/sie/es **sieh**t	sie/Sie seh**en**		er/sie/es **iss**t	sie/Sie ess**en**

Two very important verbs are irregular: *haben* (to have) and *sein* (to be). These don't follow the pattern of any other verbs:

haben   sein

ich habe	wir haben		ich bin	wir sind
du hast	ihr habt		du bist	ihr seid
er/sie/es hat	sie/Sie haben		er/sie/es ist	sie/Sie sind

3 Copy the sentences and fill in the correct part of the verb.

1 In meiner Stadt _____ es keine guten Geschäfte. (geben)
2 _____ Sie mit dem Auto zur Schule, Herr Schmidt? (fahren)
3 Mein Bruder _____ gern belegtes Brot zum Mittagessen. (essen)
4 Was _____ du als Pausenbrot mit in die Schule? (nehmen)
5 Ich _____ fast jeden Tag meine Schuluniform. (tragen)
6 _____ ihr immer fern, wenn ihr nach Hause kommt? (sehen)

4 Choose the correct subject (*ich/mein Freund/Verena*, etc.) for the verb forms and create sentences.

Example: *Du liest ein Buch.*

ich/du/er/sie/es/man/Verena/mein Freund/wir/ihr/sie/meine Freunde/Sie

liest	essen	fahre	esst	lest	sieht
siehst	seid	fahren	ist	fahrt	haben
hast	lesen	bin	isst	seht	sind
sehen	hat	fährst	habt	habe	
lese	bist	esse	fährt	sehe	

Tipp 1a

Listening skills

It's important to concentrate carefully before and during your listening tasks.

- First, take your time and read through the questions carefully. They will give an idea of what to listen out for.

  Example:
  Um wie viel Uhr ist die Pause?
  You need to listen out for a time.

- Look out for key words in the questions which will help you answer the questions:

  Example:
  *In was für einem **Haus** wohnt Thomas?*
  *Er wohnt in einem **Reihenhaus**.*

- When you hear a word you don't understand, listen to the language in its context to work out its meaning.

  Example:
  *Meine Freundin Ute isst jeden Tag einen **Schokoriegel**. Das finde ich doof, weil **Schokolade** so ungesund ist.*

- Listen out for words which are similar to English, e.g. **Boot, Haus, Adresse**. Some words are easily recognizable when they are written down but are not quite so easy to identify when listening, e.g. **Religion, Systeme, Jogurt, autoritär**.

1 With a partner, make a short list of other words which are easier to understand by reading than by listening.

- Compound nouns can be tricky when you do not see them on paper, e.g. **Schulweg, Kunstgeschichte**. Note one part of the word the first time you hear it and the other part the next time you hear it.

  Example:
  Kunstgeschichte:
  – Kunst (art) – Geschichte (history)
  – Kunstgeschichte = history of art

2 Choose five compound nouns from the **Vokabular** section, e.g. **Einkaufszettel**. Read them out twice to your partner and tell him/her to write down their meaning. Try to make up some of your own, e.g. **Natursendung, Jogurtbecher**.

Reading skills

- Just as for listening, you should read through the questions *before* you read the text. Look out for key words and phrases which will help you anticipate the answers.

- Look for words which are similar in English, but be careful of words which look similar but have a different meaning, e.g. **Gymnasium** (*grammar school*).

- Make use of pictures or symbols to help you to understand.

- Remind yourself of patterns of language you may have learned, e.g. at the *end* of words **-in** (female), **-chen** (something small), **-heit/keit** (noun from adjective), **-ung** (noun from verb).

- Likewise, remember common prefixes at the *start* of words, particularly verbs, e.g. **aus-** (*out/out of/off*), **an-/zu-** (*to/at*), **ein-** (*in/into*), **durch-** (*through*), etc.

Answering questions in listening and reading tasks

You will come across a variety of different tasks in your listening and reading exams. Many questions will ask you to respond with a non-verbal answer, e.g. tick a box, write a number or letter, fill in a table, choose the correct multiple choice answer or picture, etc. It's a good idea to familiarize yourself with these different types of tasks.

3 Look back over units 1A, 1B, and 1C and find examples of the following types of tasks. Practise doing the tasks.

- match texts (written or spoken) with pictures
- fill in a table
- write down letters or numbers

4 Read the passage and choose the correct answers to the questions below.

> Ich beschreibe mein ideales Wochende! Am Samstagmorgen bleibe ich bis 10.30 im Bett. Dann stehe ich auf. Ich frühstücke und sehe bis 12.00 Uhr fern.
> Ich rufe meine Freundin an und wir fahren danach mit dem Bus in die Stadt. Wir gehen dort im Hallenbad schwimmen. Nach dem Schwimmen gehen wir einkaufen.
> Wir fahren um 17.00 nach Hause zurück. Nach dem Abendessen spiele ich mit meinem Computer. Hoffentlich ist mein Bruder nicht zu Hause. Wir kommen miteinander nie gut aus – besonders wenn wir mit dem Computer spielen! Um 21.00 gehe ich ins Bett.
> **Grete, 15 Jahre**

1 Was macht Grete an einem idealen Samstagmorgen?
  a Sie frühstückt um 12.00 Uhr.
  b Sie steht um 10.30 auf.
  c Sie sieht den ganzen Morgen fern.

2 Was machen Grete und ihre Freundin in der Stadt?
  a Sie gehen zuerst schwimmen und dann einkaufen.
  b Sie gehen einkaufen und dann gehen sie schwimmen.
  c Sie essen in einem Restaurant.

3 Wie kommt Grete mit ihrem Bruder aus?
  a Sie streiten sich oft um den Computer.
  b Sie ist nicht froh, wenn er nicht zu Hause ist.
  c Grete und ihr Bruder verstehen sich gut.

For some questions you may have to answer in German. Look at the text in activity 4. You could answer the question, *Warum fährt Grete in die Stadt?* in any of the following ways:

> Sie geht auf eine Party

> ... weil sie auf eine Party geht.

> ... um auf eine Party zu gehen.

5 Read the following short passage. Write two possible answers for each question.

> Meine Familie ist ziemlich klein. Meine Eltern sind nämlich geschieden und ich bin ein Einzelkind. Ich wohne zur Zeit bei meiner Mutter und komme gut mit ihr aus. Ich verbringe jedes zweite Wochenende bei meinem Vater. Ich freue mich immer darauf. Er ist aber ein bisschen autoritär und wir streiten manchmal über Taschengeld, Freunde und Hausaufgaben. **Eva, 14 Jahre**

1 Wie viele Geschwister hat Eva?
2 Wie versteht sich Eva mit ihrer Mutter?
3 Wie oft sieht Eva ihren Vater?
4 Warum hat sie manchmal Probleme mit ihrem Vater?

D Der Tagesablauf

❶ Wie spät ist es?

Hör zu! Wähle die passende Uhrzeit!

Beispiel: **1** – *1.00*

1 1.00 oder 2.00?	**6** 7.30 oder 8.30?	**11** _____ ?
2 2.00 oder 2.15?	**7** 9.30 oder 10.30?	**12** _____ ?
3 3.15 oder 4.15	**8** 11.20 oder 11.25?	**13** _____ ?
4 5.45 oder 5.15?	**9** 12.10 oder 11.50?	**14** _____ ?
5 6.45 oder 6.15?	**10** 12.00 ● oder 12.00 ☾ ?	**15** _____ ?

❷ Wie sieht der Alltag aus?

Verbinde die Sätze mit den Bildern!

Beispiel: **1** – *c*

a Ich gehe ins Bett.	**e** Ich ziehe mich an.	**i** Ich esse zu Abend.
b Ich ziehe mich aus.	**f** Ich nehme ein Bad.	**j** Ich mache meine Hausaufgaben.
c Ich stehe auf.	**g** Ich wasche/dusche mich.	**k** Ich sehe fern.
d Ich gehe in die Schule.	**h** Ich frühstücke.	**l** Ich gehe nach Hause.

❸ Gruppenarbeit

Arbeitet in Gruppen zu viert oder fünft. Kopiert die Tabelle!
Stellt diese Fragen und macht Notizen!

- Wann stehst du an Wochentagen auf?
- Wann gehst du an Wochentagen ins Bett?

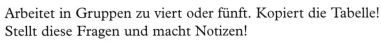

Name	aufstehen	ins Bett gehen
Tom	7.00	10.30

Wer steht am frühesten/spätesten auf?
Wer geht am frühesten/spätesten ins Bett?

> Ich stehe um sieben Uhr auf.
> Um sieben Uhr stehe ich auf.
> Ich gehe um elf Uhr ins Bett.
> Um elf Uhr gehe ich ins Bett.

❹ Ein Tag im Leben von Frau Fleißig

a Lies den Text!

> Ich stehe um sechs Uhr morgens auf. Dann trinke ich Fruchttee und esse eine Scheibe Toast und etwas Müsli, weil das sehr gesund ist. Um sieben Uhr nehme ich ein Bad und ziehe mich an. Um acht Uhr verlasse ich das Haus. Ich arbeite fleißig bis halb eins. Dann gehe ich joggen. Danach esse ich Salat und Obst und trinke viel Wasser. Ich arbeite bis halb sechs, dann fahre ich nach Hause. Normalerweise esse ich um halb acht. Nach dem Essen sehe ich eine Stunde fern oder ich lese. Manchmal treffe ich mich mit Freunden. Gegen halb elf gehe ich ins Bett. Ich schlafe sofort ein.

 b **Partnerarbeit.**

A ist Frau Fleißig. **B** ist Frau Fleißigs Freund/Freundin und stellt Fragen.

Beispiel: **B** *Wann stehst du auf?*
          A *Um sechs Uhr.*

> Was isst du und trinkst du zum Frühstück?
> Was machst du um sieben Uhr?
> Wann verlässt du das Haus?
> Was machst du in der Mittagspause?
> Was isst du zu Mittag?
> Wann gehst du nach Hause?
> Wann isst du zu Abend?
> Was machst du normalerweise abends?
> Wann gehst du ins Bett?

❺ Partnerarbeit

Stell deinem Partner/deiner Partnerin Fragen über seinen/ihren Tagesablauf!

❻ Ein Tag in meinem Leben

Schreib einen Artikel für eine Zeitschrift: ‚Ein Tag in meinem Leben‘!

Beispiel:

> An Wochentagen stehe ich sehr früh – zu früh – um sieben Uhr auf ...

Am Wochenende

❶ Das Wochenende bei Herrn Faulpelz

a Lies den Text!

> Am Wochenende mache ich absolut nichts. Am Samstag schlafe ich lang, stehe gegen Mittag auf und esse dann ein großes Frühstück mit Eiern, Speck, Brot, Butter, Honig und viel Kaffee. Dann lese ich die Zeitung und sehe bis fünf Uhr fern. Danach ziehe ich mich an, wasche mich und verlasse um sechs Uhr das Haus - ich gehe mit Freunden aus. Wir trinken viel Bier und essen Pizza oder so. Normalerweise bin ich so satt und müde, dass ich um zehn ins Bett gehe. Am Sonntag stehe ich spät auf. Manchmal gehe ich ins Kino oder besuche Freunde. Wir essen oft Kuchen mit Schlagsahne und trinken Kaffee.

b Ergänze die Lücken!

1 Am Wochenende _ _ _ _ t er nichts.
2 Samstags i_ _t er ein großes Frühstück.
3 Dann lies_ er die Zeitung.
4 Er si_ _ _ fern.
5 Danach zi_ _ _ er sich an.

6 Er wä_ _ _ _ sich.
7 Er tr_ _ _ _ Bier.
8 Er i_ _t Pizza.
9 Um zehn Uhr g_ _ _ er ins Bett.
10 Am Sonntag s_ _ _ _ er spät _ _ _ .

❷ Ein Tag im Leben einer Lottogewinnerin, Lotte Geldbaum

8.00	der Wecker klingelt - aufstehen
9.00	frühstücken/Champagner trinken
10.00	in die Stadt gehen
10.30	einen Porsche kaufen
11.00	nach Berlin fahren
12.00	im Toprestaurant zu Mittag essen
14.00	nach Hause fahren
15.00	im Privatschwimmbad schwimmen
17.00	Tennis spielen
19.00	zu Abend essen
20.00	ins Spielkasino gehen
21.00	das ganze Geld verlieren!

Beschreib den Tag!

Beispiel: *Um acht Uhr steht sie auf. Dann frühstückt sie …*

❸ Was wirst du am Wochenende machen?

 a Sechs junge Deutsche sprechen.
Hör zu und wähle die passenden Bilder!

Beispiel: *Anja – c, f*

a

b

c

d

e

f

b Schreib Sätze!

Beispiel: *Anja wird einkaufen
gehen und mit Freundinnen
ausgehen.*

Du bist dran! Was wirst *du* am
Wochenende machen? Schreib Sätze!

Ich werde	einkaufen gehen/Babysitting machen/
Du wirst	Fußball spielen/fernsehen/meinen Vater
Er/Sie wird	besuchen/schwimmen gehen/lesen/
	mit Freunden ausgehen.

❹ Verenas Brief

a Lies den Brief und beantworte die Fragen in ganzen Sätzen!

> Dieses Wochenende werde ich eine Freundin in Hannover besuchen.
> Sie heißt Annette und sie geht auf die Uni. Am Samstag werden wir die
> moderne Kunstgalerie besichtigen und zum Flohmarkt gehen. Vielleicht
> werde ich dort ein Geburtstagsgeschenk für meine Mutter finden! Am Abend
> werden wir ins Kino gehen und danach in der Altstadt essen gehen.
> Am Sonntag werden wir vielleicht auf dem Maschsee windsurfen!

1 Was wird Verena dieses Wochenende
machen?
2 Was werden sie am Samstag machen?
3 Was wird Verena vielleicht auf dem
Flohmarkt finden?
4 Was werden sie am Samstagabend tun?
5 Wo werden sie später essen?
6 Wann werden sie vielleicht windsurfen gehen?

b Schreib einen Brief oder eine E-Mail an
Verena! Beschreib deine Pläne für das
Wochenende!

  c Frag deinen Partner/deine Partnerin
über sein/ihr Wochenende und mach
eine Kassette!

Beispiel: **A** *Was wirst du dieses
Wochenende machen?*
B *Am Samstag werde ich ins
Kino gehen. Und du?*
A *Ich werde einkaufen gehen
und am Sonntag werde ich
Freunde besuchen.*

Mahlzeiten

1 Frühstück

 Was essen und trinken Jule, Boris und Eva zum Frühstück? Hör zu und mach Notizen!

	Essen	**Trinken**
Jule	Brötchen, ...	
Boris		
Eva		

2 Partnerarbeit

 Was isst und trinkst du zum Frühstück? **A** fragt, **B** antwortet. Dann ist **B** dran.

Beispiel: **A** *Was isst du zum Frühstück?*
B *Ich esse meist Cornflakes mit Milch und Zucker.*
A *Und was trinkst du zum Frühstück?*
A *Ich trinke Tee oder Orangensaft.*

3 Pausenbrot

 a Wer isst und trinkt was? Hör zu und schreib die passenden Buchstaben auf!

 b Hör noch einmal zu und beantworte die Fragen (du kannst kurze Notizen schreiben)!

1 Woher kommt Veras Pausenbrot?
2 Wo kauft Tanja ihr Pausenbrot?
3 Warum isst sie kein Obst und keinen Jogurt?
4 Wo kauft Uwe sein Pausenbrot?
5 Wie oft isst er dort?
6 Warum isst er keine Pausenbrote von zu Hause?

 c Pausenbrot-Umfrage: Mach eine Kassette für deinen Austauschpartner/deine Austauschpartnerin! Stellt Fragen in einer Gruppe von vier oder fünf Personen!

• Was isst und trinkst du in der Pause (morgens oder nachmittags)?
• Was isst und trinkst du dann am liebsten?
• Warum?
• Was isst und trinkst du dann gar nicht gern?
• Warum nicht?

4 Mittagessen

Lies die Texte. Was meinst du? Was ist das Mittagessen in Großbritannien – und was ist das Mittagessen in Deutschland? Schreib die passenden Zahlen auf!

2

Ich esse zu Hause zu Mittag. Meine Mutter kocht dann für mich und meinen Bruder. Manchmal gibt es vegetarisches Essen – zum Beispiel Nudelauflauf, aber wir essen auch oft Würstchen oder Hähnchen mit Gemüse und Reis.

1

Ich esse mittags in der Schule – im Speisesaal. Ich esse oft Pizza oder Pommes frites und Hamburger und manchmal esse ich auch Curry mit Reis. Dazu gibt es Salat und ich trinke Cola oder Mineralwasser. Manchmal esse ich auch Obst dazu – eine Banane oder einen Apfel.

5 Schulessen in Großbritannien

Eine Schule in Deutschland fragt: „Wo isst du zu Mittag? Was isst du oft/am liebsten? Was trinkst du? Was isst/trinkst du nicht gern?" Schreib eine E-Mail!

Beispiel: *Ich esse mittags im Speisesaal.*
Dort esse ich meistens Hamburger
oder Pizza mit …

6 Extra!

Was findest du gut/schlecht am Schulessen? Warum isst du gern/nicht gern dort? Schreib einen kurzen Artikel für eine Schülerzeitung in Deutschland.

Zum Frühstück	esse ich	Butterbrot/Brötchen mit Käse/Schinken/Marmelade/Honig. Cornflakes/Müsli/Jogurt.
	trinke ich	Kaffee/Kakao/Milch/Tee
In der Pause	esse ich	ein belegtes Brötchen/einen Apfel/eine Banane. Pommes frites/Chips/Schokolade/Süßigkeiten/Eis.
	trinke ich	Cola/Limonade.
Zum Mittagessen	esse ich	Fisch/Hähnchen/Gemüse/Reis/Salat/Nudeln mit … Hamburger/Pizza/Würstchen.
	trinke ich	Orangensaft/Wasser.

Ich esse mittags im Speisesaal der Schule/zu Hause.

Mein Vater/meine Mutter kocht/macht …
Ich koche/mache …

| Ich esse gern/nicht gern …, weil | das billig/teuer ist. das gut schmeckt. das schnell geht. |

E Schulfächer

① Mein Stundenplan

 a Hör zu! Saskia beschreibt ihren Stundenplan.
Kopiere den Stundenplan unten und füll ihn aus!

STUNDENPLAN			
	Montag	**Dienstag**	**Mittwoch**
8 Uhr			
8.45 Uhr			
9.30 Uhr	PAUSE	PAUSE	PAUSE
10 Uhr			
10.45 Uhr			
11.30 Uhr	PAUSE	PAUSE	PAUSE
12 Uhr			
12.45 Uhr			
13.30 Uhr	—	—	—

 b Hör noch einmal zu! Welche Fächer findet Saskia
gut/interessant – und was findet sie langweilig/nicht gut?
Schreib ✗ oder ✓ !

c Partnerarbeit: Welche Fächer findest du gut/interessant/
nicht gut/langweilig? Macht Dialoge!

Beispiel: **A** *Ich finde Mathe interessant. Und du?*
Wie findest du Mathe?
         B *Ich finde Mathe langweilig! Aber ich mag*
Deutsch – und ich finde …

Am Montag habe ich Deutsch um 10 Uhr.
Um 9 Uhr 30 habe ich Erdkunde.

Ich habe	jeden Tag	eine Stunde Englisch.
	am Dienstag	zwei Stunden Naturwissenschaften.
	jede Woche	drei Stunden Mathe.

❷ Ein Quiz

Lies die Sätze! Finde die passenden Schulfächer!
Kopiere und ergänze die Sätze!

Beispiel: **1** Ich mag **Naturwissenschaften**, weil ich Physiker werden möchte.

1 Ich mag N_ _ _ _ _ _ _ _ _ _ s_ _ _ _ _ _ _,
weil ich Physiker werden möchte.

2 Ich finde F_ _ _ _ _ _ _ _ _ _n
interessant, weil ich im Ausland arbeiten
möchte.

3 D_ _ _ s_ _ ist toll, weil ich gern lese.

4 Ich mag _ _ t_ e, weil Zahlen mich
faszinieren.

5 Ich mag K_ _ _ gern, weil ich gut
zeichnen kann.

6 _ _ s_ _ gefällt mir, weil ich gern im
Schulchor singe.

7 _ e_ _ i_ _ _ _ ist interessant, weil ich
gern etwas über alte Zeiten lerne.

8 _ _ _ _ _ _ _ _ _ k gefällt mir, weil ich
gern programmiere.

❸ Ich kann es … Ich kann es nicht!

 Fünf junge Deutsche sprechen. Hör zu und
mach Notizen!

Beispiel: 1

Mein bestes Fach	Gründe	Mein schlechtestes Fach	Gründe
Englisch	mag Fremdsprachen 3 x in Großbritannien	Mathe	kompliziert

❹ Gruppenarbeit

Findet gegenseitig heraus:

- Welches Fach ist dein bestes Fach?
  Warum?
- Welches Fach ist dein schlechtestes Fach?
  Warum?

❺ Meine Fächer

- Welche Fächer studierst du?
- Welche findest du interessant?
- Welche magst du nicht?
- Warum?
  Schreib positive und negative
  Sätze über deine Fächer.

Beispiel: *Ich mag Englisch, weil ich gern
lese. Sport interessiert mich nicht,
weil ich nicht sehr fit bin.*

Ich mag Englisch/Naturwissenschaften.
Ich finde Erdkunde/Geschichte | gut/toll/interessant.
Ich finde Chemie/Mathe | schwierig/kompliziert.

Ich bin sehr schwach in …

… gefällt mir, weil …

… interessiert mich (nicht), weil …

Meine Schule

❶ Beschreibung der Schule

Hör zu! Wähle das passende Bild, **a** oder **b**!

Beispiel: **1** – *a*

> Meine Schule ist groß/klein.
> Sie ist modern/alt.
> Sie liegt in der Stadt/auf dem Land/in der Nähe von ...
> Meine Schule ist gemischt/nur für Mädchen (Jungen).
> Die meisten Schüler sind fleißig/faul/langweilig/interessant.
> Die Lehrer sind nett/unfreundlich/höflich/hilfsbereit/altmodisch.
> Die Schule ist ein Gymnasium/eine Gesamtschule/eine Privatschule.

❷ Partnerarbeit

A beschreibt eine Schule in **Übung 1**. **B** beschreibt eure eigene Schule.

Beispiel: *Meine Schule ist groß und liegt in der Stadt ...*

❸ Meine Schule

 a Ina und Markus beschreiben ihre Schule.
Hör zu und hake ab!

	🚲	🚌	🚗	🚆	🚶	🏊						
Ina												
Markus												

b Beantworte die Fragen (du kannst kurze Notizen schreiben)!

1 In welche Klasse geht Ina?
2 Wie heißt die Direktorin – und wie ist sie?
3 Wie sind die anderen Lehrer?
4 Was macht sie am Mittwochnachmittag?

5 Auf was für eine Schule geht Markus?
6 Wie viele Schüler hat seine Schule?
7 Warum mag er das Schwimmbad?
8 Was macht er im Schulorchester?

c Beschreib deine Schule – schreib einen Artikel für die Homepage deiner Austauschschule in Deutschland!

• Was für eine Schule ist das?
• Wie ist deine Schule?
• Wie sind die Lehrer?
• Und die Schüler?
  usw.

4 Informationen für den Schulprospekt

a Lies die Sätze! Verbinde die Fotos mit den Sätzen!

Beispiel: **1** – c

DIE SCHÜLER KÖNNEN:

1 einen Austausch mit Frankreich, England oder Amerika machen.
2 snowboarden gehen.
3 nach dem Schultag Sport treiben, in einer Mannschaft oder in einem Sportverein.
4 ein Instrument lernen.
5 im Chor singen.

b Was kann man in eurer Schule machen? Macht einen Schulprospekt!

c Macht einen Werbespot für das Schulradio mit euren Informationen!

Zukunft in der Schule

1 Schulen in Deutschland

a Lies den Text und die Sätze rechts! Sind sie richtig oder falsch? Korrigiere die falschen Sätze!

Hallo! Ich heiße Katrin und ich besuche das Heinrich-Gymnasium in Hannover. Das ist eine große gemischte Schule in der Stadtmitte.

Der Unterricht in unserer Schule beginnt jeden Tag um acht Uhr und ist um halb zwei zu Ende. Wir essen normalerweise mittags zu Hause: In deutschen Schulen gibt es nicht oft Speisesäle. Wir haben auch keine Versammlungen in Deutschland und die Schüler und Schülerinnen tragen keine Uniform. Das ist toll!

Das Schuljahr hat hier zwei Halbjahre und wir bekommen am Ende jedes Halbjahrs ein Zeugnis. Wenn man oft sehr schlechte Noten bekommt, bleibt man ein Jahr sitzen - das heißt, man muss das ganze Schuljahr wiederholen. Das finde ich nicht so gut!

1 Der Unterricht beginnt um 8 Uhr.
2 Das Schuljahr hat zwei Halbjahre.
3 Es gibt tägliche Versammlungen.
4 Die Schüler tragen Uniform.
5 Es gibt zweimal pro Jahr Zeugnisse.
6 Man kann sitzen bleiben.
7 Die Schüler essen in der Speisesaal.
8 Der Unterricht ist um 13 oder 14 Uhr zu Ende.

b Und in Großbritannien? **A** sagt einen Satz über Schulen in Deutschland, **B** sagt eine Satz über Großbritannien. (Benutzt die Informationen in **Übung 1a.**)

Beispiel: **A** *In Deutschland beginnt der Unterricht um acht Uhr.*
B *Aber in Großbritannien beginnt der Unterricht normalerweise um neun Uhr.*

2 Pläne für das Schulhalbjahr

 Hör zu! Kai, Ute, Lars, Claudia und Michaela sprechen über ihre Pläne für das nächste Schulhalbjahr. Wer wird was machen? Finde die passenden Bilder!

a   b   c   d   e

❸ Partnerarbeit

a Was sind deine Pläne für das nächste
Schuljahr/Halbjahr? Macht Dialoge
mit den Informationen!

Beispiel: **A** *Ich werde ein Instrument lernen.*
Und du?
B *Ich werde eine Sport-AG machen.*

b Du bist dran! Was sind deine Pläne?
Schreib fünf Sätze!

Beispiel: *Ich werde immer Hausaufgaben*
machen. Ich werde …

Ich werde	die Oberstufe besuchen.
Er/Sie wird	Abitur/meinen Abschluss machen.
	eine Prüfung/einen Test machen.
	einen Austausch machen.
	eine Klassenfahrt machen.
	jeden Tag Hausaufgaben machen.
	in den Ferien lernen.
	ein Instrument lernen.
	im Chor singen.
	eine Theater–AG machen.
	einen Kochkurs machen.
	Sport machen.

❹ Gruppenarbeit

Findet gegenseitig heraus: „Was sind deine
Pläne für das nächste Halbjahr?" Schreibt die
Resultate auf!

Beispiel: *Mark wird seinen Abschluss machen.*
Kate wird ….

❺ Extra!

Schreib einen Brief an deinen Brieffreund/
deine Brieffreundin und beschreib deine
Pläne für das nächste Schuljahr/Halbjahr!

Beispiel:

> Hallo, Thomas!
> Nächstes Halbjahr werde ich viel für die Schule
> machen: Ich werde jeden Tag zwei Stunden
> lernen und ich werde ...

Grammatik 1b

Present tense (2)

Reflexive verbs

A number of very common verbs are known as reflexive verbs. In addition to the normal verb endings, each part of the verb is followed by an extra word: a reflexive pronoun:

sich waschen (to wash (yourself))

ich wasche **mich**	wir waschen **uns**
du wäschst **dich**	ihr wascht **euch**
er/sie/es wäscht **sich**	sie/Sie waschen **sich**

1 Look back at page 28. How many reflexive verbs can you find in activity 2? What do they mean?

Example: *Ich wasche mich. – I have a wash.*

2 Write sentences for the pictures.

Example: **1** *Ich wasche mich.*

Separable verbs

Separable verbs are also made up of two parts: the main verb and a prefix (*auf, an, ab*, etc). In the infinitive form, the prefix is joined to the start of the verb: ***auf**stehen, **ab**waschen*.

To form the present tense of separable verbs you need to move the prefix (*auf, an, ab,* etc.) to the end of the phrase:

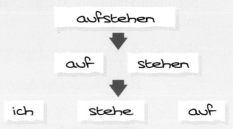

3 Fill in the correct 'prefix' for the separable verbs.

Example: **1** *Mein Bruder räumt sein Zimmer nie auf.*

1 Mein Bruder räumt sein Zimmer nie ___ .
2 Wir schlagen die Wörter im Wörterbuch _____ .
3 Sein Vater zündet die Kerzen _____ .
4 Als Teilzeitjob trage ich Zeitungen _____ .
5 Sie tauscht 50 Pfund in Euro _____ .
6 Wir schreiben alle neuen Wörter _____ .

Some verbs can be both reflexive and separable: *sich ausziehen, sich anziehen,* etc.

With these verbs you need to follow the rules for separable verbs and then slip *mich, dich,* etc. in after the main part of the verb:

4 Fill in the correct reflexive pronoun.

Example: **1** *Ich ziehe mich morgens um 7 Uhr an.*

1 Ich ziehe _____ morgens um 7 Uhr an.
2 Er setzt _____ gleich hin.
3 Das können wir _____ nicht vorstellen.
4 Die Kinder ziehen _____ an.
5 „Setzt _____ jetzt hin. Wir essen schon!"

Word order (1)

Word order in German is very important. But if you follow these simple rules, you shouldn't go wrong:

- The verb should always be the second idea in a sentence:

  *Ich **decke** den Tisch.*
  *Meine Eltern **sind** sehr lieb.*

- Always remember:
  Time – Manner – Place

  Ich fahre am Samstag mit dem Bus in die Stadt.

1 Re-write the sentences in the correct order.

Example: **1** *Ich gehe ins Bett.*

1 gehe / ins / Ich / Bett /.
2 Johann / interressant / findet / Mathe / .
3 groß / ist / Meine / Schule / .
4 die / Ich / Zeitung / lese / .
5 Lotti / gern / Pommes / isst / .

2 Fill the gaps with a phrase of Time, Manner or Place from the box.

Example: **1** *Ich muss jeden Samstag zu Hause aufräumen.*

im Sportzentrum   mit dem Bus   zu Fuß
jeden Samstag   Heute   nach Amerika

1 Ich muss _____ zu Hause aufräumen.
2 Mein Familie fährt nächstes Jahr _____.
3 Morgen fahren wir _____ ins Stadtzentrum.
4 Nach der Schule spielt mein Bruder Basketball _____ .
5 _____ gibt es eine Geburtstagsparty für meine Oma.
6 Du musst heute _____ in die Schule gehen.

You can place certain words and phrases (time expressions, for example) at the start of a sentence to emphasize these words:

Ich gehe um zehn Uhr ins Bett.
***Um zehn Uhr** gehe ich ins Bett.*

Remember that the subject of the sentence and the verb need to swap places:

*Um zehn Uhr **gehe ich** ins Bett.*

3 Re-write the sentences, putting the time expressions at the start.

Example: **1** *Später fahre ich nach London.*

1 Ich fahre nach London. (später)
2 Wir stehen um 7.30 Uhr auf. (morgens)
3 Ich esse Brot mit Käse und Schinken. (zum Mittagessen)
4 Ich gehe zum Jugendzentrum. (heute)
5 Jasmin isst in der Kantine. (manchmal)

Another key word which changes word order is *weil* (because). *Weil* sends the verb to the end of the sentence:

Ich wohne gern in Berlin. Es gibt viel zu tun.
*Ich wohne gern in Berlin, **weil** es viel zu tun **gibt**.*

4 Link these sentences using *weil*.

Example: **1** *Ich esse kein Fleisch, weil ich Vegetarier bin.*

1 Ich esse kein Fleisch.
   weil
   Ich bin Vegetarier.
2 Ich gehe gern in die Disco.
   weil
   Ich tanze gern.
3 Es geht mir gut.
   weil
   Heute ist Freitag.
4 Es geht mir nicht gut.
   weil
   Ich habe zu viele Hausaufgaben.
5 Ich gehe ins Restaurant.
   weil
   Ich habe Geburtstag.

Tipp 1b

Improving your speaking skills

Your speaking assessment will be recorded on tape. You have to talk freely for about four minutes on a number of different topics about yourself: family; home and home life; area/region; school; free time; routine.

You can prepare for this beforehand, but you can only have brief notes to refer to whilst you are recording your work.

Imagine you are preparing the 'School' section of your Module 1 assessment. You will need to include some details about the following: description of the school, what you study, subjects you like/dislike and why, homework.

> **Wie ist die Schule?**
> Gymnasium/Gesamtschule – groß, klein, nicht groß genug – modern – viele/nicht viele Schüler ...

> **Meine Fächer**
> Englisch, Naturwissenschaften, Mathe ...

> **Wie finde ich den Unterricht?**
> interessant, langweilig, gefällt mir gut/... gefällt mir am besten – Lieblingsfach(¨er) – Lehrer(-innen) – nett, sympathisch, streng, autoritär

Mathe gefällt mir gar nicht.

Ich finde meine Hausaufgaben sehr schwer.

> **Hausaufgaben**
> in allen/manchen Fächern – zu viele, nicht genug – jeden Abend – zwei/drei Stunden – finde ich zu schwer/ganz einfach – Mutter/Vater hilft (nicht) – keine Lust

Meine Mutter hilft mir ein bisschen.

If you write your notes in large bubbles like this, you can add to them and you can also draw lines from one to another to link up ideas.

1 Take the topic 'My free time' and write lists of key words and phrases in boxes or bubbles. Include information on free time activities:

– where you do them, with whom, when
– reasons why you like your activities
– ideas about new activities for the future.

It's important that you make the language flow as much as possible. To do this, you need to link up phrases with linking words like *and, but, where, because*: **und**, **aber**, **wo**, **weil**. Always remember that **weil** sends the verb to the end of the sentence:

*Ich wohne gern in München, **weil** ich dort viele Freunde **habe**.*

2 Take the topic 'Your area/region'. Match the sentence halves to make complete sentences including a linking word.

1 Ich treibe gern Sport, aber ...
2 Ich wohne gern in der Stadtmitte, weil ...
3 Mir gefällt es nicht, am Stadtrand zu wohnen, weil ...
4 Es gibt ein großes Sportzentrum nicht weit von meinem Haus, wo ...
5 Meine Mutter hat kein Auto und ...

a ich nicht weit von den Geschäften bin.
b ich mit meinen Freunden Fußball spielen kann.
c ich muss überall mit dem Bus hinfahren.
d es gibt im Dorf keine Sportmöglichkeiten.
e meine Freundinnen alle in der Stadtmitte wohnen.

3 Now answer the following questions for yourself using the linking word provided in brackets.

Example: 1 *Ich wohne gern dort, **weil** es immer viel zu tun gibt.*
*Ich wohne nicht gern in meiner Stadt, **weil** sie viel zu groß ist.*

1 Warum wohnst du gern/nicht gern in deiner Stadt? (weil)
2 Wo kann man in deiner Gegend Sport treiben? (wo)
3 Wie sind die Einkaufsmöglichkeiten in deiner Stadt? (aber)
4 Was kann man abends machen? (weil)
5 In was für einem Haus wohnst du und wo wohnen deine Freunde/Freundinnen? (und)
6 Bist du neulich einkaufen gegangen und warum? (weil)

Try to expand your answers by adding additional detail, e.g. when, where, how and with whom you did something. Don't forget to use the correct word order:
time – manner – place.

4 Answer these questions on the topic 'Routine' first very simply and then add some additional detail.

Example: 1 *Ich frühstücke in der Küche.*
*Ich frühstücke **um 7.30 Uhr mit meiner Schwester** in der Küche.*

1 Wo frühstückst du?
2 Wann gehst du zur Schule?
3 Siehst du oft fern?
4 Um wie viel Uhr gehst du ins Bett?
5 Mit wem isst du zu Abend?

5 Thinking about your weekend routine, add as much detail as you can to each of these basic answers.

Example: 1 *Ich gehe aus. Ich gehe **jeden Samstag mit meinen vier Freundinnen** in die Disco.*

1 Ich gehe aus.
2 Ich sehe fern.
3 Ich stehe auf.
4 Ich gehe einkaufen.
5 Ich mache meine Hausaufgaben.

6 Now turn these questions into a conversation with your partner. Provide as much detail as you can in your answers.

1 Gehst du am Wochenende oft aus?
2 Siehst du samstags und sonntags fern?
3 Um wie viel Uhr stehst du auf?
4 Gehst du einkaufen?
5 Wann machst du deine Hausaufgaben?
6 Um wie viel Uhr gehst du ins Bett?

7 a Take the topic 'Myself and my family' and write key words/phrase notes in boxes: personal details; family; description of one family member; personal relationships in the family.
b Think up six questions and interview your partner. When it's your turn use your notes as prompts and try to include as much detail as possible.
c Now record your own answers as a monologue.

Projekt 1

Die ersten Kontakte mit Deutschland

Das Szenario

Deine Schule hat gerade ein Päckchen von einer Schule in Deutschland bekommen. Darin sind Informationen, Fotos, Diagramme und eine Kassette. Diese Schule will einen Austausch machen.

Deine Klasse soll Material für die deutsche Schule vorbereiten.

Die Aufgaben

Arbeitet in Gruppen zu viert oder fünft!

Hör dir zuerst die Kassette an! Zwei junge Deutsche stellen sich vor. Jetzt bereitet jede/r in der Gruppe einen ähnlichen Kassettenbrief vor. Sprich über dich, deine Familie und Haustiere, Schule und Schulfächer, deinen Tagesablauf, deinen Wohnort, dein Haus, dein Zimmer, deine Interessen!

Lies die Informationen auf Seite 45!

Jede/r in der Gruppe wählt eine Aufgabe von dieser Liste:

- Mach ein Klassenfoto oder zeichne deine Klassenkameraden! Finde ihre Lieblingsfächer heraus und schreib sie auf das Bild wie im Beispiel oben!

- Mach eine Umfrage über die beliebtesten Sportarten im Fernsehen! Zeichne ein Diagramm!

- Beurteile deine Gegend! Zeichne eine Tabelle mit den Informationen über Freizeit und Tourismus wie im Beispiel!

- Mach Brainstorming! Was gibt es in deiner Stadt für junge Leute, ältere Leute, Familien? Zeichne deine Resultate wie im Beispiel!

- Mach eine Umfrage über Lieblingsfächer! Zeig die Resultate in einem Diagramm oder in einer Tabelle!

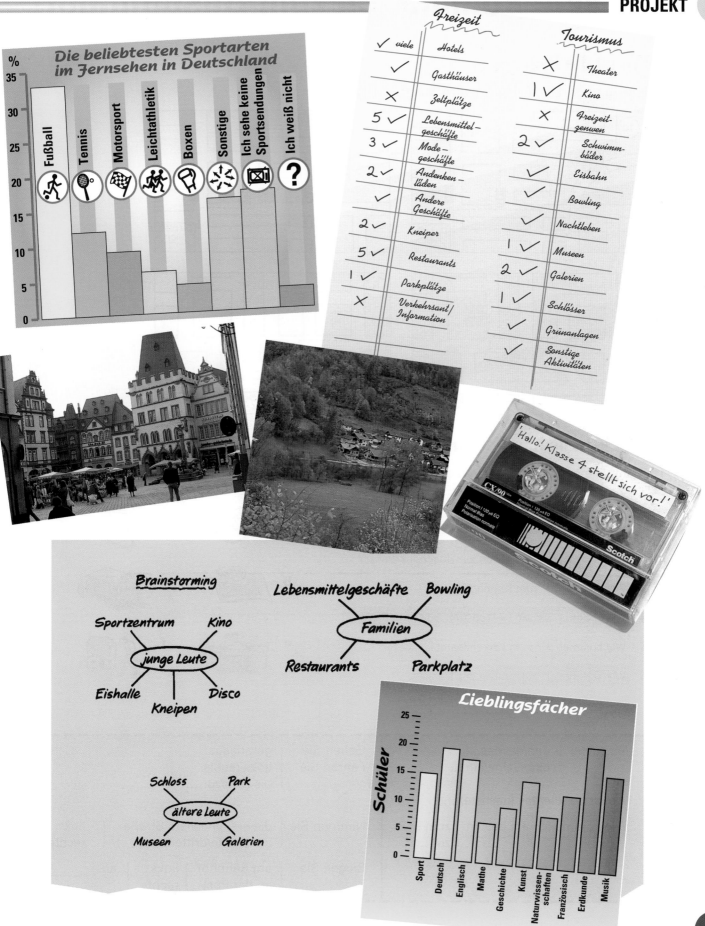

Die beliebtesten Sportarten im Fernsehen in Deutschland

%
35
30
25
20
15
10
5
0

Fußball · Tennis · Motorsport · Leichtathletik · Boxen · Sonstige · Ich sehe keine Sportsendungen · Ich weiß nicht

Freizeit

✓ viele	Hotels
✓	Gasthäuser
✗	Zeltplätze
5 ✓	Lebensmittel-geschäfte
3 ✓	Mode-geschäfte
2 ✓	Andenken-läden
✓	Andere Geschäfte
2 ✓	Kneipen
5 ✓	Restaurants
1 ✓	Parkplätze
✗	Verkehrsamt/Information

Tourismus

✗	Theater
1 ✓	Kino
✗	Freizeit-zentren
2 ✓	Schwimm-bäder
✓	Eisbahn
✓	Bowling
✓	Nachtleben
1 ✓	Museen
2 ✓	Galerien
1 ✓	Schlösser
✓	Grünanlagen
✓	Sonstige Aktivitäten

Hallo! Klasse 4 stellt sich vor!

CX/90
Scotch

Brainstorming

Sportzentrum — Kino
junge Leute
Eishalle — Kneipen — Disco

Lebensmittelgeschäfte — Bowling
Familien
Restaurants — Parkplatz

Schloss — Park
ältere Leute
Museen — Galerien

Lieblingsfächer

Schüler
25
20
15
10
5
0

Sport · Deutsch · Englisch · Mathe · Geschichte · Kunst · Naturwissenschaften · Französisch · Erdkunde · Musik

A Wie komme ich zum Busbahnhof?

1 Wo ist die Post?

 Hör zu und wähle den passenden Stadtplan!

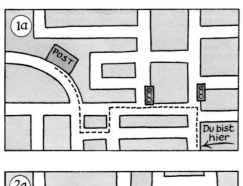

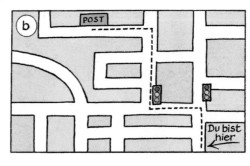

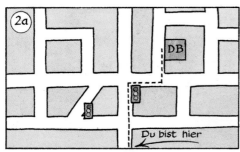

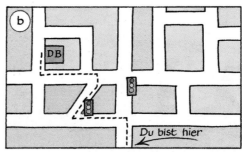

2 Wie komme ich zum/zur … ?

Wähle die passenden Bilder zu den Fragen!

Beispiel: **1** – c

1 Wie komme ich zum Rathaus?

2 Wie komme ich am besten zur Jugendherberge?

3 Wie komme ich zum Bahnhof?

4 Wie kommen wir am besten zum Schwimmbad?

5 Wie kommen wir zum Verkehrsamt?

6 Wie komme ich am besten zur Bank?

a   d

b   e

c  f

Ich suche	den/die/das … einen/eine/ein …	Gehen Sie Fahren Sie	geradeaus. links/rechts. bis zum/zur …	
Wo ist der/die/das (nächste) … ?				
Wie komme ich am besten	zum … ? zur … ?	Nehmen Sie	die erste/nächste Straße die zweite/dritte Straße	links. rechts.
		Biegen Sie	am Bahnhof | links an der Post | rechts	ab.

3 Partnerarbeit

 A fragt: „Wo ist ...?" oder „Wie komme ich am besten zum/zur ..." und **B** antwortet. Ihr seid beide am Marktplatz. Schaut euch den Stadtplan an und macht weitere Dialoge!

Beispiel: **A** *Wo ist die Post, bitte?* oder *Wie komme ich am besten zur Post, bitte?*
B *Gehen Sie geradeaus bis zur Ampel. Gehen Sie dann nach rechts. Dort ist die Post.*

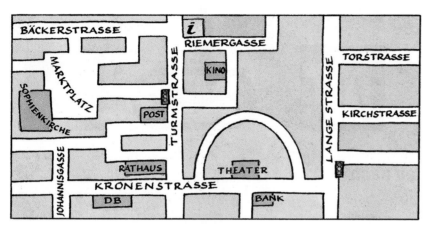

4 Sie gehen rechts und dann geradeaus

a Hör zu! Kopiere den Stadtplan und markiere den Weg vom Mozarthaus zum Stephansdom!

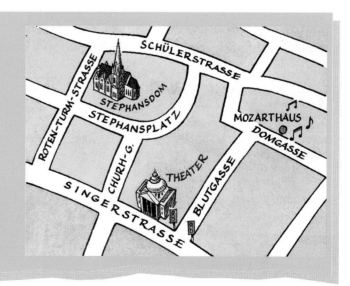

Spaziergang durch Wien

Vom Mozarthaus sind es nur 250 Meter zum berühmten Stephansdom. Gehen Sie am Ende der Domgasse rechts die Blutgasse entlang. Gehen Sie bis zur Ampel und dann links. Sie gehen an der Oper vorbei und biegen nach 100 Metern rechts ab. Nehmen Sie dann die zweite Straße links und gehen Sie bis zum Marktplatz. Der Stephansdom ist links vom Marktplatz (Öffnungszeiten: montags – sonntags 9 bis 19 Uhr).

b Lies die Informationen oben und korrigiere die Fehler!

5 Der Weg zum Theater

Sieh den Stadtplan von **Übung 4** an! Schreib den Weg vom Mozarthaus zum Theater auf!

Beispiel: *Gehen Sie am Ende der Domgasse ...*

6 Extra!

Du bist dran! Beschreib den Weg zur Post/zum Rathaus/Bahnhof usw. in deiner Stadt/deinem Dorf! Schreib vier Beschreibungen auf!

Unterwegs

❶ Was bedeuten diese Schilder?

Wähle die passenden Wörter zu den Schildern!

a

b

| 1 Flughafen |
| 2 Autobahn |
| 3 Toiletten |
| 4 Bahnhof |
| 5 Fahrkartenschalter |
| 6 Einbahnstraße |
| 7 Intercityzug |
| 8 Parken |

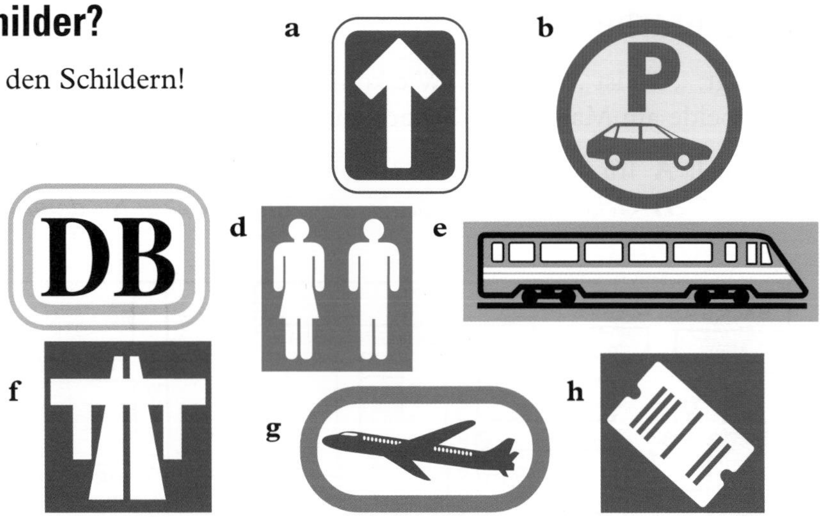

c **DB**

d

e

f

g

h

❷ „Wie fahre ich am besten nach Hamburg?"

a Wähle die passenden Anzeigen für die Aussagen!

a

mit dem Reisebus
sicher & bequem (m. Toiletten u. Klimaanlage), Abfahrt: Busbahnhof Ost
Fahrpreis: 195 Euro

b

mit dem Flugzeug
8 Direktflüge pro Tag (v. 6.45 bis 21.30 Uhr)
Fahrpreis: *845 Euro*
(hin und zurück)

c

mit dem D-Zug
Fahrtdauer: 6 1/2 Std.
(Umsteigen in Aachen, Köln u. Münster)
Fahrpreis: 230 Euro

d

mit dem Schnellzug
ohne Umsteigen
(Fahrtdauer: 3 Std. 45 Min.)
Fahrpreis: 370 Euro

1 Die Fahrt soll nicht zu lange dauern und ich möchte direkt fahren. Die Reise darf aber nicht zu teuer sein.

2 Ich fahre nur für einen Tag nach Hamburg. Ich möchte morgens ankommen und am Nachmittag wieder abfahren. Mein Büro bezahlt die Reise.

3 Ich möchte nicht gern mit dem Zug fahren – ich bekomme im Zug immer Kopfschmerzen. Aber vor dem Fliegen habe ich Angst ...

4 Wir haben viel Zeit – wir wollen die Reise nach Hamburg genießen und viel von Deutschland sehen!

b Wie fährt man am besten nach ... ? Schreib kurze Anzeigen, wie in **Übung 2a!**

London   Glasgow

Dublin   Isle of Wight

❸ „Wo finde ich ... ?"

Hör zu und wähle die passenden Sätze!

1 Der Junge fährt ...
a zum Busbahnhof.
b zum Flugplatz.
c zum Bahnhof.

2 Er fährt am besten mit ...
a der U-Bahn.
b dem Bus Linie 3.
c dem Bus Linie 13.

3 Die nächste Haltestelle ist ...
a an der Ampel links.
b neben der Ampel.
c an der Ampel rechts.

4 Die Frau möchte ...
a eine Fahrkarte.
b einen Fahrplan.
c einen Stadtplan.

5 Sie fährt mit ...
a dem Intercityzug.
b dem Reisebus.
c dem Nahverkehrszug.

6 Sie sucht auch ...
a den Fahrkartenschalter.
b eine Telefonzelle.
c das Restaurant.

7 Der Mann sucht ...
a den Zug nach Hamburg.
b den Zug nach Holstein.
c den Zug nach Hannover.

8 Er muss zum ...
a Gleis 15.
b Gleis 5.
c Gleis 1.

9 Er sucht auch ...
a den Fahrkartenschalter.
b die Toiletten.
c die Haltestelle.

❹ Partnerarbeit

„Wie fahre ich am besten zum ... ? Wo finde ich ... ?" **A** fragt, **B** antwortet. Macht Dialoge mit den Informationen!

Beispiel: **A** *Wie fahre ich am besten zum Bahnhof?*
B *Du fährst am besten mit der U-Bahn.*
A *Und welche Linie?*
B *Linie ...*

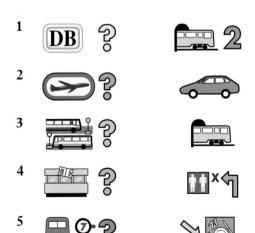

❺ Extra!

Dein deutscher Brieffreund/deine deutsche Brieffreundin will dich besuchen. Schreib ihm/ihr eine E-Mail mit Reiseinformationen!

* Wie fährt er/sie am besten in deine Stadt? (z. B. mit dem Zug)
* Wie fährt er/sie am besten zu deinem Haus? (z. B. mit dem Bus)
* Wo ist die nächste Haltestelle?
* Wo gibt es Fahrkarten usw.?

Beispiel:

> Hallo, Sarah!
> Du fliegst am besten mit dem Flugzeug nach London und fährst dann mit dem Zug nach Oxford. In Oxford fährst du am besten mit dem Bus Linie 3. Die nächste Haltestelle ist ...

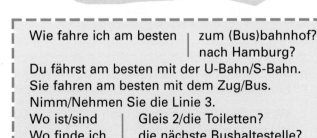

Wie fahre ich am besten	zum (Bus)bahnhof?
	nach Hamburg?
Du fährst am besten mit der U-Bahn/S-Bahn.	
Sie fahren am besten mit dem Zug/Bus.	
Nimm/Nehmen Sie die Linie 3.	
Wo ist/sind	Gleis 2/die Toiletten?
Wo finde ich	die nächste Bushaltestelle?
	den Fahrkartenschalter?
Ich möchte	einen Fahrplan/Stadtplan.
	eine Landkarte.

Wir machen Ausflüge

❶ „Entschuldigen Sie bitte!"

Wähle die passenden Antworten zu den Fragen!

1 Wann fährt der nächste Bus nach Kiel?
2 Wo muss ich aussteigen?
3 Wo kaufe ich Fahrkarten?
4 Muss ich umsteigen?

a Nein, der Bus fährt direkt.
b Die gibt es im Bus.
c Um Viertel nach drei.
d Sie steigen am Dom aus.

❷ Die Auskunft

 Du willst von Pinneberg nach Hamburg fahren. Du rufst die Auskunft am Busbahnhof an. Hör zu und mach Notizen!

Buslinie	Abfahrt	Ankunft	umsteigen/aussteigen	Fahrkarten wo?
4				

❸ Ausflug zum Tierpark

a Deine Gruppe will morgen zum Tierpark Hagenbeck fahren. Lies die Notizen! Lies dann den Fahrplan! Welcher Bus passt am besten?

- Wann? Montag zwischen 9 Uhr und halb 10.
- Um wie viel Uhr? Wir müssen vor 11 Uhr da sein.
- Wie? Am liebsten direkt.

b A fragt: „Wann fährt der nächste Bus zum Tierpark?" B antwortet. Schaut auf den Fahrplan **Übung 3a** und macht weitere Dialoge.

Beispiel: A *Wann fährt der nächste Bus zum Tierpark?*
B *Um 7 Uhr 11.*
A *Muss ich umsteigen?*
B *Ja, du musst in der Lutherstraße umsteigen.*
A *Und wo muss ich aussteigen?*
B *Du musst beim Tierpark aussteigen.*

Busfahrplan Hamburg

Marktplatz → Tierpark Hagenbeck

ab	umsteigen	an	Linie
7.11	Lutherstr. – Linie 1	8.32	7/1
8.07	direkt	9.12	3
9.11	Lutherstr. – Linie 1	10.32	7/1
9.15	Bahnhof – Linie 5	10.51	12/5
9.21	direkt	10.39	6
9.26	Lutherstr. – Linie 1	11.18	7/1
9.53	direkt	10.45	3

Eine Fahrkarte	nach Bonn	einfach/hin und zurück.
Einmal/Zweimal		erster/zweiter Klasse.

Was kostet eine Fahrkarte nach ...?	80 Euro.
Wann fährt der nächste Zug nach ...?	Um 12 Uhr 45.
Wann kommt er an?	Um ...

Muss ich umsteigen?	Ja, Sie müssen in ... umsteigen./Nein, der Zug fährt direkt.

Von welchem Gleis fährt er ab?	Von Gleis 7.

4 Im Düsseldorfer Hauptbahnhof

 Drei Deutsche kaufen Fahrkarten. Hör zu und mach Notizen!

	wohin?	Fahrkarte?	Klasse?	Preis?	Gleis?	Abfahrt?	Ankunft?	Umsteigen?
1	Köln	hin und zurück	zweiter Klasse	€ 43	8	–	–	–
2								
3								

5 Am Fahrkartenschalter

Lies die Antworten! Schreib die passenden Fragen!

1 Eine Fahrkarte nach Berlin kostet 120 Euro.
2 Nein, der Zug fährt direkt.
3 Hin und zurück, bitte.
4 Der Zug kommt um 10 Uhr an.
5 Der Zug fährt von Gleis 1 ab.
6 Der nächste Zug fährt um 11 Uhr ab.

6 Partnerarbeit

 A ist Reisender. **B** arbeitet am Fahrkartenschalter.
Macht Dialoge mit den Bildern unten!

Beispiel:

Eine Fahrkarte nach Berlin, bitte.

Einfach oder hin und zurück?

Einfach. 4 Euro, bitte.

Wann fährt der nächste Zug?

Um 18 Uhr 35.

Wann kommt er an? Um 21 Uhr 5.

Muss ich umsteigen?

Nein, der Zug fährt direkt.

Von welchem Gleis? Von Gleis 6.

  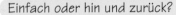   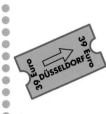   

KÖLN 75 Euro 09:45 Bonn 13:25 DÜSSELDORF 39 Euro 6 12:31 2 16:18

B Ferien

① Wir machen Urlaub!

 a Welche Urlaubspläne machen Annika, Heiko, Martin, Vanessa und Ulf? Hör zu und finde die passenden Bilder!

 b Was für Ferien möchten sie machen? Warum? Hör noch einmal zu und mach Notizen!

Beispiel: **1** Cityreise – will viel sehen und besichtigen.

c **Partnerarbeit.** Welchen Urlaub in **Übung 1a** möchtest du gern machen – und welchen nicht? Warum (nicht)? Macht Dialoge!

Beispiel: **A** *Ich möchte gern einen Strandurlaub machen – ich mag Sonne und Strand! Und du?*
B *Ich möchte lieber ...*

② Silkes Urlaub

 Hör zu und wähle die passenden Sätze!

1 Silke fährt dieses Jahr ...
a in die Schweiz.
b nach Spanien.

2 Sie fährt mit ...
a ihrer Familie.
b ihren Freundinnen.

3 Sie machen dort ...
a zwei Wochen Campingurlaub.
b eine Woche Abenteuerurlaub.

4 Sie wollen im Urlaub ...
a viel besichtigen.
b viel Natur sehen.

5 Sie können dort ...
a wandern und schwimmen.
b nicht viel machen.

6 Sie wollen ...
a lieber eine Cityreise machen.
b auch einen Ponyhof besuchen.

③ Umfrage

a Mach eine Umfrage in deiner Klasse!

- Wohin fährst du dieses Jahr in den Ferien?
- Mit wem fährst du?
- Wie lange fährst du?
- Was willst du dort machen?
- Was möchtest du in den Ferien nicht machen?

b Du bist dran! Schreib Antworten für die Fragen in **Übung 3a**!

c Mach eine Kassette mit deinen Informationen von **Übung 3b**!

Ich mache einen Abenteuerurlaub/Campingurlaub.
Ich möchte (nicht) gern eine Cityreise/Flugreise machen.
Ich möchte lieber einen Skiurlaub/Strandurlaub machen.
Ich fahre dieses Jahr nach ...
Ich bleibe zu Hause.
Ich fahre mit ...
Wir fahren für eine Woche/zwei Wochen/zehn Tage.
Ich will dort schwimmen/wandern/zum Strand gehen.
Ich will nicht ...
Ich mag ...

4 Informationen über Wien

Lies die Broschüre und beantworte die Fragen!

1 Wann ist Schloss Schönbrunn im Winter geöffnet?
2 Wo trifft man sich für den Mozart-Spaziergang?
3 Wie fährt man zum Museum?
4 Wie lange dauert die Stadtrundfahrt?
5 Wie viel kostet eine Schülerkarte für die Spanische Hofreitschule?
6 Wofür kann man die Wien-Karte benutzen?

Schloss Schönbrunn

täglich von 8.30 bis 17 Uhr geöffnet (von Nov.-März bis 16 Uhr 30)

Naturhistorisches Museum

Maria-Theresien-Platz 3
Buslinie 4, 8
Straßenbahnlinie S2
(Station Volkstheater)

Mozart -Spaziergang

Führung durch Mozarts Wien!
(Dauer ca. 2 Std.) Treffpunkt:
das Mozarthaus in der Domgasse

Große Stadtrundfahrt

(3 1/2 Std.) jede Stunde vom Hauptbahnhof. *Tickets gibt es im Bus und im Hbf (30 Euro).*

Spanische Hofreitschule

Eingang: Josefsplatz
Erwachsene: 40 Euro
Ermäßigung von 10 Euro
für Schüler und Gruppen

Die Wien-Karte!

für Bus, Straßenbahn,
U-Bahn und Zug in ganz Wien!
Für 1 Tag: 50 Euro
Für 1 Woche: 300 Euro

5 Wiener Attraktionen

 a Was gibt es in Wien? Kopiere die Tabelle!
Hör zu und mach Notizen!

	was?	wann?	Karten/Informationen wo?	kostet wie viel?
1	Fasching	bis Ende Feb		
2				

b Schreib eine Touristikbroschüre für Wien mit deinen Notizen von **Übung 5a!**

Beispiel: *Bis Ende Februar ist in Wien Fasching. Am 28. Februar gibt es …*

Auf dem Verkehrsamt

❶ Im Verkehrsbüro

Wähle die passenden Bilder zu den Aussagen!

Beispiel: 1 – c

1 Haben Sie einen Stadtplan, bitte?

2 Ich hätte gern eine Liste von Hotels.

3 Haben Sie eine Broschüre über die Stadt bitte?

4 Ich möchte eine Liste von Restaurants.

5 Entschuldigen Sie bitte. Haben Sie einen Fahrplan?

❷ „Ich bin zum ersten Mal in Münster ...“

Du hörst drei Touristen im Verkehrsbüro zu. Lies dann die Sätze! Sind sie richtig oder falsch? Korrigiere die falschen Sätze!

Beispiel: 1a – *richtig*.

1 a Der Herr möchte einen Stadtplan von Münster.
  b Der Stadtplan kostet einen Euro.
  c Er möchte auch einen Fahrplan.

2 a Die Dame möchte eine Broschüre auf Deutsch.
  b Sie möchte auch einen Zugfahrplan.
  c Die nächste Bushaltestelle ist rechts an der Post.

3 a Der Herr ist zum ersten Mal in Münster.
  b Er macht eine Stadtrundfahrt.
  c Er hätte auch gern einen Stadtplan.

Haben Sie	eine Broschüre über die Stadt?
Ich möchte	eine Liste von Hotels/Restaurants/Campingplätzen usw.
Ich hätte gern	einen Stadtplan/Fahrplan.

Was kann man in … machen?
Gibt es viele Sehenswürdigkeiten?

| Was kostet das? | Das ist kostenlos. |

③ Was kann man in Münster machen?

 Hör zu und mach Notizen!

	jeden Tag	Samstag	Sonntag	Montag
was? **wann?** **(von) wo?**	Stadtrundfahrt			

④ Partnerarbeit

A ist Tourist/Touristin. **B** arbeitet im Verkehrsamt. Macht weitere Dialoge!

Beispiel: **B** *Guten Tag, kann ich Ihnen helfen?*
A *Guten Tag. Ich hätte gern einen Stadtplan.*
B *Hier, bitte sehr.*
A *Danke. Was kostet das?*
B *Der Stadtplan ist kostenlos.*

1

B Guten Tag, kann ich Ihnen helfen?

A

B Hier, bitte sehr.

A

B Das ist kostenlos.

A

B Möchten Sie sonst noch etwas?

A

B Gerne – hier, bitte.

2

B Guten Tag, kann ich Ihnen helfen?

A

B Hier, bitte sehr.

A

B Das ist kostenlos.

A

B Möchten Sie sonst noch etwas?

A

B Gern – hier, bitte.

Wie waren die Ferien?

1 Der Wetterbericht

a Hör zu und finde die passenden Bilder!

a
b
c
d
e
f

b Partnerarbeit: „Wie ist das Wetter heute?"
A wählt ein Bild von **Übung 1a**,
B antwortet. Dann ist **B** dran.

Beispiel: **A** *Bild a! Wie ist das Wetter?*
B *Es gibt ein Gewitter.*

2 Das Wetter in Europa

Schau die Karte unten an und schreib einen
Wetterbericht für die Länder (die Sätze in
der Hilfe-Box unten rechts helfen dir)!

Beispiel: *Österreich: Es ist kalt.*

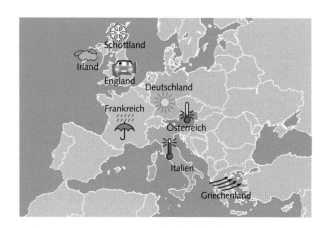

3 Wie war das Wetter im Urlaub?

Hör zu und mach Notizen!

	wo?	wann/wie lange?	Wetter?
Nina			
Florian			

4 Partnerarbeit

A fragt, **B** antwortet. Macht weitere Dialoge!

Beispiel: **A** *Wie war das Wetter in der Schweiz?*
B *Es war kalt und es hat geregnet.*

5 Du bist dran!

Wo warst du im Urlaub? Wie war das Wetter?
Schreib einen kurzen Wetterbericht!

Beispiel: *Ich war im Sommer in Spanien. Das
Wetter war sehr schön: Es hat nie
geregnet und es war sonnig und sehr
heiß.*

Es	war ist	kalt/warm/sonnig/regnerisch. windig/heiß/neblig/schlecht/schön.
Es		hat geregnet/geschneit/gehagelt/gefroren. regnet/schneit/hagelt/friert.
Es	gab gibt	Regen/Schnee/ein Gewitter.

❻ Wo warst du in den Ferien?

 a Hör zu und wähle die passenden Bilder!

b Lies die Sätze und hör noch einmal zu! Sind sie richtig, falsch oder nicht im Text? Korrigiere auch die falschen Sätze!

Alex

1 Er war auf einer Insel in der Ostsee.
2 Er hat in einem schönen Apartment gewohnt.
3 Er war für drei Wochen dort.

Frauke

4 Sie ist mit dem Auto nach Bayern gefahren.
5 Sie hat einen Abenteuerurlaub gemacht.
6 Sie war mit ihren Großeltern dort.

Kai

7 Er ist nach London geflogen.
8 Er war für eine Woche dort.
9 Die Gastfamilie war sehr nett.

❼ Umfrage

a Mach eine Umfrage in deiner Klasse! Stell folgende Fragen!

1 Wo warst du in den Ferien?
2 Wie lange warst du dort?
3 Mit wem warst du dort?
4 Wie bist du gefahren?
5 Wo hast du gewohnt?
6 Wie war das Wetter?

b Du bist dran – mach eine Kassette! Beschreib die letzten Ferien mit deiner Familie/deiner Klasse! (Die Fragen und Antworten in **Übung 7a** helfen dir!)

Beispiel: *Ich bin nach Schottland gefahren. Ich war für zwei Wochen dort …*

Dieses Jahr	waren wir in Frankreich.
Letztes Jahr	sind wir nach Afrika geflogen.
Voriges Jahr	sind wir nach Paris gefahren.
	sind wir zu Hause geblieben.

Wir sind	mit dem Auto/Schiff/Zug gefahren.
Ich bin	mit der Bahn/Fähre gefahren.
	mit dem Flugzeug geflogen.

Ich bin	mit meinen Eltern	gefahren.
	mit meiner Klasse	
	mit Freunden	
	mit Freundinnen	

| Ich war für | 2 Wochen | in London. |
| | 10 Tage | |

Wir haben	in einem Hotel	übernachtet.
	in einer Ferienwohnung	gewohnt.
	in einer Jugendherberge	
	in einer Pension	
	auf einem Campingplatz	
	in einem Wohnwagen	
	bei einer Gastfamilie	

C Ich habe ein Zimmer reserviert

1 Gibt es ein Hotel in der Nähe?

 a Sonja Adams ist im Verkehrsamt Münster. Wo ist ein Zimmer frei?
Hör zu und wähle das passende Bild!

Pension Meyer

Hotel Ansgarihof

 b Hör noch einmal zu! Wähle die passenden Sätze!

1 Sonja Adams
sucht …
a ein Haus.
b ein Hotelzimmer.

2 Die Pension Meyer
ist …
a nicht weit entfernt.
b sehr komfortabel.

3 Sie möchte ein …
a Doppelzimmer mit Bad
und WC.
b Einzelzimmer mit Bad
und WC.

4 In der Pension Meyer …
a sind noch Zimmer frei.
b gibt es keine Zimmer mehr.

5 Das Hotel Ansgarihof ist …
a am Domplatz.
b nicht komfortabel.

6 Im Hotel Ansgarihof ist …
a ein Doppelzimmer mit Bad
und WC frei.
b ein Einzelzimmer mit
Dusche und WC frei.

2 „Haben Sie ein Zimmer frei?"

 Hör zu und füll die Tabelle aus!

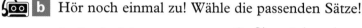

	wie viele Nächte?							Preis?
Herr Scholz sucht:								
Frau Dörl sucht:								

3 Partnerarbeit

 A sucht ein Hotelzimmer. **B** arbeitet im Hotel und antwortet. Macht Dialoge mit den Informationen rechts!

Beispiel: **A** *Guten Tag. Haben Sie ein Zimmer frei?*
B *Für wie viele Nächte?*
A *Für zwei Nächte, bitte.*
B *Ein Einzelzimmer oder ein Doppelzimmer?*
A *Ein Doppelzimmer, bitte.*
B *Mit Dusche und WC?*
A *Nein, mit Bad, bitte.*
B *Ja, wir haben ein Zimmer frei.*
A *Und was kostet das Zimmer, bitte?*
B *Das Zimmer kostet 60 Euro.*

A **B**

B **A**

A  **B** Ja, wir haben ein Zimmer frei.

B  **A**

A **B**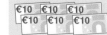

4 Ich möchte ein Zimmer reservieren

Hör zu und mach Notizen für die Antworten!

Beispiel: **1a** – *2 Nächte*

1 a Für wie viele Nächte möchte Herr Hedeler ein Zimmer?
  b Von wann bis wann möchte er das Zimmer?
  c Was für ein Zimmer möchte er?
  d Warum möchte er kein Zimmer mit Fernseher?
  e Wo ist der Parkplatz?

2 f Was muss er tun, bevor er auf sein Zimmer geht?
  g Was ist seine Zimmernummer?
  h In welchem Stock ist sein Zimmer?
  i Wann gibt es Frühstück?
  j Wo ist das Frühstückszimmer?

5 Partnerarbeit

A möchte ein Zimmer reservieren, **B** arbeitet im Hotel. Macht Dialoge mit den Informationen!

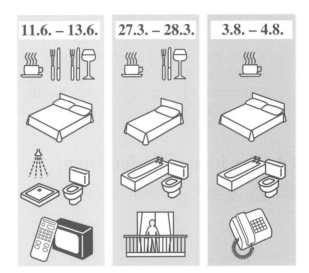

Haben Sie (ein) Zimmer frei?				
Ich möchte	ein	Einzelzimmer	mit	Bad/Dusche/WC/Fernseher/Balkon/Telefon.
Ich suche		Doppelzimmer	mit	Frühstück/Halbpension/Vollpension.
			für	eine Nacht/… Nächte.

Ich möchte ein Zimmer reservieren.
Ich habe ein Zimmer (vom … bis …) reserviert/gebucht.

Wo ist	der Fernsehraum?
	der Aufenthaltsraum?
	der Parkplatz?

6 Schriftliche Reservierung

a Du schreibst einen Brief an das Hotel Seegrund. Ergänze die Lücken!

> 1 [Ort und Datum]
>
> Sehr geehrte Damen und Herren,
>
> wir möchten 2 [🛏×2] vom 3 19.8.—23.8. reservieren. Wir möchten
>
> 4 [🛏] und 5 [🛏🚿] . Wir hätten gern 6 [☕+🍽] .
>
> Mit freundlichen Grüßen
>
> 7 [deine Unterschrift]

b Schreib einen weiteren Reservierungsbrief an das Hotel Seegrund mit den Informationen unten!

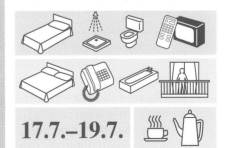

17.7.–19.7.

Am Campingplatz

❶ „Haben Sie noch Platz?"

 Hör zu und lies die Sätze! Sind sie richtig oder falsch?
Korrigiere die falschen Sätze!

1 Der Campingplatz ist links neben dem Wald.
2 Die Familie sucht Platz für zwei Nächte.
3 Sie sind zwei Erwachsene und drei Kinder.
4 Die Kinder sind unter sechs Jahre alt.
5 Die Familie hat ein Zelt.
6 Der Platz kostet 42 Euro pro Nacht.
7 Ihr Platz ist am See neben den Waschräumen.

❷ Was fragen die Touristen?

 a Hör zu und mach Notizen!

	Frage(n)	Antwort(en)
1	Wo sind die Toiletten...?	
2		

b Partnerarbeit: „Wo ist/sind ... ?" **A** fragt,
B antwortet. Dann ist **B** dran.

| Haben Sie noch Platz? | Für eine Nacht/zwei Nächte usw. |

| Wir sind | ein Erwachsener/eine Erwachsene | und | ein Kind. |
| | zwei Erwachsene | | zwei Kinder usw. |

| Wir haben | ein Auto/ein Zelt/einen Wohnwagen/ein Wohnmobil. |
| | zwei Autos/zwei Zelte usw. |

Wo sind die Waschräume/die Toiletten?	Gibt es einen Laden/Waschmaschinen?
Wo ist die Anmeldung?	Kann man ein Zelt/einen Schlafsack leihen?
Geradeaus/links/rechts.	
Neben den Toiletten. /Am See.	

❸ Partnerarbeit

A ist Tourist, **B** ist der Platzvermieter. Macht Dialoge mit den Bildern!

Beispiel:

A *Guten Tag, haben Sie noch Platz?*	**A**
B *Für wie viele Nächte?*	**B**
A *Für drei Nächte.*	**A**
B *Und für wie viele Personen?*	**B**
A *Für zwei Erwachsene und ein Kind.*	**A**
B *Haben Sie ein Zelt?*	**B**
A *Wir haben ein Wohnmobil.*	**A**
B *Ja, wir haben Platz.*	**B**
A *Gibt es hier einen Laden?*	**A**
B *Ja, es gibt einen Supermarkt.*	**B**

❹ Der Campingplatz am Ammersee

Lies den Artikel und beantworte die Fragen in ganzen Sätzen!

Campingplatz Ammersee-Süd

150 Plätze für Wohnwagen/ Wohnmobile, 80 Plätze für Zelte.
Öffnungszeiten: 30. Apr. – 15. Okt.
Waschräume (Damen/Herren) mit Duschen, Toiletten.
Waschmaschinen, Supermarkt.
Tischtennis, Freibad am See.
Keine Hunde.

Direkt am Ammersee gelegen,
Zufahrt: Autobahn 9,
Abfahrt Dachau/Olching über Bundesstr. 10,
Richtung Germering

Information:
Campingplatz Ammersee-Süd
Passauer Str. 76
Tel. 089/763456
Fax. 089/76 984573

1 Wo liegt der Campingplatz?
2 Wie viele Plätze gibt es insgesamt?
3 Wann ist der Campingplatz geöffnet?

4 Was gibt es für Sportfreunde?
5 Was gibt es sonst noch am Campingplatz?
6 Welche Tiere dürfen nicht mit dorthin?

❺ Postkarte vom Campingplatz Ammersee

Du bist auf dem Campingplatz Ammersee. Schreib eine Postkarte an deinen Brieffreund/deine Brieffreundin! Beschreib:

- wo der Campingplatz liegt
- mit wem du dort bist
- euren Platz (Zelt/Wohnwagen usw.)
- was es dort alles gibt

Beispiel:

Hallo, Sarah!
Unser Campingplatz ist super – er liegt direkt am Strand! Ich bin mit meinen Eltern und meinem Bruder hier. Wir haben einen Platz für unseren Wohnwagen und unser Zelt. Es gibt hier auch ...

2 In der Jugendherberge

1 Ich brauche …

 a Was fragen diese Schüler/Schülerinnen? Hör zu und finde die passenden Bilder!

Beispiel: **1** – *d*

b Partnerarbeit: „Hast/brauchst du … ?" Macht Dialoge mit den Bildern in **Übung 1a!**

Beispiel: **A** *Hast du Shampoo für mich?*

        B *Ja, hier. Brauchst du Zahnpasta?*

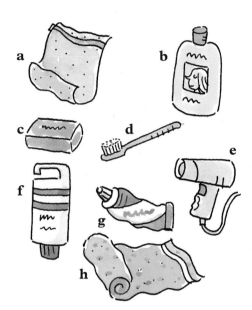

Haben Sie	Duschgel/Seife/Shampoo/Zahnpasta?
Hast du	einen Fön?
Brauchst du	eine Zahnbürste?
	ein Handtuch/Badetuch?

Wann gibt es Frühstück/Mittagessen/Abendessen?

Mein/Unser	Zimmer ist	voll (belegt)/zu klein.
Mein/Unser	Bett/Schlafsack ist	schmutzig.
Meine/Unsere	Bettwäsche ist	

Die Waschmaschine ist kaputt.
Die Toiletten sind schmutzig.
Der Fernsehraum ist zu laut.

2 An der Rezeption

 a Hör zu und mach Notizen!

	Von wann bis wann?
Frühstück	
Mittagessen	
Abendessen	

b Hör noch einmal zu! Sind die Sätze richtig, falsch oder nicht im Text? Korrigiere dann die falschen Sätze!

1 Das Frühstückszimmer ist neben dem Fernsehraum.
2 Die Schüler müssen nach dem Frühstück nicht abwaschen.
3 Zum Mittagessen gibt es Limonade zu trinken.
4 Es gibt mittags auch Essen für Vegetarier.
5 Abends gibt es Pommes frites und Hamburger.
6 Man kann zum Abendessen Cola trinken.

❸ Probleme

a Finde die passenden Bilder zu den Sätzen (rechts)!

Beispiel: 1 – c

b Partnerarbeit: Ist alles richtig? Macht Dialoge mit den Informationen von **Übung 3a.**

Beispiel: **A** *Bild c!*
B *Unser Zimmer ist voll! Und jetzt Bild a – was sagst du?*
A *Unser ...*

c Was für Probleme gibt es? Schreib eine Nachricht an den Jugendherbergsleiter/ die Leiterin mit den Informationen unten.

1 Unser Zimmer ist voll!
2 Der Fernsehraum ist zu laut!
3 Meine Bettwäsche ist schmutzig!
4 Das Wasser im Waschraum ist zu kalt!
5 Mein Schlafsack ist zu klein!
6 Die Waschmaschine wäscht nicht sauber!
7 Unser Fenster geht nicht auf!
8 Die Toiletten sind kaputt!

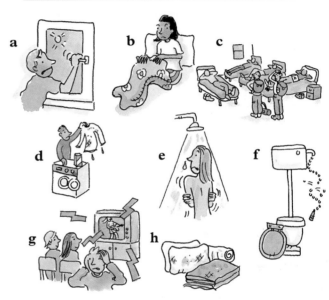

❹ Die Hausordnung

Lies die Hausordnung! Lies dann die Sätze a–g! Sie sind alle falsch. Korrigiere sie!

a Man muss morgens um Viertel vor neun aufstehen.

b Nach dem Frühstück muss man die Küche sauber machen.

c Rauchen ist nur im Garten verboten.

d Man darf in den Schlafzimmern viel Musik hören.

e Ab 20 Uhr kann man fernsehen.

f Fußballspielen im Garten ist verboten.

g Man muss um 24 Uhr ins Bett gehen.

Jugendherberge Wesertal – Hausordnung

1 Alle Gruppen müssen morgens bis 7 Uhr 30 die Betten räumen.

2 Alle Gruppen müssen morgens selber abwaschen.

3 Niemand darf in den Zimmern (Schlaf-, Bade-, Fernsehräume, Kantine) rauchen.

4 In den Schlafzimmern ist laute Musik verboten.

5 Der Fernsehraum ist ab 18 Uhr geöffnet.

6 Man darf im Garten bis 20 Uhr Fußball spielen.

7 Um 22 Uhr 30 ist Nachtruhe.

Grammatik 2a

Perfect tense

To talk about something which has happened in the past, we can use the perfect tense:

*Ich **habe** Tennis **gespielt**.*
*Ich **bin** in die Stadt **gefahren**.*

> How do I form the past participle?

You need the correct part of *haben* or *sein* and the past participle:

haben → Ich **habe gemacht**.
sein → Ich **bin gegangen**.

> How do I know whether to use **haben** or **sein**?

The general rule is that most verbs, both regular and irregular, use *haben*:

*Ich **habe** Fußball **gespielt**.*
*Ich **habe** Tina **gesehen**.*

Generally, verbs both regular and irregular which describe movement, take *sein*:

*Ich **bin** nach Frankreich **gefahren**.*
*Ich **bin** um 10 Uhr **angekommen**.*

There are some exceptions to these general patterns, e.g.: *bleiben, geschehen*, which take *sein*:

*Ich **bin** zu Hause **geblieben**.*
*Was **ist passiert**?*

1 Choose the correct part of *haben* or *sein* for each sentence.

Example: **1** *Im Sommer **bin** ich nach Spanien geflogen.*

1 Im Sommer (habe/bin) ich nach Spanien geflogen.
2 Letztes Jahr (habe/bin) ich in der Toskana Urlaub gemacht.
3 Wir (haben/sind) dort in einem Ferienapartment gewohnt.
4 Ich (habe/bin) jeden Tag im Meer geschwommen.

5 Ich (habe/bin) meine Brieffreundin in Yorkshire besucht.
6 Wir (haben/sind) dort viel gewandert.
7 Ich (habe/bin) in einer Jugendherberge übernachtet.
8 Im Winter (habe/bin) in Ski gefahren.

> How do I form the past participle?

Most verbs which take *haben* are regular and the past participle is formed by taking the stem of the verb and adding *ge-* at the start and *-t* at the end:

*spielen – **ge**spiel**t**   machen – **ge**mach**t**.*

*ich habe **ge**spiel**t**   wir haben **ge**mach**t***

Some verbs which take *haben* are irregular and you have to learn their past participles, e.g.: *trinken – getrunken, essen – gegessen, besuchen – besucht, vergessen – vergessen*.

Verbs which take *sein* are irregular and you also have to learn their past participles, for example: *gehen – gegangen, fliegen – geflogen*.

2 Copy and complete the sentences with the correct past participles.

1
> Was habt ihr gestern Abend _____ ? (machen)

> Wir haben Pizza _____ . (essen).

2 > Bist du ins Kino _____ ? (gehen)

> Nein, ich habe meine Oma _____ . (besuchen)

3

> Hast du Susi und Peter _____ ? (sehen)

> Ja, sie sind in die Stadt _____ . (fahren)

4

> Was hat Thomas heute _____ ? (machen)

> Er hat einen Schlafsack _____ . (kaufen)

❸ Write out this letter in the perfect tense.

Example: *Lieber Jan, letzten Winter sind wir nach Österreich gefahren.*

Lieber Jan,
diesen Winter fahren wir nach Österreich. Wir wohnen dort in einer kleinen Pension. Morgens mache ich einen Skikurs. Nachmittags machen wir einen Ausflug in die Berge. Abends essen wir im Hotel. Danach gehen wir ins Dorf. Meine Eltern trinken ein Glas Wein – und ich tanze in der Disco! Um 22 Uhr gehe ich ins Bett.
Viele Grüße,
Deine Lisa

Imperfect tense

The imperfect tense is another way of describing the past. It is used in novels to tell stories, and in spoken language, it is used to describe ongoing things in the past, such as the weather, personal feelings and opinions:

*Das Wetter **war** schlecht.*
*Meine Schwester **hatte** Angst.*

Haben and *sein* are used very frequently in the imperfect tense and you'll need to learn them in full – see page 171.

> How do I form the imperfect tense?

For regular verbs there's a new set of verb endings, which add in an extra '**t**' to the present tense forms:

ich mach**te**	wir mach**ten**
du mach**test**	ihr mach**tet**
er/sie/es mach**te**	sie/Sie mach**ten**

For irregular verbs, you have to learn each imperfect form of the verb. For example:

geben – ich **gab**	kommen – er **kam**
gehen – wir **gingen**	sehen – sie **sahen**

❶ What did they look like then? Fill the gaps using the imperfect tense of *sein* and *haben*.

1 Ich _____ zu dick.
2 Du _____ zu große Ohren.
3 Susi _____ zu dünn.
4 Michael _____ zu große Füße.
5 Wir Mädchen _____ Pickel.
6 Ihr Jungen _____ zu klein.
7 Florian und Tom _____ lange Haare.
8 Jules und Annas Haare _____ sehr kurz.

Tipp 2a

Working with different tenses

Using a range of tenses will earn you more
marks in the exam. Make sure you know how
to use the different tenses:

Present:	Ich gehe	*I go/am going*
Perfect:	Ich bin gegangen	*I have gone/went*
Imperfect:	Ich ging	*I went/was going*
Future:	Ich werde gehen	*I will go/will be going*

- Revise the formation of the different
  tenses and learn the endings.

- Pay attention to the position of umlauts.
  These can make a difference to parts of
  the verb:

| tragen | er tr**ä**gt | ihr tr**a**gt |
| anfangen | sie f**ä**ngt an | ihr f**a**ngt an |

- Look out for verbs with two parts, e.g. in
  the perfect and future tenses or with
  modal and separable verbs:

  Ich **bin** nach Bayern **gefahren**.
  Wir **werden** nach Frankreich **fahren**.
  Ich **musste** meine Oma **besuchen**.
  Ich **packe** einige Bücher **ein**.

❶ Put the following perfect tense sentences into
the present tense.

Example: **1** *Wir wohnen in einem kleinen Hotel.*

1 Wir haben in einem kleinen Hotel gewohnt.
2 Es hat die ganze Zeit geregnet.
3 Ich habe jeden Tag Fastfood gegessen.
4 Meine Schwester und ich sind mit dem
   Rad gefahren.
5 Ich habe meinen Geldbeutel in einem
   Café vergessen.
6 Wir sind eine halbe Stunde lang im See
   geschwommen.

❷ Link these (present tense) future phrases to
an appropriate future tense phrase.

Example: **1** – *f*

1 Wenn ich nach Hause komme, …
2 Wenn ich auf Urlaub bin, …
3 Diesen Winter verbringen wir einen
   Monat in Australien und …
4 Morgen stehen wir früh auf, weil …
5 Ich will Ski fahren und …
6 Da Rauchen im Restaurant verboten ist, …

a werde ich viel faulenzen.
b wir um 5.30 Uhr abfahren werden.
c ich werde deshalb in den Alpen Urlaub
   machen.
d werden wir im Biergarten sitzen.
e wir werden nächstes Jahr bestimmt wieder
   dorthin fahren.
f werde ich meine Hausaufgaben machen.

Writing formal letters

For formal letters, e.g. letters of inquiry, reservations, complaints, etc. you need to use the correct layout and appropriate greetings and endings.

- First, set out the letter properly with:
  - your town and the date in the top right-hand corner
  - the name and address of the letter's recipient at the top left-hand side.

> Bromley, den 31.2.02
>
> Herrn Johann Müller
> Hotelleiter
> Hotel Dreiburgensee
> 83910 Wesel

- Remember, in a formal letter you should always use the **Sie** form. Formal letters should begin:

  Sehr geehrter Herr Müller,
  Sehr geehrte Frau Ahmed,
  Sehr geehrte Damen und Herren,

- You should then begin the first line of the letter with a small letter (unless it's a noun):

> Sehr geehrter Herr Müller,
>
> ich möchte ein Doppelzimmer für zwei Nächte reservieren.

- You should end your letter with: **Mit freundlichen Grüßen** (*Yours faithfully/sincerely, With best wishes*).

- Other comments can be added:

  Ich freue mich auf Ihre Antwort.
  (I look forward to your response.)

  Vielen Dank im Voraus.
  (Thank you in advance.)

- Your address should be put on the back of the envelope, preceded by **Abs.**:

> Abs.: Kirsty Smith
> 12 Chestnut Road
> Guildford
> GU27 1BB
> Großbritannien

1 Revise the language of hotel reservations on pages 58–59 and write a letter to book the following accommodation. Word-process the letter if possible.

Hotel Kaiserhof
Stadtring 27
52108 Wesertal

Tel. 0825 66312

Geschäftsführer: Herr Reinhardt

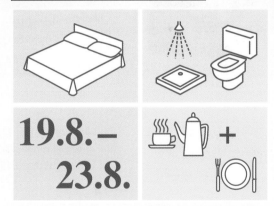

19.8. – 23.8.

2 Now write to the tourist office of the town asking for:
- a list of restaurants
- details of excursions
- a town plan

Verkehrsamt Wesertal
Am Markt 5
52108 Wesertal

Tel. 0825 66271

D Auf Urlaub

❶ Hamburger Attraktionen

Wähle die passenden Bilder zu den Aussagen!

a

Große Stadtrundfahrt
(3 Stunden)!
Entdecken Sie Hamburg!

b

Hamburg maritim: Schifffahrt auf der Elbe mit Hafenrundfahrt!

c Kommen Sie zum Alsterpark!
Sport – Spiel – Spaß!

d

Abstrakte Malerei des 20. Jahrhunderts: Ausstellung in der Galerie am Hamburger Tor

1

Ich bin Sportfan und will auch im Urlaub aktiv sein.

2

Ich bin zum ersten Mal hier und will möglichst viel von Hamburg sehen!

3

Meine Familie und ich – wir mögen alles, was mit Wasser zu tun hat!

4

Ich interessiere mich sehr für Kunst und Kultur.

> Gibt es hier | einen Tennisplatz/Freizeitpark?
> | ein Sportzentrum/Freizeitzentrum?
> | ein Schwimmbad?
>
> Kann man hier ... spielen?
> Tennis/Fußball/Golf/Basketball/Volleyball
>
> Kann man hier | schwimmen?
> | Skateboard/Ski fahren?
> | ein Segelboot leihen?

❷ „Gibt es in Bremen ... ?"

Hör zu und lies die Sätze! Sind sie richtig oder falsch?

Beispiel: **1** – *richtig.*

1 Das Mädchen interessiert sich für Museen und Kunstgalerien.
2 In Bremen gibt es keine interessanten Museen.
3 Der Mann und seine Frau interessieren sich sehr für Musik.
4 Sie möchten gern ein Opernhaus besuchen.
5 Das Opernhaus ist im Bürgerpark.
6 Die Kinder der Frau möchten gern Museen besichtigen.
7 Der Weserpark ist ein großer Freizeitpark.
8 Der Weserpark ist direkt im Zentrum.

❸ Gruppenarbeit

a Macht eine Umfrage in der Klasse: „Was für Sport kann man in unserer Stadt machen?" Schreibt die Resultate auf!

Beispiel:

> Man kann:
> Skateboard fahren
> ins Schwimmbad gehen
> Fußball spielen

b Besprecht mit einem Partner/einer Partnerin, was für Sport man in eurer Stadt machen kann!

Beispiel: **A** *Also, was für Sport kann man hier machen?*
B *Man kann Fußball spielen. Das mag ich sehr gern.*
A *Ja, und man kann auch ins Schwimmbad gehen ...*

c Macht dann ein Poster über Sport in eurer Stadt! Findet Fotos und schreibt Sätze!

❹ Mein Urlaub

Was haben sie im Urlaub gemacht?
Finde die passenden Bilder für die Sätze!

1 Ich bin viel gewandert.
2 Wir haben eine Rundfahrt gemacht.
3 Ich habe viele Sehenswürdigkeiten besucht.
4 Ich bin jeden Tag geschwommen.
5 Wir sind sehr oft spazieren gegangen.
6 Ich habe viel Sport gemacht.

❺ „Was hast du gemacht?"

 a Hör zu und kreuz die passenden Bilder an!

Uwe									
Isabelle									
Daniel									

 b Lies die Sätze und hör noch einmal zu!
Wer sagt was? Schreib die Namen auf!

Beispiel: 1 – *Daniel*

1 Wir haben Urlaub in Frankreich
   gemacht.
2 Ich wohne nicht in Deutschland.
3 Ich habe Ferien in Spanien gemacht.
4 Ich habe jeden Morgen Sport gemacht.
5 Wir haben eine Fahrt mit dem Schiff
   gemacht.
6 Ich höre sehr gern Musik von Mozart.

Ich bin Er/Sie ist	sehr gern viel	gewandert. geschwommen. spazieren gegangen.
Ich habe Er/Sie hat	viel Sport gemacht. eine Rundfahrt gemacht. Sehenswürdigkeiten besucht. Souvenirs gekauft.	

❻ Partnerarbeit

a Stellt folgende Fragen:

• Wohin bist du im Urlaub gefahren?
• Was hast du gemacht?

b Schreib die Antworten deines
Partners/deiner Partnerin auf.

Beispiel: *Jessica ist im Sommer nach
Italien gefahren. Sie ist jeden
Tag geschwommen und sie hat
viele Sehenswürdigkeiten besucht.*

❼ Extra!

Eine deutsche Jugendzeitschrift fragt:
„Wer hat im Urlaub am meisten
gemacht?" Schreib so viele Sätze wie
möglich über dich!

Essen und trinken

❶ Restaurants, Restaurants

Lies die Informationen! Wähle das passende Restaurant zu den Sätzen!

a

Original Münchner Grillstube
traditionelle Gerichte aus Bayern
Heute: Schweinebraten mit Sauerkraut

1 ❯ Ich bin Vegetarierin – ich esse kein Fleisch und keinen Fisch.

b

Izmir-Imbiss
Pitta, Rollo m. Gyros u. Tsatsiki
Anatolische Pizza
alles zum Mitnehmen

2 ❯ Deutsche Küche mag ich am liebsten – Gerichte aus fremden Ländern sind nichts für mich!

3 ❯ Ich esse gern türkische Gerichte – und am liebsten mag ich Fastfood!

c

Das Körnercafé
Käsekuchen und Müslikekse
Montag: Gemüseauflauf

❷ Ich habe Hunger!

 a Silke, Jan und Freya wollen essen gehen. Hör zu! Wohin gehen sie? Kreuz die passenden Bilder an!

	🍔🏠	🍦🏠	🍕🏠	🍷☕🏠	🌭🏠	🍽️🏠
Silke						
Jan						
Freya						

b Partnerarbeit: „Wohin möchtest du gehen? Warum (nicht)"? Macht Dialoge mit den Bildern von **Übung 2a**!

Beispiel: **A** *Möchtest du Hamburger essen? Wollen wir ins Fastfood-Restaurant gehen?*
B *Nein, ich esse nicht gern Fastfood – das ist zu fett, finde ich. Möchtest du in die Eisdiele gehen?*

Ich habe Hunger/Durst.
Ich bin hungrig/durstig.

Möchtest du Wollen wir	Pizza/Hamburger essen? ins Fastfood-Restaurant gehen? in die Grillstube/Eisdiele/ Imbissstube gehen? ins Café gehen?

Ich esse	gern am liebsten nicht gern	Fastfood. vegetarische Gerichte. türkische/deutsche Küche.

Ich mag ... nicht.
Das ist zu fett/salzig.
Ich esse kein Fleisch.

❸ In der Imbissstube

a Was möchten die Kunden? Hör zu und schreib die passenden Bilder für jeden Kunden auf!

Beispiel: *Kunde 1 – a, f, j, l*

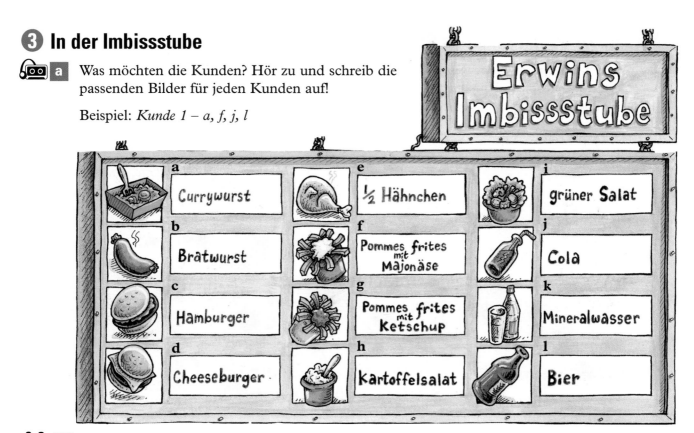

Erwins Imbissstube

b **Partnerarbeit. A** ist Kunde in Erwins Imbissstube, **B** arbeitet dort. Seht euch die Bilder von **a** an! Macht weitere Dialoge!

Beispiel:
A *Eine Bratwurst, bitte.*   **A** *Nein, mit Majonäse.*
B *Eine Bratwurst – bitte sehr.*   **B** *Und zu trinken?*
A *Und einmal Pommes frites, bitte.* **A** *Eine Cola, bitte.*
B *Mit Ketschup?*

1   **2**
A Bestellt **c, h, g** und **k.**   **A** Bestellt **e, f, a** und **j.**

❹ Im Restaurant am Markt

a Hör zu und finde die richtige Reihenfolge für den Dialog!

a Für zwei Personen.

Auf der Terrasse, bitte. **b**

c Guten Tag. Haben Sie einen Tisch frei?

Nein, ich habe nicht reserviert. **d**

e Haben Sie reserviert?

Wo möchten Sie sitzen? **f**

g Für wie viele Personen?

b Partnerarbeit: Macht weitere Dialoge mit den Informationen unten.

Raucher	Nichtraucher
auf der Terrasse	im Bar

Zahlen, bitte!

❶ Könntest du mir bitte das Salz reichen?

 a Familie Schmidt ist im Restaurant. Wer sagt was? Kopiere die Namen. Hör zu und schreib die passenden Bilder auf!

 b Partnerarbeit: Macht weitere Dialoge mit den Bildern!

Beispiel: **A** *Kannst du mir bitte die Gabel reichen?*
B *Hier, bitte. Und möchtest du noch etwas Eis?*

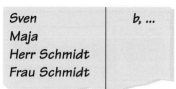

Sven	b, ...
Maja	
Herr Schmidt	
Frau Schmidt	

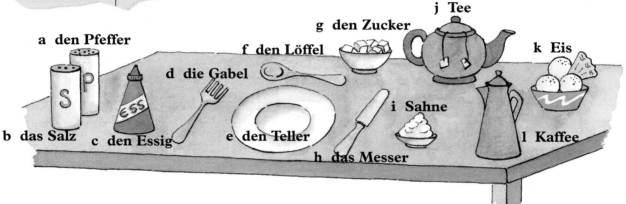

a den Pfeffer
g den Zucker
j Tee
f den Löffel
k Eis
d die Gabel
i Sahne
b das Salz
c den Essig
e den Teller
l Kaffee
h das Messer

❷ „Zahlen, bitte!"

 a Hör zu und mach Notizen!

	zu essen/Preis	zu trinken/Preis	zusammen
Kunde 1			
Kunde 2			

b Partnerarbeit: Lest eure Notizen von **Übung 2a**! **A** fragt: „Was kostet ... ?" **B** antwortet. Macht weitere Dialoge!

Beispiel: **A** *Was kostet ein Stück Käsekuchen?*
B *Ein Stück Käsekuchen kostet 2 Euro 20.*

Kannst du mir bitte	den Essig/Löffel/Pfeffer/Teller/Zucker die Gabel das Messer/das Salz	reichen?

Möchtest du noch etwas Sahne/Kaffee/Tee/Eis?
Ja bitte.
Nein danke, ich bin satt.

③ Partnerarbeit

A möchte zahlen, **B** ist Kellner/Kellnerin. Macht Dialoge mit den Informationen!

Beispiel: **A** *Herr Ober! Zahlen, bitte!*
B *So, was hatten Sie?*
A *Einmal Apfelkuchen.*
B *Das macht 2 Euro 50.*
A *Und als Getränk eine Tasse Kaffee.*
B *Eine Tasse Kaffee – 1 Euro 10.*

Schokoladentorte	2,50 Euro
Himbeertorte	2,80 Euro
Zitronentorte	2,60 Euro
Apfelkuchen	2,50 Euro
Kirschkuchen	2,40 Euro
Nusskuchen	2,20 Euro
Sahne	40 Cent
Vanilleeis	3 Euro
Schokoladeneis	3,20 Euro
Erdbeereis	3 Euro
Tasse Kaffee	1,10 Euro
Kännchen Kaffee	2,30 Euro
Tasse Tee	1 Euro
Kännchen Tee	2,15 Euro

④ Hat's geschmeckt?

a Hör zu und wähle die passenden Bilder!

Beispiel: **1 – c, …**

b **A** ist der Kellner/die Kellnerin, **B** wählt ein Bild **Übung 4a** und beschwert sich.

Beispiel: **A** *Hat's geschmeckt?*
B *Nein, gar nicht! Die Himbeertorte war viel zu süß!*

Herr Ober/Fräulein, die Rechnung bitte.
Zahlen, bitte!
Ich möchte zahlen.

Ein/zweimal Apfelkuchen/Erdbeertorte/Schokoladeneis mit Sahne.
Und als Getränk eine Tasse/ein Kännchen Kaffee/Tee/Milch.
Das macht zusammen ... Euro.

Der Kuchen/Apfelstrudel war	sehr alt/trocken.
Die Torte war	zu süß.
Der Kaffee/Tee war	zu kalt/heiß.
Die Rechnung stimmt nicht.	

E Auf der Bank und Post

❶ Ich möchte Geld umtauschen

a Finde die richtige Reihenfolge für den Dialog!

Beispiel: **c, ...**

a Für ein Pfund bekommen Sie 1 Euro 60.

d 20 Pfund – Sie bekommen 32 Euro.

b Nein, ich möchte Euro.

e Möchten Sie Schweizer Franken?

c Ich möchte 20 Pfund wechseln.

f 32 Euro. Wie steht der Kurs im Moment?

 b Ist alles richtig? Hör gut zu!

❷ In der Wechselstube

 Hör zu und mach Notizen!

	tauscht wie viel?	in ... um	bekommt wie viel?
Kunde 1 Kunde 2	£100		

❸ Du bist dran

Du möchtest Geld umtauschen. Schreib Sätze für die Bilder!

Beispiel: **1** *Ich möchte bitte 35 Pfund umtauschen.*

1

2

3 £20 £20 £20 £20 £20 £20

4

5

6

❹ Ja, bitte?

 Hör zu und beantworte die Fragen!

1 a Was möchte die Frau?
  b Wohin muss sie gehen?
  c Wie viel Geld hat sie?

2 a Was möchte der Mann?
  b Was muss er machen?
  c Wie viel Geld bekommt er?

3 a Was sucht das Mädchen?
  b Wie viel Geld bekommt es?
  c Wie möchte es das Geld haben?

Wo kann ich Geld wechseln/umtauschen?

Wo finde ich	eine Wechselstube?
	eine Sparkasse?
	eine Bank?

Ich möchte bitte ... Pfund wechseln/umtauschen.
Ich möchte gern für ... Pfund Euro/Schweizer Franken.

Ich möchte gern	einen Reisescheck	einlösen.
	einen Euroscheck	
	einen Travellerscheck	

Hier ist meine Scheckkarte/mein Pass.

Ich möchte einen ... Euroschein/den Rest in Kleingeld.

➎ Auf der Post

 Hör zu und finde die passenden Bilder!

a   b

c   d

➏ Partnerarbeit

 a Hör gut zu und lies mit! Füll dann die Lücken aus!

Briefmarke	Cent	Briefmarken
Brief	Postkarte	Päckchen
	Irland	Luftpost

A Guten Tag! Kann ich Ihnen helfen?
B Ja, was kostet eine _____ nach Spanien?
A 20 Cent.
B Und was kostet ein _____ nach Spanien?
A Auch 20 Cent.
B Und mit _____ ?
A Mit Luftpost kostet das 40 _____.
B Oh, okay. Ich möchte eine _____ zu 20 Cent und eine zu 40 Cent. Oh, und ich möchte dieses _____ nach Irland schicken.
A Ein Päckchen nach _____ ? Schauen wir mal … Das kostet 9 Euro 80. Ist das alles?
B Nein, ich möchte auch zwei _____ zu einem Euro.
A Bitte schön. Und sonst noch?
B Das ist alles.
A Danke! Auf Wiedersehen!

b **A** arbeitet auf der Post, **B** ist Kunde/Kundin. Macht Dialoge mit den Bildern! (Der Dialog in **Übung 6a** hilft euch.)

a 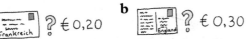 ? € 0,20   b  ? € 0,30

c ? € 5,20   d

➐ Und was sonst?

a Lies die Sätze und finde die passenden Bilder!

1 Ich möchte bitte eine E-Mail schicken. Was kostet das?

2 Ich möchte eine Telefonkarte mit 10 Einheiten.

3 Ich möchte ein Fax schicken. Ich habe 2 Seiten.

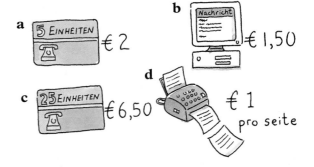

b Macht Dialoge mit den Bildern! Die Sätze in der Hilfe-Box helfen euch.

Ich möchte eine Telefonkarte kaufen.
Wie viele Einheiten möchten Sie?
… Einheiten.

Ich möchte ein Fax nach … schicken.
Ich habe … Seiten.
Die Faxnummer ist …

Ich mochte eine E-Mail schicken.
Was kostet das?

Mir geht's nicht gut

❶ Ich muss zum Arzt

Vier Schüler müssen während des Deutschlandbesuchs zum Arzt. Wähle die passenden Sätze zu den Bildern!

a

> Dr. Ulrike Bohland
> praktische Ärztin
> Sprechstunden: Mo. – Mi.: 8 Uhr bis 13 Uhr
> Do. – Fr.: 8 Uhr bis 12 Uhr

1 Au! Ich habe Zahnschmerzen. Ich glaube, ich habe eine Füllung verloren.

b

> **LUTZ KRUMMBIEGEL**
> Zahnarzt
> Alle Kassen
> Sprechstunde nach
> Vereinbarung

c

> **Dr. Matthias Rast**
> HALS-, NASEN-, OHRENARZT
> Sprechstunden:
> Mo. – Do. 9 bis 14 Uhr;
> 15 bis 17 Uhr 30
> **Freitags ist die Praxis geschlossen**

2 Ich habe starke Bauchschmerzen. Ich möchte mich aber von einer Ärztin untersuchen lassen.

3 Ich habe Grippe. Ich kann erst heute Nachmittag zum Arzt gehen.

d

> **Praxis Dr. Peter Lohmeyer**
> PRAKTISCHER ARZT
> Sprechstunden:
> Mo.: 10 bis 17 Uhr
> Di. – Fr.: 10 bis 13 Uhr;
> 14.30 bis 18 Uhr

4 Mein Hals tut sehr weh und ich habe Schmerzen beim Schlucken.

❷ Partnerarbeit

A fragt, **B** antwortet. Macht weitere Dialoge!

Beispiel: **A** *Wie geht es dir?*
B *Es geht mir gar nicht gut.*
A *Das tut mir Leid. Was ist los mit dir?*
B *Ich habe Heuschnupfen.*

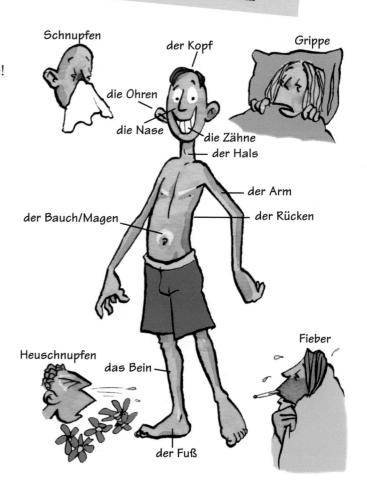

Schnupfen · der Kopf · Grippe · die Ohren · die Nase · die Zähne · der Hals · der Arm · der Bauch/Magen · der Rücken · Heuschnupfen · das Bein · der Fuß · Fieber

---

Wie geht es dir/Ihnen?
Was fehlt dir/Ihnen?
Wo tut's weh?
Was tut weh?
Wo hast du/haben Sie Schmerzen?

Ich habe Durchfall/Heuschnupfen.
Ich habe Fieber/Grippe/Schnupfen.
Mein ... ist gebrochen.
Mein ... tut weh.
Ich habe ...schmerzen.

❸ Nehmen Sie die Tabletten zweimal am Tag

 a Hör zu und mach Notizen!

	Medikament	gegen?	wie viel/wie viele?	wie oft?
1	Tabletten	Magenschmerzen		

b Partnerarbeit: Ist alles richtig? Macht Dialoge mit euren Notizen von **Übung 3a!**

Beispiel: **A** *Nehmen Sie diese Tabletten gegen Magenschmerzen.*
B *Danke. Und wie oft muss ich die Tabletten nehmen?*
A *Nehmen Sie die Tabletten …*

Nehmen Sie	diese Lotion/Salbe …
	dieses Medikament …
	diese Tabletten/Tropfen …

… einmal/zweimal/dreimal täglich.
… alle … Stunden.
… vor den Mahlzeiten.
… vor dem Schlafengehen.

❹ Wo ruft man an?

Wähle die passenden Sätze zu den Bildern!

1  **2**  **3**  **4**

a Feuer! Feuer! Meine Küche brennt!

b Hilfe! Meine Geldbörse – haltet den Dieb!

c Mein Auto ist kaputt! Bitte rufen Sie den Abschleppdienst!

d Schnell! Schnell! Ein Unfall dort drüben!

❺ Was ist passiert?

 Hör zu und mach Notizen!

	was ist passiert?	wo/wie ist es passiert?	wen rufen sie?
1			
2			

Brauchen Sie Hilfe?	Ich brauche Hilfe!
Sind Sie verletzt?	Ich bin verletzt!
Mein Auto ist kaputt!	

Bitte rufen Sie	einen Arzt!
	einen Krankenwagen!
	den Abschleppdienst!
	die Feuerwehr!
	die Polizei!

Pass/Passen Sie auf! Vorsicht! Gefahr!
Wo ist der Notruf?
Haben Sie einen Erste-Hilfe-Kasten?

❻ Extra!

Schreib einen kurzen Bericht über einen Unfall in **Übung 5.**

Hilfe!

❶ „Wo kann ich ... leihen?"

Finde die passenden Bilder!

1 | Wo kann ich Skier ausleihen? Und ich brauche auch Stiefel dazu.

2 | Hat der Bootsverleih heute Morgen geöffnet? Ich möchte ein Kanu leihen.

3 | Wir möchten eine Radtour machen. Wo ist der Fahrradverleih?

a

b

c

❷ Verleih am Ammersee

Hör zu und mach Notizen!

	was kann man leihen?	für wie lange?	Preis?	Kaution?	Versicherung?
Bootsverleih	2 + 4 Pers. Boote				
Radverleih					

❸ Partnerarbeit

a Hör gut zu und füll die Lücken aus!

– Guten Tag! Kann ich hier _____ leihen?
– Ja, gern.
– Was kostet das für _____ ?
– Ein Fahrrad kostet für einen Tag ___ Euro.
– Muss ich eine _____ bezahlen?
– Ja, Sie müssen _____ Euro als
  Kaution bezahlen.
– Und brauche ich _____ ?
– Ja, das kostet 5 Euro pro _____ .

b **A** möchte etwas leihen, **B** arbeitet im
Verleih. Macht Dialoge mit den Bildern!

35 Euro/Woche

Kaution: 40 Euro
keine Versicherung
nötig

20 Euro
pro
Tag

Kaution:
80 Euro/Tag
Versicherung:
3 Euro/ Tag

④ Was hat Techno-Tom verloren?

🔊 Hör zu und wähle die passenden Bilder!

Beispiel: **1** – *b*

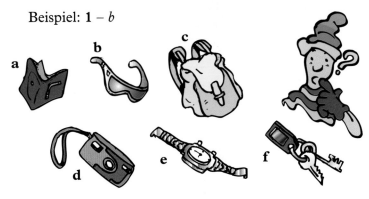

⑤ Partnerarbeit

👥 Im Fundbüro: Was hast du verloren – und wo?
Macht Dialoge mit den Informationen!

Beispiel: **A** *Ja bitte?*
B *Ich habe meine Tasche verloren!*
A *Und wo hast du die Tasche verloren?*
B *Im Zug.*
A *Und wann?*
B *Ich habe sie heute Morgen im Zug liegen lassen.*
A *Und wie sieht sie aus?*
B *Sie ist blau und aus Stoff.*

⑥ Brief an das Schlosshotel

a Lies den Brief und ergänze die Lücken!

1 _____ dein Wohnort und Datum

Sehr geehrte Damen und Herren,

ich war 2 [Oktober 3 4 5 6 7 8 9 10 11 12 13 14 15 16] _____

in Ihrem Hotel. Nach meiner Rückkehr

merkte ich, dass ich 3 🕐 _____ verloren habe.

4 (Er/Sie/Es) _____ ist aus

5 GOLD _____ . Das Armband

ist aus 6 _____ .

Ich habe 7 (ihn/sie/es) _____

vielleicht 8 _____ _____

oder 9 _____ _____

liegen lassen.

Mit freundlichen Grüßen

10 _____ deine Unterschrift

b Du hast bei deinem Austauschbesuch
etwas verloren. Schreib einen Brief an das
Fundbüro! Diese Informationen helfen dir:

Ich habe meinen/meine/mein ...	heute Morgen	im Hotel usw.	verloren.
	gestern		gelassen.
	am Samstag		liegen lassen.

| Ich vermisse meinen/meine/mein ... |
| Ich kann meinen/meine/mein ... nicht finden. |

| Er/Sie/Es | ist | aus Leder/Plastik/Wolle/Gold/Silber usw. |
| Sie | sind | rot/blau/grün usw. |

Grammatik 2b

Prepositions

Prepositions describe the position of someone or something, or state where someone or something is going to. Here are some examples in English: *on, under, behind, in front of, onto, into, towards*. Key words such as *for, with* and *of* are also prepositions.

In German, all prepositions are followed by a particular case, usually accusative or dative.

> How do I know which case to use?

You need to learn which case each preposition takes:

Accusative:

> bis – *until*   gegen – *against*
> durch – *through*   ohne – *without*
> für – *for*   um – *around*

Masculine:
*Wir spazieren **durch den** Garten.*
*Die CD ist **für meinen** Bruder.*

Feminine:
*Wir spielen **gegen die** Mannschaft aus Köln.*
*Ich spare **für eine** CD.*

Neuter:
*Man kann nichts **gegen das** Wetter tun.*
*Wie viele Euro bekomme ich **für ein** Pfund?*

Dative:

> aus – *from, out of*   nach – *to, after*
> bei – *at someone's house*   seit – *since*
> gegenüber – *opposite*   von – *from, of*
> mit – *with*   zu – *to*

Masculine:
*Ich spreche **mit dem** Jungen.*
*Das Hotel ist **gegenüber einem** Kino.*

Feminine:
*Ich bekomme 10 Euro **von meiner** Mutter.*
*Ich gehe **zur*** Schule.*

Neuter:
*Ich wohne **seit einem** Jahr in Düsseldorf.*
*Ich gehe **zum*** Jugendzentrum.*

* Remember these shortened forms:
zu dem → zum
zu der → zur
von dem → vom
bei dem → beim

The following prepositions are followed by either the **accusative** or **dative** case:

> an – *at*   über – *above, over*
> auf – *on*   unter – *under/beneath*
> hinter – *behind*   vor – *in front of*
> in – *in*   zwischen – *between*
> neben – *next to, beside*

> How do I know which case to use for these prepositions?

This depends on the meaning of the preposition in the sentence: *on* or *onto*? *in* or *into*?

To describe where someone is going or moving *to* (i.e. when there is movement involved), use the **accusative** case:

*Ich fahre **in die** Stadt.*
*Ich lege das Buch **auf den** Tisch.*

To describe position (i.e. where someone or something *is*), use the **dative** case:

*Ich bin **in der** Stadt.*
*Das Buch liegt **auf dem** Tisch.*

1 Choose the correct prepositions.

Example: **1** *Der Käse ist neben dem Schinken.*

1 Der Käse ist hinter/neben dem Schinken.
2 Die Pralinen sind auf/unter dem Regal.
3 Die Äpfel sind über/hinter den Tomaten.

4 Die Kartoffeln sind an/vor der Kiste.
5 Das Mineralwasser ist auf/über dem Boden.
6 Das Brot ist über/neben den Brötchen.

2 „Wo treffen wir uns?" Write sentences for the pictures.

Example: **1** *Wir treffen uns am Bahnhof.*

3 Accusative or dative? Choose the correct article and fill in the gaps.

1 Ich wohne in _____ Reihenhaus. (ein/einem)
2 Der Stuhl ist hinter _____ Schreibtisch. (dem/den)
3 Ich fahre mit dem Rad_____ Stadt. (in die/in der)
4 Die Schokolade fällt auf _____ Boden. (dem/den)
5 Die Tafel Schokolade liegt auf _____ Boden (den/dem)
6 Wie viele Euro bekomme ich für _____ Pfund, bitte? (ein/einem)

Tipp 2b

Learning new vocabulary

There are no short-cuts to learning vocabulary, but there are plenty of different ways. Try some of the following and see what works best for you.

- Whenever you write down nouns, always add the gender (*der/die/das*). Use a highlighter pen and colour-code the genders of all the nouns in your vocabulary book.

1 Write down ten words on a topic you have been learning and add the correct colour beside them. Then write *der/die/das* beside the words.

der Kopf ▪
die Grippe ▪
das Medikament ▪

2 Read out some of the nouns from your list without *der/die/das*. Add the correct gender.

Examples:
A: *Lotion?*   **A:** *Bein?*
B: *Die Lotion.*   **B:** *Das Bein.*
A: *Richtig!*   **A:** *Richtig!*

- Try recording words onto a tape. You could listen and repeat the words or write down their meanings.

eine Currywurst

- Try associating words with certain pictures in your head. A humorous image is often a good way of remembering words:

der Kohl

das Rathaus

die Klamotten

die Süßigkeiten

- Use a computer and make up horizontal word searches for yourself. Once you have created three or four word searches, put them away. The next time you are revising, take out a word search and underline or highlight the hidden words. Pronounce the words out loud and write down their meanings.

R T R A T H A U S E M

Reading and understanding without a dictionary

You won't have a dictionary to help you in the exam, so there will be words you do not understand. However, you should still be able to work out what is being said.

1 Read this text and underline any words you do not understand.

> Letzten Sommer sind wir nach Frankreich in Urlaub gefahren. Dort haben wir bei Verwandten gewohnt – mein Onkel Paul und seine Frau wohnen in der Nähe von Dijon. Dijon selbst fand ich unheimlich toll, aber im Dorf meines Onkels gab es nicht viel für Jugendliche zu tun. Na ja, die Ferien haben mir ganz gut gefallen, aber ich hätte lieber an der Küste Ferien gemacht. **Aylan, Frankfurt**

Now read through these questions and see if you can answer them.

1 Bei wem hat Aylan Ferien gemacht?
2 Hat ihm das Dorf gefallen?
3 Wo wird er nächstes Jahr vielleicht Urlaub machen?

- The key word for question 1 is **Verwandte**. You might have identified it as one which you do not understand. Look at the language around **Verwandte**. Is there anything that gives you a clue about its meaning? Why does Aylan mention his Uncle Paul and his wife immediately afterwards?

  Answer: Uncle Paul and his wife are **Verwandte** (*relatives*).

- Did you underline the word **unheimlich**? Do you actually need it for the answers to questions 2 or 3? Not really. So, don't spend time on details that you don't need for the task.

- Look carefully at the language of the questions and the text and reuse it accurately in your answers.

  Example:

  > **Die Wien-Karte**
  > für Bus, Straßenbahn, U-Bahn und Zug in ganz Wien!

  Question:
  > Wofür kann man die Wien-Karte benutzen?

  Answer:
  > Die Wien-Karte kann man für Bus, Straßenbahn, U-Bahn und Zug (in ganz Wien) benutzen.

- Be careful with words which are similar to English but have a different meaning. Read the rest of the text carefully to avoid misinterpreting the word.

- Don't be fazed by compound nouns: practise breaking them down into their separate parts to understand their meaning.

2 Match these German words with their English meanings.

1	Wildwasserrafting	**a**	*length of journey*
2	Bootsverleihpreise	**b**	*direct flights*
3	Fahrtdauer	**c**	*white water rafting*
4	Gemüsegerichte	**d**	*apple juice bottle*
5	Heuschnupfentabletten	**e**	*prices of boat hire*
6	Wohnwagenplatz	**f**	*vegetarian dishes*
7	Direktflüge	**g**	*hay fever pills*
8	Apfelsaftflasche	**h**	*caravan site*

Projekt 2

Klassenreise nach Deutschland

Das Szenario

Deine Klasse will im Juli für eine Woche in ein
deutschsprachiges Land (Deutschland, die Schweiz,
Österreich) fahren. Wohin fahrt ihr am besten?

Arbeitet in Gruppen zu viert oder fünft!
Jede Gruppe wählt eine andere Stadt.

- **Die Aufgabe:** Sammelt so viele Informationen
  über ‚eure‘ Stadt wie möglich.

- **Das Ziel:** Ihr sollt die anderen Gruppen davon
  überzeugen, ‚eure‘ Stadt für die Klassenfahrt
  zu wählen.

Sammelt Informationen über:
- die geographische Lage der Stadt
- die Unterkunft
- die Transportmöglichkeiten
- was es alles in der Stadt gibt
- was man dort alles machen kann

Die Aufgaben

- Sammelt Informationen aus Zeitschriften, Zeitungen oder Broschüren über eure Stadt! Ihr findet sie in der Schulbibliothek oder in der Bibliothek eurer Stadt.

- Schreibt an das Verkehrsamt der Stadt! Schreibt, wann ihr die Stadt besuchen wollt, was für Informationen ihr haben möchtet (Stadtplan, Broschüren, Listen von Hotels/Restaurants, Fahrplan usw.).

- Partnerarbeit. Macht ein Poster über eure Stadt: Wo liegt sie? Was für eine Stadt ist es?

- Macht eine Broschüre für eure Stadt: Was gibt es dort alles? Was kann man dort machen? Wo kann man am besten übernachten?

- Macht eine ‚Promokassette‘ für eure Stadt: Nehmt die Informationen auf!

- Jede Gruppe stellt dann ‚ihre‘ Stadt der Klasse vor. Zeigt eure Poster und Broschüren; spielt eure Promokassette vor! Euer Ziel: ihr sollt die anderen Gruppen davon überzeugen, dass ‚eure‘ Stadt die beste ist!

Nachdem alle Gruppen ‚ihre‘ Städte vorgestellt haben, wählt jede/jeder die Stadt, die ihr/ihm am besten gefallen hat.

A Guten Appetit!

❶ Mahlzeiten

a Lies die Texte und wähle die passenden Fotos!

1 Zum Frühstück esse ich Müsli und ein Brötchen mit Butter und Marmelade. Ich trinke dazu eine Tasse warme Schokolade. Ich esse gern Frühstück, weil ich morgens immer Hunger habe.
Anna

2 Bei uns ist das Mittagessen sehr wichtig und wir essen immer warm. Wir essen normalerweise Fleisch oder Fisch mit Gemüse. Das essen wir normalerweise mit Kartoffeln oder Pommes frites. Zum Nachtisch gibt es meistens Obst oder Jogurt. Zu Mittag essen wir immer zu Hause.
Diemut

3 In meiner Familie ist das Abendessen die wichtigste Mahlzeit, weil die ganze Familie zusammen am Tisch sitzt. Wir essen normalerweise kalt. Es gibt Brot mit Käse und Wurst und manchmal Reissalat mit Tomaten oder Kartoffelsalat dazu. Ich trinke immer ein Glas Apfelsaft.
Hans-Peter

b Schreib eine Liste der Nahrungsmittel und Getränke in **Bildern a – c.**

Beispiel: **a** *Brötchen, Käse, …*

❷ Was gibt es zu essen?

 a Hör zu und mach Notizen!

	essen	trinken	wann?	mit wem?	wo?
Maria					
Öslam					
Klaus					

b Benutze die Informationen von **Übung 2a** und schreib Sätze!

- Was essen und trinken sie?
- Wann machen sie das und mit wem?
- Wo esssen und trinken sie?

Beispiel: *Maria isst eine Scheibe Toast. Sie trinkt …*

❸ Du bist dran

a Schreib Sätze über deine Mahlzeiten!

- Was isst du und trinkst du zum Frühstück?
- Wann und wo isst du das?
- Wo isst du zu Mittag?
- Was isst du normalerweise zum Mittagessen?
- Um wie viel Uhr gibt es Abendessen zu Hause?
- Mit wem isst du Abendessen?
- Was isst du und trinkst du gern zum Abendessen?

b Stell deinem Partner/deiner Partnerin Fragen über seine/ihre Mahlzeiten!

4 Anjas Vorbereitungen zur Geburtstagsfeier

a Lies Anjas E-Mail und beantworte die Fragen!

E-Mail

Hallo, Kathy!

Meine Freundin Beate hatte letzten Samstag Geburtstag und ich habe für sie ein leckeres Abendessen zur Geburtstagsfeier gekocht. Ich bin am Samstagmorgen früh aufgestanden um einkaufen zu gehen. Mittags habe ich den Kuchen gebacken. Dann habe ich das Haus aufgeräumt, den Kartoffelsalat gemacht und den Tisch gedeckt.

Ich habe vier Freunde und Freundinnen eingeladen – wir waren also zu sechst. Sie sind um 19 Uhr gekommen. Wir haben Folgendes gegessen: als Vorspeise Melone, als Hauptgericht gegrilltes Hähnchen mit Kartoffelsalat und als Nachtisch Schokoladeneis und natürlich auch Geburtstagskuchen! Das Essen war wirklich lecker und die Feier hat viel Spaß gemacht!

Kochst du für deine Freunde/Freundinnen zum Geburtstag?

Deine Anja

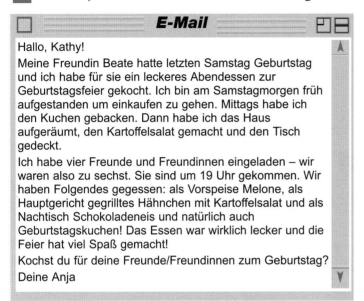

Einladung

Hallo, alle!
Geburtstagsfeier!
Beates Geburtstag!
Wir machen eine Party.
Ich koche und wir essen!
Bei Anja, Rüdigerstraße 51,
Samstag, den
17. Juli, um 19.00
Bring bitte eine Flasche Cola
mit!

1. Wann hatte Beate Geburtstag?
2. Welche Mahlzeit hat Anja gekocht?
3. Was hat Anja am Vormittag gemacht?
4. Wie viele Gäste hat Anja eingeladen?
5. Um wie viel Uhr sind die Gäste gekommen?
6. Was war das Hauptgericht?
7. Welchen Nachtisch hat sie zubereitet?
8. Wie hat Anja die Feier gefunden?

b Wann hat Anja alles gemacht? Lies die E-Mail (**Übung 4a**) noch einmal und finde die passenden Sätze für die Uhrzeiten auf Anjas Zeitplan!

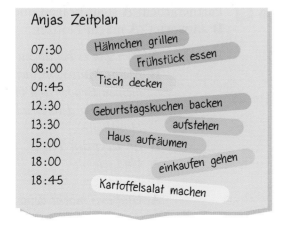

Anjas Zeitplan

07:30	Hähnchen grillen
08:00	Frühstück essen
09:45	Tisch decken
12:30	Geburtstagskuchen backen
13:30	aufstehen
15:00	Haus aufräumen
18:00	einkaufen gehen
18:45	Kartoffelsalat machen

c Partnerarbeit: Ist alles richtig? Macht Dialoge! **A** ist Anja, **B** fragt: „Was hast du um … Uhr gemacht?"

Beispiel: **A** *Was hast du um halb acht gemacht?*
B *Ich bin aufgestanden.*

5 Plane deine eigene Party!

Dein Freund/deine Freundin hat in zwei Tagen Geburtstag. Du möchtest Abendessen/Mittagessen für ihn/sie kochen und Freunde zur Geburtstagsfeier einladen.

- Schreib einen Zeitplan für deine Vorbereitungen.
- Schreib eine Einladung.
- Schreib eine Einkaufsliste.

6 Extra!

Wie war die Party? Schreib eine E-Mail oder mach eine Kassette! Die E-Mail in **Übung 4** hilft dir.

Haushaltshilfe

❶ Wer macht was?

 a Hör zu und finde die passenden Bilder! Schreib die Buchstaben auf!

Name	was?	wie oft?
Verena	a, ...	
Marie Luise (Verenas Mutter)		
Lutz (Verenas Stiefvater)		
Martin (Verenas Stiefbruder)		

b Hör noch mal zu! Markiere in der Tabelle, wie oft sie das machen!

Beispiel: Verena a ✓✓✓

immer/meistens	✓✓✓
oft	✓✓
ab und zu	✓
nie	✗

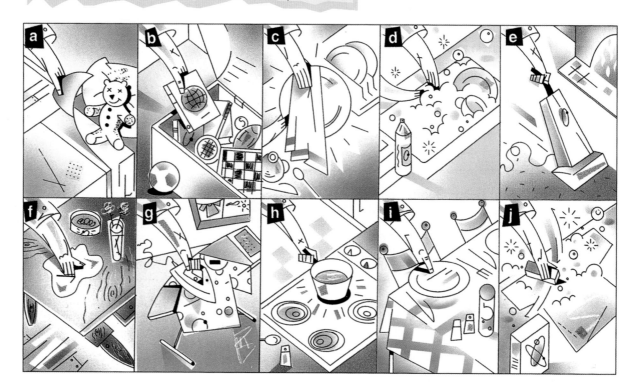

c Schreib Sätze!

Beispiel: *Verena macht meistens ihr Bett.* **oder** *Meistens macht Verena ihr Bett.*

d Du bist dran! Wie hilfst du zu Hause und wie oft? Und deine Familie? Schreib Sätze!

Beispiel: *Ich mache jeden Tag mein Bett. Mein Bruder räumt immer sein Zimmer auf.*

❷ Ist das fair?

a Partnerarbeit: **A** stellt Fragen und **B** antwortet. **A** macht Notizen.

Beispiel: **A** *Wen gibt es bei dir zu Hause?*
B *Meine Mutter, meinen Stiefvater, meinen Bruder und mich.*
A *Was macht dein Bruder im Haushalt?*
B *Er deckt den Tisch.*
A *Und wie oft?*
B *Immer.*
A *Und was macht deine Mutter? ...*

Notizen:

Personen	was?	wie oft?
Bruder	deckt den Tisch	✓✓✓

b Schreib Sätze!

Beispiel: *Sarahs Mutter kocht meistens.*
Sarahs Stiefvater trocknet immer ab.

Sieh dir die Resultate deines Partners/deiner Partnerin an! Ist das fair? Warum (nicht)?

❸ Ein faires Leben

Schreib einen fairen Plan für deine Familie!

Beispiel:

> MONTAG
> Am Montag koche ich.
> Am Montag deckt Mark den Tisch...

❹ Hausregeln

a Verbinde die Sätze mit den passenden Bildern!

1 Kinder müssen jeden Morgen ihre Betten machen.
2 Eltern dürfen keine privaten Telefongespräche mit anhören.
3 Jede Person darf eine Lieblingssendung in der Woche auswählen.
4 Kinder und Eltern sollen die Musik nicht zu laut stellen.
5 Dreimal in der Woche soll die Familie gemeinsam am Tisch essen.
6 Kinder sollen ohne Fernsehen Hausaufgaben machen.
7 Helena muss den Vogelkäfig sauber machen.
8 Markus soll den Kaninchenkäfig putzen.

b Schreib deine eigenen (humorvollen) Hausregeln!

Beispiel: *Meine Schwester muss jeden Tag mein Zimmer aufräumen.*

Wir feiern!

❶ Feiertage und Feste

Lies die Beschreibungen von diesen Feiertagen und wähle die passenden Fotos!

1
> Karneval ist mein Lieblingsfest. Am Rosenmontag gehe ich mit meinen Freundinnen in einem großen Umzug durch die Stadt. Wir tragen bunte Kleidung und manchmal auch Masken und Perücken. Das ganze Singen und Tanzen im Karnevalsumzug macht mir wirklich Spaß!
> Anna

2
> Ich finde Silvester toll, weil ich so spät ins Bett gehe. Ich gehe mit meiner Familie immer auf eine Party bei Freunden. Um Mitternacht trinkt man Champagner und wünscht einander ein „Frohes Neues Jahr!" Und es gibt auch ein Feuerwerk. Wir gehen normalerweise erst gegen drei Uhr morgens ins Bett.
> Erika

3
> Für mich ist Chanukka das wichtigste Fest im Jahr. Chanukka ist ein jüdisches Fest, normalerweise im November oder Dezember. Wir feiern acht Tage lang. Man zündet jeden Abend eine Kerze an. Zu Chanukka bekommen Kinder auch kleine Geschenke.
> Nathan

4
> Id-ul-Fitr kommt am Ende des Fests Ramadan und ist für meine Familie sehr wichtig. Die ganze Familie besucht meine Großeltern und es gibt viel gutes Essen. Wir tragen immer feine Kleidung.
> Ahmed

5
> Weihnachten finde ich toll. Mein Lieblingstag ist Heiligabend, denn ich schmücke gern den Weihnachtsbaum. Wir gehen am Heiligabend kurz vor Mitternacht in die Kirche. Später zu Hause öffnen wir unsere Geschenke vor dem Weihnachtsbaum.
> Johannes

a
b
c
d
e

❷ Wie feiert man?

 Hör zu und mach Notizen!

	Fest	mit wem?	wo?
Johann	Silvester	Tante	zu Hause

❸ Was ist dein Lieblingsfest?

Mach Notizen über dein Lieblingsfest und mach dann eine Kassette! Die Hilfe-Box hilft dir.

- Was ist dein Lieblingsfest?
- Was machst du?
- Mit wem?
- Wo?

> Ich finde … toll/sehr wichtig.
> … ist mein Lieblingsfest.
> Wir besuchen meine Großeltern.
> Meine Tante kommt zu Besuch.
> Wir essen … und trinken …
> Wir bekommen Geschenke.
> Wir zünden Kerzen an.
> Wir tragen feine Kleidung.

❹ Andreas Geburtstag

Lies den Brief und füll die Lücken aus!

zubereitet
Geburtstag
Geburtstagskuchen
getanzt
gegangen
im Jugendklub
aufgeräumt
Gäste

Chemnitz, den 19. November

Liebe Margarete,

ich hatte gestern Geburtstag und ich habe eine
Party _____ gemacht. Ich habe
zweiundzwanzig _____ eingeladen – elf
Jungen und elf Mädchen. Meine Mutter hat
tolles Essen _____ und wir haben alle zu
viel gegessen! Mein bester Freund Uwe hat einen
großen _____ gebacken. Der war lecker!

Wir haben bis ein Uhr _____ und dann sind
alle nach Hause _____ . Am nächsten Tag
habe ich alles _____ !

Das war sicher mein bester _____ bis
jetzt!

Wann hast du Geburtstag?
Schreib bald!

Deine
Andrea

Die Party war	letzten Samstag.
	am 8. Mai.
	um 19 Uhr 30.
	bei Markus.
	im Garten.
	im Jugendklub.
Ich habe	getanzt.
Wir haben	viel gegessen/getrunken.
	Tischtennis gespielt.
	ein Feuerwerk gesehen.
Die Party war toll/langweilig.	
Das hat viel/keinen Spaß gemacht.	
... hat mich eingeladen.	

❺ Partnerarbeit

A stellt Fragen, **B** wählt eine Party von den
Einladungen und beantwortet die Fragen.

• Wer hat dich auf die Party eingeladen?
• Wann war die Party?
• Und wo?
• Was hast du auf der Party gemacht?
• Wie hast du die Party gefunden?

❻ Du bist dran

Schreib eine Einladung für deine eigene
Geburtstagsparty wie in **Übung 5**!

❼ Extra!

Schreib eine E-Mail an deinen
Brieffreund/deine Brieffreundin und beschreib
eine Party oder einen Feiertag bei dir! Der
Brief in **Übung 4** hilft dir.

• Wann und wo war die Party?
• Was hast du gemacht?
• Wie hast du die Party gefunden?

B Was isst du gern?

① Gern, nicht gern oder am liebsten?

a Hör zu und wähle die passenden Bilder
(notiere die Buchstaben)!

	gern	nicht gern	am liebsten
Peter	g, c, e		
Bashir			
Ines			
Anke			
Wolfgang			

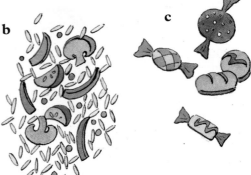

b Was isst *du* gern, am liebsten und nicht
gern? Schreib drei Listen! Die Bilder in
Übung 1a helfen dir.

Beispiel: *Ich esse gern:*
Hähnchen
Pommes frites

c Gruppenarbeit: „Was isst du gern, am
liebsten und nicht gern?" Macht eine
Umfrage in der Klasse!

Beispiel: **A** *Was isst du am liebsten, Sarah?*
B *Ich esse am liebsten Pommes frites.*
A *Und was isst du nicht gern?*
B *Gemüse schmeckt mir gar nicht.*

d Schreib die Resultate auf, z. B. mit dem
Computer!

Beispiel: *Sarah isst am liebsten Pommes frites.*
Sie isst nicht gern Gemüse.

> Ich esse gern/am liebsten ...
> ... schmeckt mir gut/am besten.
> Ich mag ...
> Ich finde ... lecker.
>
> Ich esse nicht gern ...
> ... schmeckt mir gar nicht.
> ... mag ich nicht.
> ... finde ich nicht gut.

❷ Bleib fit!

a Lies die Briefe!

Was isst du gern und was isst du nicht gern? Schreib uns mal!

1

Ich bin Salat- und Obstfanatikerin! Zum Frühstück esse ich eine Banane mit Toast und ich trinke Orangensaft. In der Pause esse ich noch ein Stück Obst – ich bin immer hungrig! Mittags esse ich am liebsten Kartoffelsalat mit Brot und abends essen wir normalerweise Gemüsesuppe oder Käseauflauf – meine Mutter ist Vegetarierin.
Tanja (15)

2

Meine Familie isst gern Curry! Mein Vater kommt aus Indien und kann sehr gut indisch kochen. Sein Gemüsecurry ist eine Spezialität bei uns! Ich esse auch gern Schokolade, aber das ist ziemlich ungesund. Ich esse am liebsten Kuchen, besonders Karottenkuchen, der sehr gut schmeckt.
Martina (14)

3

Einfaches Essen schmeckt mir am besten! Zum Frühstück esse ich gern Brot mit Butter und Wurst oder Käse. Marmelade und Honig esse ich nicht gern, weil sie zu süß sind. Ich esse auch gern Müsli mit Milch. Frühstück mag ich sehr gern!
Gemüse wie Karotten, Blumenkohl und Kohl mag ich gern, weil sie voller Vitamine sind. Und was esse ich nicht gern? Eier! Eier mag ich überhaupt nicht!
Kai (19)

b Was essen sie? Schreib eine Liste der Nahrungsmittel für jede Person! Schau neue Wörter im Wörterbuch nach!

Beispiel: *Tanja – Salat, Obst, Banane, …*

c Finde das passende Bild für jede Person!

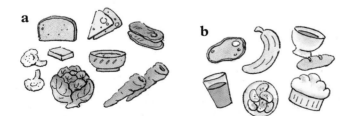

d Wer sagt was? Verbinde die Sätze und schreib die passenden Namen auf!

Beispiel: *1 – e – Martina*

1 Ich esse nicht viel Schokolade, weil
2 In der Pause esse ich Obst, weil
3 Ich esse viel zum Frühstück, weil
4 Abends essen wir Gemüse oder Käse, weil
5 Gemüse esse ich gern, weil
6 Karottenkuchen esse ich gern, weil

a Frühstück mir gut schmeckt.
b er mir sehr gut schmeckt.
c ich Hunger habe.
d meine Mutter Vegetarierin ist.
e das ungesund ist.
f es sehr gesund ist.

❸ Du bist dran

Was isst du gern, nicht gern und am liebsten? Warum (nicht)? Mach ein Poster! Zeichne Bilder oder finde Fotos und schreib Sätze!

Gesundheit und Fitness

❶ Gesund oder ungesund?

 Was essen und trinken sie? Ist das gesund
oder ungesund? Hör zu und mach Notizen!

gesund	ungesund
Mineralwasser	Schokolade

❷ Essen in Deutschland – Essen in England

 a Was isst man in Deutschland? Was isst man in England?
Hör zu und wähle die passenden Bilder!

Beispiel: *Deutschland – 3, England – 1*

 b Hör noch einmal zu! Beantworte die Fragen in ganzen Sätzen!

1 Wie fand Charlotte das Essen in England?
2 Was hat sie besonders gern gegessen?
3 Was hat ihr nicht geschmeckt?
4 Was hat Sven nicht gern gegessen?
5 Was hat ihm am meisten gefehlt?

6 Was hat er gern gegessen?
7 Warum mochte Anne die Pommes
nicht?
8 Was isst man in England mehr als
in Deutschland?

Ich esse	wenig/manchmal/keine Schokolade/kein Fastfood/Fett/Fleisch. (viel) Obst/Salat/Gemüse/Fisch/vegetarisches Essen.

Obst/Salat/Gemüse/Fisch/vegetarisches Essen Zu viel Schokolade/Fastfood/Fett/Fleisch	ist gesund. ist ungesund. macht dick.

❸ Partnerarbeit

A fragt. B antwortet. Dann stellt B Fragen.

Beispiel: **A** *Isst du Schokolade?*
B *Ja, ich esse viel Schokolade.*
A *Isst du auch Fastfood?*
B *Ja, ich esse manchmal Fish und Chips …*

④ Fastfood-Umfrage

a Mach eine Kassette für deinen Austauschpartner/deine Austauschpartnerin. Stell Fragen in einer Gruppe von vier oder fünf Personen!

- Isst du gern Fastfood?
- Warum? Warum nicht?
- Was isst du am liebsten?
- Was trinkst du am liebsten?
- Was findest du gut an Fastfood?
- Was findest du schlecht an Fastfood?

b Beantworte die Fastfood–Umfrage fur dich selbst!

Beispiel:

> Ich esse sehr gern Fastfood, weil das einfach lecker ist. ...

Ich esse	sehr gern ...,	weil das	einfach lecker ist.
			gesund ist.
	nicht gern ...,		fett ist.
			ungesund ist.
			dick macht.

⑤ Vegetarisch essen – ja oder nein?

a Lies die Sätze! Sind sie für oder gegen vegetarisch essen?

Beispiel:

dafür	dagegen
3	

1   Ich esse gern Fleisch!

2   Das Essen ist so langweilig.

3   Ich liebe Tiere!

4   Fleisch ist voller Chemie.

5   Der menschliche Körper braucht Fleisch.

6   Ich bin gegen Tierquälerei.

7   Das Essen ist viel billiger und gesünder.

8   Ich mag einfach kein Gemüse.

b Bist du Vegetarier – ja oder nein? Warum? Warum nicht? Schreib Sätze mit den Informationen von **Übung 5a**!

Beispiel: *Ich bin Vegetarier, weil ich Tiere liebe. Ich bin kein Vegetarier, weil ...*

c Schreib weitere Sätze für oder gegen Vegetarier!

Beispiel: *Ich bin kein Vegetarier, weil meine Mutter nicht vegetarisch kochen will.*

TEIL 3

Lebst du gesund?

① „Was für Sport machst du?"

 a Hör zu und wähle die passenden Bilder!

 b Hör noch einmal zu und mach Notizen!

	welcher Sport?	wie oft?	andere Hobbys?	anderer Sport, wenn möglich?
Holger	Basketball			

② Was halten die Schüler von Sport?

a Drei Schüler teilen ihre Meinungen über Sport mit. Lies die Texte und die Sätze rechts! Wer sagt was?

1
> Ich bin sehr sportlich und es gibt viele Sportmöglichkeiten in meiner Stadt. Wir haben ein tolles Hallenbad und auch ein Freibad. Das finde ich gut, weil ich dreimal pro Woche schwimmen muss – ich schwimme für die Stadtmannschaft.
> **Heiko**

2
> Für mich ist Sport total langweilig! Sport hat für mich keinen Sinn – ich sehe lieber fern oder surfe im Internet. Ich bin natürlich nicht fit, weil ich keinen Sport treibe. Letzte Woche habe ich Fußball in der Schule gespielt und das Spiel hat mich einfach kaputt gemacht! Ich möchte aber später zur Bundeswehr gehen. Ich darf also nicht so faul sein. Vielleicht gehe ich einmal pro Monat schwimmen ... oder ist das zu anstrengend ... ?!
> **Dominik**

3
> Ich bin Fitnessfanatiker! Ich finde es sehr wichtig fit zu bleiben. Ich fahre jeden Tag mit dem Rad zur Schule und jeden Tag nach der Schule gehe ich in einen Sportklub in der Schule oder im Sportzentrum. Ich bin Vegetarier und Fastfood schmeckt mir nicht – gesundes Essen ist für mich auch sehr wichtig.
> **Kirstin**

1 Ich schwimme oft im Hallenbad oder Freibad, weil ich Mitglied einer Mannschaft bin.

2 Fleisch und ungesundes Essen esse ich nicht.

3 Ich interessiere mich nicht für Sport.

4 Ich treibe so viel Sport wie möglich.

5 In der Gegend gibt es viele Sportmöglichkeiten.

6 Ich bin zu faul um Sport zu treiben.

b Partnerarbeit: **B** ist Heiko, Kirstin oder Dominik, **A** stellt Fragen. Dann ist **B** dran.

Beispiel: **A** *Was für Sport treibst du?*
B *Ich schwimme und ich spiele Tennis.*
A *Wie oft machst du das?*
B *Ich schwimme dreimal pro Woche.*
A *Und wie findest du das?*
B *Das finde ich toll – ich schwimme für eine Mannschaft.*

 96

❸ „Was tust du für deine Gesundheit?"

 Hör zu und mach Notizen!

	was ist gesund?	was ist ungesund?
Björn		
Golo		
Meike		

❹ Partnerarbeit

A stellt Fragen und **B** antwortet.
Dann ist **B** dran.

- Machst du Sport?
- Was für Sport machst du?
- Wie oft machst du Sport?
- Rauchst du? (Wie viele Zigaretten rauchst du am Tag?)
- Trinkst du ab und zu mal Alkohol? (Wann und wie viel?)
- Was isst du jeden Tag zum Frühstück?
- Was isst du zum Mittagessen?
- Was isst du zum Abendbrot?

❺ Sportlich und fit … oder nicht?

Gruppenarbeit: Macht ein ‚Gesundes-Leben-Poster'! Findet oder zeichnet Bilder und schreibt Sätze! Benutzt eure Antworten von **Übung 4**!

❻ Extra!

a Schreib einen Artikel für deine Schüler–zeitschrift. Beschreib, was für Sport du treibst, was für Sportmöglichkeiten es bei dir gibt und wie du fit bleibst! Die Texte in **Übung 2a** helfen dir.

- Wie oft treibst du Sport und wie findest du das?
- Was für Sportmöglichkeiten gibt es in deiner Stadt/Schule?
- Wann hast du zum letzten Mal Sport gemacht? Was hast du gemacht und wie war das?
- Ist es wichtig für dich fit zu sein? Warum (nicht)?
- Spielst du in einer Sportmannschaft oder gehst du regelmäßig in einen Sportklub?

b Mach dann eine Kassette mit deinen Informationen.

Ich bin (nicht) sehr sportlich/fit.
Ich spiele zweimal pro Woche Tennis.
Ich schwimme jeden Tag.
Ich fahre oft Rad.
Ich rauche nicht.
Ich rauche 3 Zigaretten am Tag.
Ich trinke keinen Alkohol.
Ich trinke manchmal ein Bier auf einer Party.
Zum Frühstück esse ich …

Ich interessiere mich (nicht) für Sport.
Ich finde Sport (nicht) wichtig/total langweilig.
Um fit zu bleiben spiele ich … /gehe ich … /esse ich …
Ich bin zu faul um Sport zu treiben.
Ich finde … zu anstrengend.
Das (Hockey)spiel hat mich kaputtgemacht.
In meiner Stadt gibt es gute Sportmöglichkeiten.
Ich gehe jeden Tag in einen Sportklub.
Ich spiele in einer (Fußball)mannschaft.

C Jobben

① Mein Teilzeitjob

Hör zu und mach Notizen!

	welcher Job?	wie zur Arbeit?	Fahrtdauer?	Arbeit – von wann bis wann?
Anne	in einem Laden	mit dem Bus	50 Minuten	9–14/16 Uhr
Niklas				
Christa				

Ich	arbeite jobbe	in einem Geschäft/einem Café/einer Fabrik usw. als Zeitungsausträger(in)/Kellner(in)/Babysitter usw.

Um extra Geld zu verdienen	arbeite ich als Verkäufer(in) usw. jobbe ich in einem Laden usw. trage ich Zeitungen aus/gebe ich Nachhilfe usw.

Die Arbeit ist interessant/anstrengend/langweilig usw.

② Jobben

a Wo arbeiten sie? Schreib Sätze!

Beispiel: *Tom: Um extra Geld zu verdienen arbeite ich als Verkäufer.*

TOM   NINA   JOHANNES

KERSTIN   UWE   VICKI

b Partnerarbeit: **A** wählt einen Job von **Übung 2a**. **B** stellt Fragen. Macht weitere Dialoge!

Beispiel: **B** *Hast du einen Job?*
A *Ja, ich trage Zeitungen aus.*
B *Wann machst du das?*
A *Montags und mittwochs.*
B *Und wie lange dauert die Arbeit?*
A *Die Arbeit dauert 3 Stunden.*
B *Was verdienst du pro Stunde?*
A *Ich bekomme 4 Euro pro Stunde.*

Dann ist **B** dran.

	wann?	wie lange?	wie viel pro Stunde?
Tom	Samstag	4 Std.	€7,50
Nina	Di. + Do.	2 Std.	€5,00
Johannes	einmal pro Woche	5 Std.	€6,00
Kerstin	Mi.	3,5 Std.	€6,50
Uwe	Mo. + Mi.	3 Std.	€4,00
Vicki	Samstag	4 Std.	€5,75

❸ Teenager sprechen übers Jobben

Lies die Texte und die Sätze unten! Füll die Lücken aus!

Jobs für Teenager!

Ich arbeite ein paar Stunden pro Woche in einem Tierheim. Ich fahre  mit dem Rad zur Arbeit – das dauert nur zehn Minuten. Meine Arbeitsstunden sind von 9 bis 12 Uhr samstags und sonntags. Ich verdiene nur 3 Euro pro Stunde, aber das Geld ist für mich nicht wichtig – ich bin einfach Tierfreundin! Es gefällt mir sehr mit Tieren zu arbeiten. Die anderen Leute sind auch sehr nett und wir verstehen uns gut. Ich liebe meinen Job!
Irina (15)

Ich arbeite samstags von 9 bis 18 Uhr als Verkäuferin in einer Drogerie. Die Arbeit ist hektisch und das gefällt mir gar nicht. Ich verdiene aber 6 Euro pro Stunde und ich spare für einen Fernseher. In der Drogerie muss ich eine Uniform tragen: eine dunkelblaue Hose und ein dunkelblaues Hemd. Das ist praktisch, aber nicht sehr modisch!
Kerstin (16)

Ich möchte einen Teilzeitjob haben, aber meine Eltern sind dagegen. Sie sagen, ich muss mich auf die Schularbeit konzentrieren. Ich will aber Geld verdienen um CDs, Computerspiele usw. zu kaufen. Das finde ich nicht fair!
Max (14)

verdienen	keinen Job	Verkäuferin
Uniform	gefällt	Kollegen
arbeitet	hektisch	

1 Kerstin hat einen Teilzeitjob als _____ .

2 Sie findet die Arbeit in der Drogerie _____ .

3 Sie findet ihre _____ nicht modisch.

4 Max hat _____ , weil seine Eltern dagegen sind.

5 Er möchte Geld _____ .

6 Irina _____ am Wochenende im Tierheim.

7 Sie kommt mit ihren _____ gut aus.

8 Die Arbeit _____ ihr sehr.

❹ Partnerarbeit

A stellt Fragen, **B** antwortet. Dann ist **B** dran.

- Hast du einen Nebenjob?
- Wenn nicht, warum nicht?
- Was für einen Job machst du?
- Wann arbeitest du?
- Trägst du eine Uniform?
- Wie fährst du zur Arbeit?
- Wie findest du den Job?
- Wie sind die Leute?
- Was magst du nicht bei dem Job?

❺ Extra!

Beschreib deinen Teilzeitjob oder stelle dir einen idealen Job vor! Was für ein Job ist das? Mit wem arbeitest du? Wie findest du deine Kollegen? Was sind deine Arbeitsstunden? Wie viel verdienst du pro Stunde/Woche? Warum arbeitest du?

Arbeitspraktikum

① Das ideale Arbeitspraktikum

 a Hör zu und wähle das passende Bild für die drei Jugendlichen!

| Yvonne | Lutz | Claudia |

b Wähle das ideale Arbeitspraktikum für dich! Erkläre deine Wahl!

Beispiel: *Ich bin kontaktfreudig und ich arbeite gern mit anderen Menschen. Ich wähle Bild e.*

> Ich bin kontaktfreudig/praktisch/diszipliniert/fleißig.
> Ich mag den Kontakt mit Menschen/Kindern/Tieren.
> Ich interessiere mich für Kinder/Tiere/Computer/die Natur/Sprachen.
> Ich möchte (nicht) im Büro/im Freien/mit Kindern/Tieren arbeiten.

② Beim Berufsberater

 Hör zu und beantworte die Fragen in ganzen Sätzen!

1 Wann möchte Jens ein Praktikum machen?
2 Wie alt ist er?
3 Wo wohnt er?
4 Wie ist seine Telefonnummer?

5 Was sind seine Lieblingsfächer?
6 Welche Fächer mag er nicht?
7 Welche Interessen hat er?
8 Was für ein Mensch ist er?

③ Partnerarbeit

Ihr möchtet ein Arbeitspraktikum in den nächsten Sommerferien machen. **A** ist der Berufsberater. **B** antwortet. Dann ist **B** dran. Stellt folgende Fragen!

• Wie heißt du?
• Wie alt bist du?
• Wo wohnst du?
• Wie ist deine Telefonnummer?
• Wann möchtest du ein Praktikum machen?
• Was sind deine Lieblingsfächer?
• Welche Fächer magst du nicht?
• Welche Interessen hast du?
• Was für ein Mensch bist du?

4 Schüler für Praktikum gesucht!

a Lies die Anzeigen! Lies dann die Aussagen unten und wähle das passende Praktikum!

1

GESUCHT!
KELLNER/KELLNERIN
16-25 Jahre
für amerikanische
Hamburgerbar in München
DIXIE'S
Stauffenstr. 56, 85409 München
Tel. 984581
(Herr Pauser)

2

WIR SUCHEN
nettes Mädchen/netten Jungen (über 18)
als Aupair für unsere zwei Kinder
(4 und 7 Jahre alt) für Juli und August.
Bitte melden bei: Annegret Richter
Mühlenhang 3
88693 München
Tel. 954385

3

FREMDENVERKEHRSAMT MÜNCHEN-MITTE
SUCHT AUSHILFE FÜR DEN SOMMER
(Juni-September)
Montags bis sonnabends
Perfekte Englischkenntnisse und Freude am
Umgang mit Kunden erwünscht.
Anfragen an Frau Erlang, Kaiserring 45,
80070 München, Tel. 895411

4

Interessieren Sie sich für Computer?
Kennen Sie sich mit Windows 98 und Word
aus?
Computerfirma sucht Schüler und
Studenten für leichte Bürotätigkeit
(Telefondienst) und Arbeit am Computer.
Compuworks, Flughafenstr. 338, 89432
Pasing b. München (Herr Dr. Schneider)

a Ich kann sehr gut mit Menschen umgehen und bin sehr kontaktfreudig.

b In den Ferien helfe ich meinen Eltern oft im Restaurant.

c Ich bin absoluter Informatikfan und tüftle gern an Programmen.

d Ich habe vier jüngere Geschwister, auf die ich oft aufpasse.

b Lies die Anzeigen noch einmal! Lies dann die Sätze! Sie sind alle falsch. Korrigiere sie!

1 Im Dixie's können junge Leute ab 15 Jahre arbeiten.
2 Dixie's ist ein Hamburgerlokal in den USA.
3 Annegret Richter sucht ein Aupairmädchen und einen Aupairjungen.
4 Die Aupairstelle ist für den Winter.
5 Das Fremdenverkehrsamt hat eine freie Lehrstelle.
6 Das Verkehrsamt sucht jemanden, der gut Deutsch spricht.
7 Compuworks sucht Computerverkäufer.
8 Wer Interesse hat, soll sich bei Word melden.

c Lies den Bewerbungsbrief an das Fremdenverkehrsamt (siehe **Anzeige 3** von **Übung 4a**) und ergänze die Lücken!

Englisch Aushilfe Leuten Hobbys
Fremdenverkehrsamt kontaktfreudig
Praktikum geehrte Grüßen
München Jahre interessiere

Sehr _____ Frau Erlang,

ich möchte gern im Sommer ein _____
in _____ machen. Ich habe Ihre Anzeige
für eine _____ im _____ gelesen.
Ich _____ mich sehr für diese Stelle,
weil ich sehr gut _____ spreche. Ich bin
auch sehr _____ und arbeite gern mit
anderen _____. Ich bin 16 _____ alt.
Meine _____ sind Fremdsprachen und Sport.

Mit freundlichen _____

Sarah Keller

d Wähle eine andere Anzeige von **Übung 4a** und schreib deinen eigenen Bewerbungsbrief!

Wie war dein Praktikum?

❶ Das Telefongespräch

 a Hör gut zu und verbinde jede Zahl mit einem Buchstaben!

Beispiel: 4 – *a*

1 Wie kann ich Ihnen helfen?	**a** Guten Tag.
2 Es tut mir Leid, Herr Eberhardt ist heute nicht im Büro. Möchten Sie eine Nachricht hinterlassen?	**b** Vielen Dank. Auf Wiederhören!
	c Könnte ich bitte Herrn Eberhardt sprechen?
3 Rufen Sie bitte morgen wieder an.	**d** Nein danke, ich rufe noch einmal an. Wann soll ich am besten wieder anrufen, bitte?
4 Reisebüro Hauptmann. Guten Tag.	

b Schreib das Telefongespräch in der richtigen Reihenfolge auf!

❷ Partnerarbeit

A sucht eine Stelle im Betrieb, **B** ist Angestellter/Angestellte im Büro. Macht Telefongespräche!

Beispiel: **A** *Katercomputer. Guten Morgen.*
B *Guten Morgen. Könnte ich bitte mit Frau Steinbach sprechen?*
A *Tut mir Leid, aber Frau Steinbach ist nicht da. Möchten Sie eine Nachricht hinterlassen?*
B *Ja, bitte. Mein Name ist Erich Ohletz und meine Telefonnummer ist 48 99 60.*
A *Alles klar. Frau Steinbach ruft Sie später an.*
B *Vielen Dank. Auf Wiederhören!*

– Herr Jung (Schwarzkopf)
– Katrin Müller
  Tel. 27 72 01

– Frau Kessler (Deutsche Telekom)
– Paul Meyer
  Tel. 49 05 82

❸ Betriebsanrufbeantworter

 a Hör zu und mach Notizen!

- Name
- Datum und Uhrzeit
- Telefonnummer/E-Mail-Adresse
- Nachricht

b Du bist dran. Nimm deine eigene Nachricht auf! Diese Informationen helfen dir:

- du rufst die Firma *Deutsche Feinkost* an
- es ist Montagnachmittag 15.30 Uhr
- du willst mit Herrn Groß sprechen
- du willst dein Arbeitspraktikum besprechen
- deine Telefonnummer ist 67 84 93
- er soll dich vor 17.00 zurückrufen

> Könnte ich bitte mit Frau/Herrn ... sprechen?
> Ja, sicher. Ich verbinde.
> Es tut mir Leid. Herr/Frau ... spricht gerade/ ist nicht da.
> Möchten Sie eine Nachricht hinterlassen?
> Könnte er/sie mich bitte um/vor ... Uhr anrufen?
> Ich möchte mit ihm/ihr mein Arbeitspraktikum besprechen.

4 Hat dir die Arbeit gefallen?

 Hör zu! Was war positiv und was war negativ?
Mach Notizen!

positiv	negativ

Das Praktikum war (sehr) interessant/aufregend/langweilig/anstrengend/stressig.
Ich habe in einem Büro/in einer Firma/im Freien/mit Kindern/Tieren gearbeitet.

| Ich konnte | selbstständig/mit dem Computer arbeiten. Deutsch/Französisch sprechen. |

Ich kam sehr gut/nicht gut mit den anderen Leuten aus.
Ich habe viel/wenig/nichts über ... gelernt.
Der Kontakt zu den Gästen/anderen Leuten/Kindern/Tieren hat mir gefallen.

---

5 Partnerarbeit

a Wie findet ihr diese Jobs? Was ist positiv und
negativ? Schreibt zwei Listen für jeden Job!
Die Hilfe-Box hilft euch.

Beispiel:

positiv	negativ
Kontakt zu den Gästen	sehr stressig

c Schreib dann Sätze! Benutze deine
Notizen von **Übung 5a!**

Beispiel: **a** *Ich habe ein Praktikum in
einem Hotel gemacht. Die Arbeit
war sehr stressig, aber der Kontakt
zu den Gästen hat mir gefallen.*

a  b  c d  e

b **A** hat ein Arbeitspraktikum gemacht.
B stellt Fragen. Dann ist **B** dran.

Beispiel: **A** *Wo hast du ein Praktikum
gemacht?*
B *Ich habe ein Praktikum in
einem Hotel gemacht.*
A *Was hat dir gefallen?*
B *Der Kontakt zu den Gästen
hat mir gefallen.*
A *Was hat dir nicht gefallen?*
B *Die Arbeit war sehr stressig.*

6 Extra!

Wie war dein Praktikum? Schreib
einen Artikel für die Schülerzeitung!

• Wie hast du das gefunden?
• Was war gut/schlecht?
• Was hast du gelernt?
• Wie waren die Leute?

Grammatik 3a

Modal verbs

Modal verbs tell you what you can, must, are allowed to do, etc. They are all irregular. Here are the present tense forms of some of them:

	müssen	dürfen	können	mögen
ich	muss	darf	kann	mag
du	musst	darfst	kannst	magst
er/sie/es/man	muss	darf	kann	mag
wir	müssen	dürfen	können	mögen
ihr	müsst	dürft	könnt	mögt
sie	müssen	dürfen	können	mögen
Sie	müssen	dürfen	können	mögen

1 Can you work out the different forms of the other two modal verbs *sollen* and *wollen*? Write them out and check them with your teacher.

> How do I form sentences with modal verbs?

You need the correct part of *sollen, müssen,* etc. and the infinitive of the main verb – the infinitive goes to the end of the sentence:

*Ich **mache** meine Hausaufgaben.*
*Ich **muss** meine Hausaufgaben **machen.***

*Ich **gehe** nicht in die Disco.*
*Ich **darf** nicht in die Disco **gehen.***

2 Complete the sentences with the correct modal verb.

Example: **1** *Ich muss jeden Tag mein Zimmer aufräumen.*

> sollt   darf   kannst   will
> müssen   muss   mag

1 Ich _____ jeden Tag mein Zimmer aufräumen.
2 Meine Schwester _____ jeden Abend ausgehen.
3 Ihr _____ am Samstag euren Opa besuchen!
4 Meine Großmutter _____ Popmusik hören.
5 Wir _____ am Wochenende Hausaufgaben machen.
6 Ich _____ nicht unbedingt abwaschen!
7 _____ du zu meiner Geburtstagsparty kommen?

3 Look at the pictures on page 88. Who does what in your own home? Write sentences using *müssen* and *sollen.*

Example: *Mein Bruder muss bügeln.*
Ich soll abwaschen.

Word order (2)

um ... zu (in order to) alters the word order of a sentence: it sends the second verb to the end of the sentence, in its infinitive form:

*Ich sitze am Computer. Ich **schreibe** einen Brief.*

*Ich sitze am Computer **um** einen Brief **zu schreiben**.*

1 Answer these questions using *um ... zu ...*

Example: **1** *Ich fahre nach Pinneberg um ins Kino zu gehen.*

1 Warum fährst du nach Pinneberg? –
  Ich gehe ins Kino.
2 Warum gehst du zum Fundbüro? –
  Ich suche meine Uhr.
3 Warum gehen sie ins Kaufhaus? –
  Sie kaufen Klamotten.
4 Warum arbeitest du am Wochenende? –
  Ich spare Geld für die Ferien.
5 Warum geht sie ins Geschaft? –
  Sie kauft eine CD.
6 Warum besucht die Familie ihre
  Großeltern? – Sie feiern Id-ul-Fitr.

When you use *um ... zu* with separable verbs, *zu* separates the two parts of the infintive:

*Ich bleibe zu Hause **um** fern**zu**sehen.*

*Ich gehe zur Reinigung **um** meinen Mantel ab**zu**holen.*

2 Link these sentences to an appropriate ending.

Example: **1** *Sie sitzen im Wohnzimmer um fernzusehen.*

1 Sie sitzen im Wohnzimmer
2 Er fährt zum Bahnhof
3 Ich habe ein Handy
4 Wir gehen zum Einkaufszentrum
5 Ich bleibe heute Abend zu Hause

a um viel Geld für Kleider auszugeben!
b um mein Zimmer aufzuräumen.
c um fernzusehen.
d um seine Tante abzuholen.
e um meine Freunde anzurufen.

> Does **um ... zu** alter the word order of any other verbs?

When there are two verbs together like *go shopping, go walking/for a walk, zu* goes between the two infinitives:

*Heute fahre ich in die Stadt **um** einkaufen **zu** gehen.*

3 Place *um ... zu ...* in the correct position to make complete sentences.

Example: **1** *Ich esse nur vegetarisch **um** gesund und schlank **zu** bleiben.*

1 Ich esse nur vegetarisch – gesund und
  schlank bleiben
2 Wir fahren oft nach Leipzig – einkaufen
  gehen
3 Ich will mehr Sport treiben – fit werden
4 Sie hat ein Handy – ihre Eltern und
  Freundinnen anrufen
5 Sie arbeitet in der Drogerie – Geld für die
  Ferien verdienen
6 Ich fahre jeden Nachmittag zum Wald –
  mit dem Hund spazieren gehen

Ich mache Sport um fit zu bleiben!

Tipp 3a

Improving your written work

In your written coursework for Module 3, you may be asked to write about any of the topic areas coverd in units 3A–E. You will be writing in different styles, e.g. letters, e-mails, descriptions, etc. and you will need to vary your writing accordingly.

On the topic of 'Home life', you could be asked to write a description of your daily routine (your morning routine and breakfast; your after-school routine and what you do to help at home).

1 First brainstorm key vocabulary for your own daily routine.

Example:

> aufstehen – Dusche/Bad nehmen – frühstücken – Brötchen – Tee/Kaffee – Orangensaft – Küche – 8 Uhr – Bus/Auto – Schule – nach der Schule – fernsehen – Sport treiben – Hausaufgaben machen – Tisch decken – abwaschen.

2 Now you need to put the sentences together. Try changing the following description by replacing the words or phrases in bold with your own details.

> Ich stehe **um 7.30** auf. Ich nehme **eine Dusche** und ziehe mich an. Ich frühstücke **in der Küche**. Ich esse **ein Brötchen mit Butter und Marmelade**. Ich trinke **eine Tasse Tee**. Ich verlasse das Haus **um 8.00** und ich fahre **mit dem Bus** zur Schule. Nach der Schule **sehe ich fern**. Ich mache meine Hausaufgaben. **Ich decke den Tisch**. Nach dem Abendessen **wasche ich ab**.

This conveys the basic message and you now need to check the spelling and grammar.

You'll earn more marks for your coursework if you make what you write more interesting. There are various ways you can do this:

- Use linking words to join together short sentences: *und* (and), *aber* (but), *oder* (or):

  Example: *Ich stehe um 7.30 auf **und** ich nehme eine Dusche.*

- Say when you do things:
  um … Uhr (at + time)   *oft* (often)
  jeden Tag (every day)   *meistens* (usually)
  morgens (in the morning) *manchmal* (sometimes)

  Example: *Ich stehe **jeden Morgen** um 7.30 auf und ich nehme **meistens** eine Dusche.*

- Use adjectives (describing words):

  Example: *Ich stehe jeden Morgen um 7.30 auf und ich nehme meistens eine **warme** Dusche.*

- Invert the word order by placing the time expressions at the start of the phrase:

  Example: ***Jeden Morgen stehe ich** um 7.30 auf und **meistens nehme ich** eine Dusche.*

- Give opinions:
  Das finde ich toll/doof!
  Das mag ich (nicht).
  Ich denke/glaube/finde, das ist interessant/ langweilig.

  Example: *Ich mache meine Hausaufgaben – **das finde ich sehr langweilig**.*

- Give reasons:

  Example: *Ich mache meine Hausaufgaben – das finde ich sehr langweilig, **weil ich lieber fernsehe**.*

- Use past and future tenses as well as the present tense:

  Example: *Nach der Schule sehe ich manchmal fern, aber gestern **habe ich Tennis gespielt**. Und morgen **werde ich in den Jugendklub gehen**.*

3 Now rewrite the description of your own daily routine, using some of the suggestions on page 106.

Effective use of a dictionary

When writing your coursework, you may need to use a dictionary to find certain words you want to use.

Take the topic 'Part-time work and work experience'. You could be asked to write a letter of application for a part-time job. Here are some words you may need to look up in a dictionary.

> to apply (for a job)   newspaper
> shop window   an advertisement
> working hours   to earn   energetic   fit

The dictionary may give various different German translations for the word you're looking up, so you need to make sure you choose the right one:

1 Look up the English word.
2 Read carefully through the entry to find the correct meaning.
3 Note it and check it in the German half of the dictionary.

Example:

to apply ['plai] *v.* 1 *v.tr.* (*a*) (etwas) auflegen (**to sth.**, auf etwas *acc*); (*b*) (use) anwenden; (*c*) **to a. one's mind to sth.**, sich etwas *dat* widmen. 2 *v.i.* (*a*) impers. gelten; (**to**, für + *acc*) **to a. for a job**, sich um eine Stellung bewerben

Now check the verb **sich um (eine Stellung) bewerben** at the other end of the dictionary.

bewerben, *v.refl. irr.* **sich (um eine Stellung) b.**, to apply for (a job)

You can now put together a sentence using this verb:

Ich möchte mich um einen Teilzeitjob bewerben.

4 Look up in the dictionary the other English words in the box (left) and write down their German equivalents.

5 Now write sentences using these new words to include in a letter of application. You should:

– say where you saw the job advertised
– say you're applying for the job delivering papers
– ask what the hours are and what you will earn
– say why you think you are suited to the job

Example: *Ich möchte mich um einen Teilzeitjob bewerben – ich möchte Zeitungen austragen.*

D Wir gehen aus!

1 Wochenende in Köln

 Hör zu und mach Notizen!

	wo?	was?	wann?	Preis?	Telefonnummer?
Freitag					
Samstag					

2 Gruppenarbeit

a Stellt euch Fragen in einer Gruppe von vier oder fünf Personen!
„Gehst du gern ins Kino/in die Disco … ?" Schreibt die Antworten auf!

Beispiel: *Kate geht gern ins Kino.*
Sie findet Discos langweilig.

b Du bist dran. Schreib deine eigenen Antworten auf!

3 Partnerarbeit

Seht die Bilder unten an! Wählt:
1 was ihr machen wollt
2 wo ihr euch trefft
3 wann ihr euch trefft

Beispiel: **A** *Hast du Lust, ins Kino zu gehen?*
B *Nein, Kino finde ich langweilig.*
A *Wollen wir fernsehen?*
B *Nein, dazu habe ich keine Lust.*
A *Wie wäre es mit essen gehen?*
B *Ja, gute Idee! Wo treffen wir uns?*
A *Am Bahnhof.*
B *Und wann treffen wir uns?*
A *Um 19 Uhr.*

Was machen wir?		
Gehst du gern ins Kino/in die Stadt? Wie wäre es mit Kino/Tennis/Fernsehen?		
Wollen wir Möchtest du Hast du Lust,	ins Restaurant/Theater in die Disco/in den Park spazieren/zum Flohmarkt	gehen? gehen? zu gehen?
Ja, gern.	Nein,	dazu habe ich keine Lust. … finde ich langweilig. … mag ich nicht.
Ich möchte lieber… Lass uns (lieber)…		

4 Umfrage

Mach eine Umfrage in der Klasse! Was macht ihr am Wochenende? Schreib die Resultate auf!

Beispiel: *10 Schüler/Schülerinnen gehen ins Kino.*

5 Kommst du zu meiner Party?

Hör zu und wähle die passenden Sätze!

1 Thorsten macht am Samstag
  a eine Silvesterparty.
  b eine Geburtstagsparty.
  c eine Faschingsparty.

2 Katrin
  a lädt Thorsten ein.
  b kommt gern zu der Party.
  c kann leider nicht kommen.

3 Thorsten
  a möchte Freunde vom Fußball einladen.
  b möchte Alexandra einladen.
  c gibt Katrin Alexandras Telefonnummer.

4 Die Party beginnt
  a um neun Uhr.
  b um halb acht.
  c um halb zehn.

5 Die Party ist
  a bei Thorsten zu Hause.
  b in der Partykeller-Disco.
  c in Thorstens Zimmer.

6 Katrin fährt am besten
  a mit dem Fahrrad.
  b mit der U-Bahn.
  c mit dem Bus.

6 „Ich kann leider nicht kommen …"

Hör zu und mach Notizen!

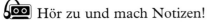

	warum nicht?
Ralf	
Ute	
Lars	

7 Die Einladung

a Lies die Einladung und beantworte die Fragen in ganzen Sätzen!

★ ★ **Einladung zur** ★
★ **Geburtstagsparty**
Am 18. Mai 1997 werde ich
15 Jahre alt – und ich möchte dich
gern zu meiner Geburtstagsparty
einladen.
Die Party findet bei mir zu
Hause statt.
Meine Adresse ist Kölner Str. 18.
(Meine Telefonnummer
ist 60 98 23.)
Die Party beginnt um 20 Uhr.
Bring bitte etwas zu trinken mit (Cola,
Orangensaft usw.).
Ich hoffe, du kannst kommen!
★
Heike ★ ★

1 Warum macht Heike eine Party?
2 Wo ist die Party?
3 Wann sollen die Gäste kommen?
4 Was sollen die Gäste mitbringen?

b Heike hat dich zu ihrer Party eingeladen. Schreib einen Brief!

• bedanke dich für die Einladung
• du kannst aber nicht kommen
• warum nicht? (Konzert der Prinzen)

c Du bist dran. Schreib eine Einladung mit dem Computer für deine nächste Geburtstagsparty! Die Einladung von **Übung 7a** hilft dir dabei.

Ich möchte dich gern zu meiner Party einladen.
Kommst du zu meiner Party?
Möchtest du zu meiner Party kommen?

Vielen Dank für die Einladung.

Ja, ich komme gern.
Nein, ich kann leider nicht kommen.
Ich habe schon etwas anderes vor.

Was gibt es zu tun?

1 Was kann man diese Woche machen?

a Verbinde die Anzeigen mit den passenden Fotos!

1 Kino-Zentral
Giselakai 11
Tel.: 873 100
Klettern in Fels und Eis
Fr., Sa., So.
12.–14. Nov.
19:00 Uhr
8 Euro; Ermäßigung 5 Euro

2 Fußballtraining
Jugendzentrum Lehen
Schuhmacherstraße 20
Tel.: 434 216
Di. 17:00–18:30 (6–9-Jährige)
Do. 18:30–20:00 (10–13-Jährige)

3 Junge Generation-Disco
Kostenlos!!
17:00–22:00
jeden 1. Samstag im Monat
Kulturpavillon Lieferung
Eugen-Müller-Straße 85

4 Rockmusikfest
Freizeitpark
Samstag/Sonntag 14./15. Juli
ab 16 Jahre
95 Euro – zwei Tage
50 Euro – einen Tag
15 % Schülerermäßigung

5 Marathonlauf
Stadtmitte nach Kreuzlingen
Sonntag, den 24. August – 10.15 Uhr
Kinderlauf: 3 Kilometer (ab 6 Jahre)
Anmeldung an: Sportzentrum Heubad
Kirchenstraße
Tel.: 62 68 41
E-Mail: spozensalz@kater.com

2 Partnerarbeit

b Beantworte die Fragen in ganzen Sätzen!

1 Welchen Film kann man am Freitag, den 12. November, im Kino sehen?
2 Um wie viel Uhr und an welchem Tag kann ein achtjähriger Junge zum Fußballtraining gehen?
3 Wo und wann findet die Junge Generation-Disco statt?
4 Was kostet der Eintritt?
5 Wie alt muss man sein um zum Rockfest zu gehen?
6 Wo meldet man sich für den Marathonlauf am Samstag an?
7 Wie kann man Informationen über den Kindermarathonlauf mit dem Computer bekommen?

a Wähle eine Anzeige von **Übung 1a** und schreib 3–4 Fragen darüber!

Beispiel: **3** *Wann kann man zur Disco gehen?*
Um wie viel Uhr?
Wie viel kostet der Eintritt?
Wo ist die Disco?

b **A** wählt eine der Anzeigen in **Übung 1a** und stellt Fragen. **B** antwortet.

Beispiel: **A** *Wann kann man zur Disco gehen?*
B *Am ersten Samstag im Monat.*
A *Und um wie viel Uhr?*
B *Von 17 bis 22 Uhr.*
A *Wie viel kostet der Eintritt?*
B *Nichts! Die Disco ist kostenlos.*
A *Und wo ist die Disco?*
B *Im Kulturpavillon.*

③ Hat das Spaß gemacht?

 a Hör zu und mach Notizen!

	was gemacht?	wann?	wie war es?
Udo			
Mehmet			
Sophie			
Brigitte			

b Was sagen sie? Verbinde die Sätze!

1 *Romeo und Julia* hat mir gefallen,
2 Der Marathonlauf war toll,
3 Die Radtour war anstrengend,
4 Ich habe das Konzert langweilig gefunden,

a weil das das erste Mal für mich war.
b weil ich klassische Musik nicht mag.
c weil das ganz interessant war.
d weil wir 20 Kilometer gefahren sind.

④ Umfrage

Gruppenarbeit: Macht eine Umfrage in der Klasse und schreibt die Resultate auf einem Poster auf! Fragt: „Was hast du am Wochenende gemacht? Wie war das?"

Beispiel:

Tony: Ich habe eine Radtour gemacht. Ich habe es sehr anstrengend gefunden.

Maria: Ich bin ins Popkonzert gegangen. Das war toll, weil ich meine Lieblingsgruppe gesehen habe.

⑤ Extra!

Schreib einen Brief an deinen Brieffreund/ deine Brieffreundin und beschreib, was du letzte Woche/letzten Monat gemacht hast! Was hast du gemacht? Mit wem? Wie hast du es gefunden?

Ich bin	ins Konzert/ins Kino/ins Theater/ in die Disco gegangen.
Ich habe	eine Radtour/einen Marathonlauf gemacht.

Ich habe	an einem Hockeyturnier teilgenommen.
Wir haben	eine Stadtrundfahrt im Bus gemacht.
Wir sind	zum Fußballtraining gegangen.

Das war ...
Ich habe es ... gefunden.

wirklich toll	nicht sehr gut
ganz gut	prima
sehr anstrengend	langweilig
ziemlich interessant	mies

Unterhaltung und Kultur

❶ Was gucken wir heute Abend an?

 Hör zu! Beantworte die Fragen in ganzen Sätzen!

1 Was für Sendungen gibt es heute Abend im Fernsehen?
2 Um wie viel Uhr ist der Spielfilm?
3 Um wie viel Uhr ist die ‚Sportschau'?
4 Wie findet Verena ‚Geh aufs Ganze'?
5 Mag Martin ‚Die Harald Schmidt Show'?
6 Welche Entscheidung treffen sie?

> Was gibt es heute Abend im Fernsehen?
> Um wie viel Uhr ist …?
> … gefällt mir (nicht)/Ich mag … (nicht).
> Ich finde … toll/langweilig.
> Ich möchte das (nicht) sehen.
> Zuerst können wir … angucken, dann …
> Wir können … (auf Video) aufnehmen.
> Wie lange dauert … ?
> Was für eine Sendung ist … ?

❷ Fernsehprogramm

a Schaut das Fernsehprogramm an!
A fragt: „Was für eine Sendung ist … ?",
B antwortet. Dann ist B dran.

Beispiel: A *Was für eine Sendung ist ‚Heute'?*
B *Das ist eine Nachrichtensendung.*

> Nachrichtensendung   Talkshow
> Film   Gameshow   Natursendung
> Sportsendung   Serie
> Sciencefictionserie

b Partnerarbeit: Besprecht das Programm! Trefft eine Entscheidung!

Beispiel: A *Was gibt es heute Abend im Fernsehen?*
B *Einen Film, eine Natursendung und eine Serie.*
A *Um wie viel Uhr ist die Natursendung?*
B *Um 18 Uhr. Aber die gefällt mir nicht …*
A *Wie lange dauert die Serie ‚Gute Zeiten, schlechte Zeiten'?*
B *Sie dauert dreißig Minuten.*

ARD

18.00 **Black Jack** FILM TV Krimikomödie 1995
19.30 **Tagesschau** NACHRICHTEN
20.00 **Fußball** Champions League Live. Endspiel. Juventus Turin – Ajax Amsterdam

ZDF

18.00 **Prisma** NATURSENDUNG Die Welt der Ameisen
19.00 **Das verletzte** FILM **Lächeln** TV-Melodrama 1995
20.30 **Heute** NACHRICHTEN
20.50 **Wetter**

RTL

18.00 **Gute Zeiten, schlechte Zeiten** SERIE
18.30 **XXO – Fritz und Co.** mit Fritz Egner GAMESHOW
19.00 **Hans Meiser** TALKSHOW
20.00 **Die X Files** SCIENCEFICTIONSERIE

Jugendwelt

Kritik der Woche

Radiosendung der Woche
Radio Bremen Top 44
Diese Musiksendung habe ich wirklich toll gefunden – man kann zwei Stunden lang Musik hören! Manche Hits wie ‚Angel' von Lionel Ritchie habe ich langweilig gefunden. Aber im Großen und Ganzen würde ich meinen Freunden diese Musiksendung empfehlen.

Jürgen

Buch der Woche
Ein Anruf von Sebastian von Irina Korschunow

Ich habe diesen Roman für die Schule gelesen. Er hat mir nicht sehr gut gefallen, weil die Personen sehr deprimierend sind. Sie haben so viele Probleme! Es handelt sich nämlich um die Probleme von jungen Leuten.

Petra

Film der Woche

Der Glöckner von Notre Dame
Ich habe diesen Trickfilm sehr traurig gefunden, weil der Glöckner selbst ein trauriger Charakter ist. Meiner kleinen Schwester hat der Film aber sehr gut gefallen. Wir haben beide gelacht und geweint!

Elsa

3 Kulturmagazin

a Lies den Jugendwelt-Artikel und verbinde die Sätze!

1 Jürgen mag ‚Top 44',
2 Altmodische Musik
3 Er würde diese Sendung
4 Elsa hat den Glöckner
5 Der Trickfilm hat ihrer Schwester
6 Sie haben gelacht
7 Petra musste das Buch
8 Die Geschichte war
9 Sie würde das Buch

a sehr gut gefallen.
b sehr deprimierend.
c findet er aber langweilig.
d sehr traurig gefunden.
e weil er gern Musik hört.
f nicht noch einmal lesen.
g für die Schule lesen.
h empfehlen.
i und geweint.

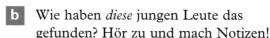

b Wie haben *diese* jungen Leute das gefunden? Hör zu und mach Notizen!

Beispiel: 1 *ganz gut gefallen – Probleme von jungen Leuten, nicht sehr lang*

c Was meinen sie und warum? Schreib Sätze!

Beispiel: *Ich habe das Buch gut gefunden, weil es von den Problemen junger Leute handelt und weil es nicht zu lang war.*

4 Film- oder Konzertkritik

Schreib eine Kritik über ein Konzert oder einen Film! Benutze die Informationen unten!

Billy Elliot
Film
11-jähriger Junge aus Nordengland will Tänzer werden. Sa., So., Mo., 9.–12. Atlas Kino
„fabelhaft!" „traurig und lustig!"

Backstreet Boys
Konzert
Größtes Konzert der besten Boys-Band in Europa.
Sa., 5. Dezember
Aachener Stadthalle
„prima!" „die beste!"

5 Extra!

Schreib deine eigene Kritik über ein Buch, einen Film, ein Konzert, eine Radio- oder Fernsehsendung! Mach dann eine Kassette.

```
... habe ich langweilig/lustig gefunden.
Mir hat ... gut/nicht gut gefallen, weil ...
... die Personen interessant/sympathisch sind.
... die Musik im Film so schön ist.
... die Geschichte gut geschrieben ist.
... die Boys so gut singen können.
... das Buch ganz kurz ist.
... die Geschichte einfach zu verstehen ist.
Das würde ich empfehlen.
Das würde ich noch einmal ansehen/lesen.
```

E Taschengeld und Einkaufen

➊ Bekommst du Taschengeld?

Hör zu und mach Notizen!

	wie viel pro Monat?	kauft was?	spart?	kommt damit aus?
Nele				
Felix				

Ich bekomme	jeden Monat pro Woche	... Euro/Pfund Taschengeld.

Ich spare	jeden Monat	... Euro/Pfund.

Ich komme mit meinem Taschengeld gut/nicht (gut) aus.

Ich kaufe von meinem Taschengeld	Klamotten/CDs/Zeitschriften/Bücher/ Make-up/Computerspiele/Süßigkeiten usw.

Ich gebe mein Taschengeld für ... aus.

➋ Umfrage

a Die Klasse deines Brieffreundes/
deiner Brieffreundin hat eine Umfrage
gemacht: „Was machst du mit deinem
Taschengeld?" Hier sind die Resultate.
Schreib Sätze!

> Beispiel: *25 Prozent geben ihr
> Taschengeld für Süßigkeiten und
> Fastfood aus.*

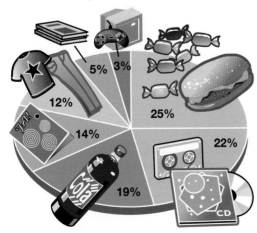

5% 3%

12%

14%

25%

22%

19%

b Mach eine Umfrage in deiner Klasse:
„Was machst du mit deinem
Taschengeld?" Schreib ähnliche Sätze!

➌ Partnerarbeit

A fragt, **B** antwortet. Dann ist **B** dran.

- Wie viel Taschengeld bekommst du?
- Kommst du mit deinem Taschengeld aus?
- Was machst du mit deinem Taschengeld?
- Sparst du etwas?/Wie viel sparst du?

➍ Du bist dran

Lies die E-Mail und schreib eine Antwort!
Die Fragen von **Übung 3** helfen dir.

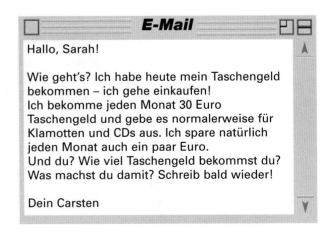

E-Mail

Hallo, Sarah!

Wie geht's? Ich habe heute mein Taschengeld
bekommen – ich gehe einkaufen!
Ich bekomme jeden Monat 30 Euro
Taschengeld und gebe es normalerweise für
Klamotten und CDs aus. Ich spare natürlich
jeden Monat auch ein paar Euro.
Und du? Wie viel Taschengeld bekommst du?
Was machst du damit? Schreib bald wieder!

Dein Carsten

⑤ Wir gehen einkaufen

 a Hör zu! Wo gehen sie am liebsten einkaufen? Finde die passenden Fotos!

a

b

c

 b Hör noch einmal zu und füll die Tabelle aus!

Name	Wo kaufen sie gern ein?	Vorteile	Nachteile
Karin	Stadtmitte	Spezialitätengeschäfte große Kaufhäuser	Stress, Lärm

⑥ Vorteile und Nachteile

 Partnerarbeit: Was sind die Vorteile und Nachteile jedes Einkaufstyps? Besprecht das und schreibt dann Sätze!

Beispiel: *Vorteile: Internetshopping ist gut, weil man alles von zu Hause aus kaufen kann. Man kann mit einer Kreditkarte bezahlen.*

Nachteile: Beim Internetshopping geht man nie in die Stadt und man sieht nicht die Sonderangebote in den Kaufhäusern.

⑦ Du bist dran

Lies den Brief und schreib einen Antwortbrief!

Hallo, Judith!

Ich bin total kaputt! Ich bin heute Nachmittag im neuen Einkaufszentrum ‚Gebirge' einkaufen gegangen. Das liegt nicht weit von uns entfernt. Meine Freundin Gisela und ich sind mit meiner Mutter im Auto hingefahren. Heute habe ich ein Beatles-CD gekauft. Das Einkaufszentrum finde ich spitze, weil es dort so viele Geschäfte unter einem Dach gibt. Wenn ich Zeit hätte, würde ich vielleicht auch mal in der Stadtmitte Shopping machen. Letzte Woche habe ich zum ersten Mal zwei Bücher im Internet gekauft. Das hat mir aber keinen Spaß gemacht, weil ich allein vor dem Computer im Schlafzimmer saß. Mir gefällt es besser, in der Stadt oder im Einkaufszentrum mit meinen Freundinnen Shopping zu machen.

Bist du neulich einkaufen gegangen? Was hast du gekauft? Schreib bald!

Deine Erika

Im Supermarkt

❶ Im Lebensmittelgeschäft

 Hör zu und mach Notizen!

	was?	wie viel?	Preis?
Junge Mädchen			

Haben Sie	Kartoffeln/Brot/Brötchen?	
Ich möchte	ein Pfund/ein Kilo/100 Gramm	Äpfel/Tomaten/Schinken/Käse.
Ich hätte gern	eine (kleine/große) Flasche/Dose	Mineralwasser/Cola.
Geben Sie mir bitte	eine Tüte/Tafel	Kartoffelchips/Schokolade.

❷ Wie viel darf's sein?

Wähle die passenden Beschreibungen zu den Bildern!

Beispiel: *Geben Sie mir bitte ein Kilo Kartoffeln.*

Geben Sie mir bitte:
ein Kilo …
ein Glas …
einen Becher …
eine Schachtel …
100 Gramm …
eine Dose …
eine Tafel …
eine Flasche …
eine Tüte …

Mineralwasser
Bonbons
Marmelade
Pralinen
Jogurt
Wurst
Kartoffeln
Cola
Schokolade

❸ Partnerarbeit

A kauft ein. B ist Verkäufer/Verkäuferin.
Macht weitere Dialoge!

Beispiel: **A** *Ich hätte gern ein Kilo Kartoffeln.*
B *Bitte sehr.*
A *Haben Sie Schinken?*
B *Ja, wie viel möchten Sie?*
A *200 Gramm, bitte. Und ein Pfund Käse.*
B *Ist das alles?*
A *Eine Tafel Schokolade, bitte.*
B *Sonst noch etwas?*
A *Ja, ich möchte noch eine Flasche Cola.*

4 „Heute im Angebot …"

Hör zu und lies die Sätze! Sind sie richtig oder falsch? Korrigiere die falschen Sätze!

1 Im Ratio-Supermarkt gibt es heute viele Sonderangebote.
2 Grillwürste sind heute sehr teuer.
3 Schweinekoteletts kosten heute 4 Euro das Kilo.
4 Kopfsalat gibt es in der Fleischabteilung.

5 In der Lebensmittelabteilung gibt es billige Äpfel.
6 In der Bäckerei gibt es auch Sonderangebote.
7 Zehn Brötchen kosten heute 2 Euro 50.
8 Vollkornbrot kostet heute 4 Euro 15.

5 Gruppenarbeit

a Ihr macht ein Picknick im Wald mit Freunden. Diskutiert, was ihr beim Picknick essen wollt!

Beispiel: **A** *Ich esse am liebsten Brötchen mit Schinken.*
B *Also kaufen wir 200 Gramm Schinken und 12 Brötchen.*
A *Und du, … ? Was möchtest du?*
C *Ich möchte lieber Käse, weil ich Vegetarier bin.*
B *Na gut, wir kaufen ein Pfund Käse.*
D *Ich nehme Obst mit – Pfirsiche, Apfelsinen und Birnen.*
C *Wir essen natürlich viele Tüten Chips und viele Packungen Kekse!*

c Partnerarbeit: **A** kauft für das Picknick ein. **B** ist Verkäufer/Verkäuferin. Macht Dialoge!

Beispiel: **A** *Ich hätte gern ein Kilo Würstchen.*
B *Ein Kilo Würstchen – das macht 6 Euro 45.*

6 Extra!

Wie war das Picknick? Beschreib es für deinen Freund/deine Freundin, der/die nicht dabei war! Schreib Sätze!

• Wie war das Essen?
• Was und wie viel habt ihr gegessen?
• Was und wie viel habt ihr getrunken?

b Schreibt einen Einkaufszettel für das Picknick! Ihr dürft aber nicht mehr als 15 Euro ausgeben!

Beispiel:

Ein Kilo Würstchen – 6 Euro 45 …

Im Kaufhaus

❶ „Wo finde ich…?"

 Hör zu und mach Notizen!

	sucht?	wo?
Kunde 1		
Kunde 2		

❷ Partnerarbeit

👥 **A** fragt. **B** antwortet. Macht weitere Dialoge!

Beispiel: **A** *Wo finde ich Zeitschriften?*
　　　　 B *Zeitschriften befinden sich im Erdgeschoss.*

KAUFHAUS AM RING

K = Keller　　　**1** = 1. Etage
E = Erdgeschoss **2** = 2. Etage

Bücher	K
Computer-Shop	1
Damenmode	2
Elektrogeräte	E
Fotoabteilung	2
Geschenkartikel	K
Herrenmode	2
Information	E
Kinderkleidung	2
Lampen	1
Musikabteilung	K
Parfümerie	E
Restaurant	2
Schreibwaren	K
Zeitschriften	E

Die Information	ist	im Erdgeschoss.
Die Buchabteilung	befindet sich	im Keller.
Zeitschriften	gibt es	im ersten/zweiten Stock usw.
Süßwaren	befinden sich	in der ersten/zweiten Etage usw.

❸ Was kaufen sie?

 Hör zu und mach Notizen!

	sucht?	Farbe?	Größe?	Preis?
Susi	*Pullover*	…		
Markus				
Frank				

❹ Haben Sie es eine Nummer größer?

 Hör zu und beantworte die Fragen in ganzen Sätzen!

1 Was sucht Saskia?
2 Welche Größe und welche Farbe?
3 Passt die Jacke?
4 Was kostet die zweite Jacke?

⑤ Partnerarbeit

A ist Kunde/Kundin. **B** ist Verkäufer/Verkäuferin.
Macht weitere Dialoge!

Beispiel: **A** *Ich suche ein T-Shirt.*
　　　　B *Welche Größe?*
　　　　A *Größe 36.*
　　　　B *Und welche Farbe?*
　　　　A *Rosa.*
　　　　B *Hier – dieses T-Shirt ist sehr schön.*
　　　　A *Nein, das T-Shirt ist zu klein.*
　　　　　　Haben Sie etwas Größeres?
　　　　B *Hier.*
　　　　A *Ja, dieses T-Shirt passt. Was kostet es?*
　　　　B *19 Euro.*
　　　　A *Ja, ich nehme dieses T-Shirt.*

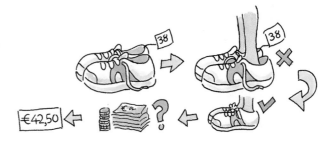
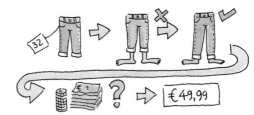

Ich möchte Ich suche	ein T-Shirt/eine Jeans/ein Kleid usw. ein Paar Schuhe	in Schwarz/Rot/Gelb usw. in Größe …
Das ist Sie sind	(mir) zu groß/klein/lang/kurz/eng/weit/teuer usw.	
Haben Sie	etwas Kleineres/Größeres/Billigeres/anderes usw. diesen/diese/dieses … in Größe …?	

⑥ Probleme

a Verbinde die Sätze mit den passenden Bildern!

1 Ich möchte dieses Hemd umtauschen. Es
　ist schmutzig.
2 Dieses Computerspiel funktioniert nicht.
　Ich möchte mein Geld zurück.
3 Diese Jeans ist mir viel zu eng. Ich möchte
　sie umtauschen.
4 Ich möchte mich beschweren. Die
　Sonnenbrille ist kaputt. Ich möchte mein
　Geld zurück.
5 Der Pullover ist viel zu groß. Ich möchte
　ihn umtauschen.

b Du bist dran. Du möchtest dich beschweren!
Du willst dein Geld zurück oder den Artikel
umtauschen. Schreib Sätze!

Beispiel: *Dieses Kleid ist schmutzig. Ich möchte es*
　　　　umtauschen. Ich möchte mein Geld zurück,
　　　　weil diese CD kaputt ist.

Grammatik 3b

Adjective endings

How do I know what adjective endings to use?

You need to:

- know the gender of the word being described
- understand the word's role in the sentence to work out which case to use
- notice which article is being used before the adjective (if any).

Look at the following sentences:

m. **Der** kleine Junge ist zu Hause.
f. **Die** kleine Dame ist im Park.
n. **Das** kleine Mädchen ist im Schwimmbad.
pl. **Die** kleinen Kinder sind im Schulhof.

These people are all the subjects of the sentence, so we use the **nominative** case. When the adjective follows the definite article (*der/die/das/die*), these are endings to use.

1 Choose an adjective to describe the people in the pictures below and add the correct adjective ending. Underline the adjective ending.

freundlich   nett
streng   sportlich   alt

1 Das _____ Mädchen geht jeden Tag ins Sportzentrum.
2 Der _____ Junge hat viele Freunde.
3 Die _____ , _____ Dame kommt oft zu Besuch.
4 Die _____ Eltern hören privaten Telefongespräche zu.

The same rules apply for objects as well as people:

der rote Pullover   **das** kurze Kleid
die laute Musik   **die** guten Filme

2 Add the correct nominative case endings to the adjectives.

Example: **1** *die nächste Straße links*

1 die nächst__ Straße links
2 der lecker__ Kuchen
3 das interessant__ Buch
4 der toll__ Film
5 die best__ Eltern
6 die schrecklich__ Umweltverschmutzung
7 das neu__ Jugendzentrum
8 die klein__ Haustiere

If the adjective follows the indefinite article (*ein/eine/ein*), there are different endings to be used:

Ein netter Junge kommt ins Geschäft.
Eine nette Dame arbeitet im Restaurant.
Ein nettes Mädchen gibt mir ein Geschenk.

These are still the subjects of the sentences, so we again use the **nominative** case.

3 It's your birthday! Describe your presents, using the adjectives below. Use a dictionary or the wordlist at the back of the book to check the gender of the words.

Example: **1** *Das ist eine gute CD!*

gut   interessant
bunt   teuer   schön   warm

When the role of a word in a sentence changes, we use a different case and the adjective endings also change. In the following sentences the adjective is describing the object, so we use the **accusative** case. Again, there are different endings to be used after the definite and indefinite article:

m. Ich kaufe **den** grün**en** Mantel.
f. Er kauft **die** kurz**e** Hose.
n. Sie kauft **das** schön**e** Kleid.
pl. Wir kaufen **die** lecker**en** Bonbons.

m. Ich kaufe **einen** grün**en** Mantel.
f. Er kauft **eine** kurz**e** Hose.
n. Sie kauft **ein** schön**es** Kleid.

4 Add the correct accusative case endings to the adjectives.

Example: **1** *Wir essen das leckere Abendessen.*

1 Wir essen das lecker__ Abendessen.
2 Ich nehme den groß__ Regenschirm.
3 Sie trägt die neu__ Jacke.
4 Ich fand den lang__ Film total langweilig.
5 Er kauft das rot__ T-Shirt.
6 Ich habe die best__ Trainingsschuhe gekauft.
7 Ich mag die laut__ Musik nicht.

There are also other words that may be used before the adjective:

• adjectives used after *mein*, *dein*, *sein*, etc. follow the same pattern as for the indefinite article (*ein/eine/ein*):

Das ist **mein** *kleiner Sohn.*
Ich kaufe ein Stofftier für **meine** *kleine Schwester.*

5 Add the correct endings to the possessive adjectives (if necessary) and the adjectives.

Example: **1** *Das ist meine freundliche Familie.*

1 Das ist mein__ freundlich__ Familie.
2 Ich habe dein__ klein__ Bruder gesehen.
3 Ich habe meine silbern__ Halskette verloren.

4 Sein klein__ Garten ist immer schön.
5 Ich esse meinen groß__ Kuchen ganz allein!
6 Wann beginnt dein__ nächst__ Stunde?
7 Das ist unser neu__ Haus.

• adjectives used after *dieser/diese/dieses/diese* follow the same pattern as for the definite article. Remember that the endings of *dies...* will also change according to gender and case:

Nominative:
m. Dies**er** rot**e** Pullover ist schön.
f. Dies**e** billig**e** Hose ist toll.
n. Dies**es** grün**e** Hemd ist mir zu klein
pl. Dies**e** schwarz**en** Schuhe sind zu eng.

Accusative:
m. Ich möchte dies**en** blau**en** Rock.
f. Er möchte dies**e** modisch**e** Sonnenbrille.
n. Ich hätte gern dies**es** neu**e** Buch.
pl. Dies**e** blau**en** Socken nehme ich nicht!

6 Complete the sentences using the adjectives with the correct endings.

Example: **1** *Ich kaufe diese neue CD.*

1 Ich kaufe diese _____ CD. (neu)
2 Dieses _____ Kleid gehört meiner Schwester. (schön)
3 Diese _____ Kamera ist kaputt. (alt)
4 Diese _____ Geschäfte sind toll. (groß)
5 Wo hast du diese _____ Schuhe gekauft? (billig)
6 Siehst du diesen _____ Rock im Schaufenster? (toll)

Tipp 3b

Preparing for your speaking assessment

You have to record a four-minute talk on one of five topics and you'll have plenty of time to prepare and practise before you make your final recording.

Making notes

You are allowed to use brief notes to help you when you make your recording. These should be useful key words that will remind you what you of want to say.

1 Look at the following examples of notes (**a** and **b**) for a speaking assessment on the topic of 'A leisure outing'. Which do you find most useful? Why? Are there any other ways of making notes that you would find more helpful?

A leisure outing
• Describe the leisure outing – what, when, where and with whom
• Describe the various activities undertaken including meals
• Describe your feelings and opinions of the outing
• Describe your plans for a future similar or different outing and why

a

• Kino - Samstag - in der Stadtmitte - Sabine und Sarah

• mit dem Bus in die Stadt - 6.30
  - Abendessen - McDonalds - Hamburger, Pommes frites, Cola - lecker!
  - Kino - Gladiator - Popcorn

• Film = langweilig - sehe lieber Komödie

• Nächsten Samstag: nach London - ich habe Geburtstag!
  - Sehenswürdigkeiten besichtigen
  - im Planet Hollywood essen
  - Madame Tussauds besuchen

b

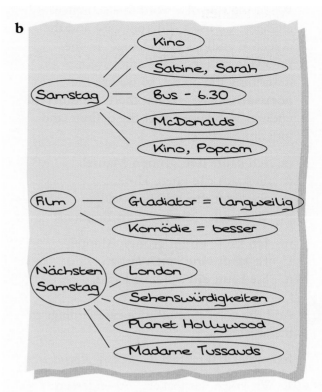

2 Make notes in the style you find most helpful to you for the following speaking assignment:

A family celebration
• Describe any family celebration – what, when, where and why
• Describe the guests, the activities and the refreshments
• Describe your feelings about the celebration, guests, food, etc. and your opinions of the celebration
• Describe what you might do differently on another occasion and why

3 Look back over your notes and check that your talk will include the following important features:

– opinions
– reasons
– a range of tenses

4 Now practise your talk using your notes as a guide. The more you practise, the more fluent your talk will become.

Pronunciation

It's important that you pronounce words correctly in the speaking assessment so that you can be properly understood.

There are some sounds in German that are particularly difficult to pronounce. Try practising these regularly.

5 a Say these words out loud to your partner, putting the stress on the correct part of the word.

> Ausflug   Konzert   langweilig
> Hallenbad   einladen   Verkäufer
> interessant   Freizeitpark   Eintritt

b Now write down the words and underline the syllable which is stressed in each word.

Example: _Ausflug; Konzert_

c Choose six more words on one topic from the _Vokabular_ (pages 195–203) and practise putting the stress on the correct part of the word, e.g. **Arbeit**.

6 Use the following words to practise these sounds:

a, ä wäre haben mag Hähnchen

o, ö zuhören möchte Obst Alkohol

u, ü müssen Gemüse Zug Sportklub

au, äu aufräumen Traum dauern Bäume

ei, ie langweilig lieber mies einkaufen

ch, sch ich Schachtel Schinken Schokolade

s, ß/ss sonst Fußball Sätze essen

st Stadt Stufe Stuhl stehen

v, w wirklich Wurst vielleicht Vater

z, zw ziemlich zwei zünden zwingen

Projekt 3

Einkaufsbummel in eurer Stadt!

Das Szenario

Die Klasse von deiner Austauschschule in Deutschland wird zu Ostern zwei Wochen an deiner Schule verbringen. Die Schüler/Schülerinnen interessieren sich sehr für Einkaufen. Deine Klasse soll Informationen über die Einkaufsmöglichkeiten in deiner Stadt die nächste Großstadt vorbereiten.

Die deutschen Schüler schicken per E-Mail Beschreibungen von verschiedenen Geschäften in ihrer eigenen Stadt.

Lies die E-Mails und wähle für jede Person ein passendes Geschäft in deiner Stadt!

Hallo! Ich heiße Kurt. Ich bin 15 Jahre alt und ich wohne in Wiesbaden. Die Geschäfte bei uns? Ja also, gar nicht schlecht! Die wichtigsten für mich? Die Sportgeschäfte natürlich! Für Turnschuhe, Sweatshirts und Fußballhemden usw. ist **Sportwelt** spitze – nicht zu teuer, aber gute Qualität und ziemlich viele Designersachen.
Bis bald!
Kurt

Grüßt euch! Ich bin die Anna – 15 Jahre alt und nicht sehr modisch! Ich liebe alte Klamotten im Stil der siebziger und achtziger Jahren. Ich shoppe gern auf dem Flohmarkt – der findet jeden Samstagermorgen in der Stadtmitte statt. Die Klamotten sind sehr billig und ich finde immer etwas Interessantes. Meine Lieblingsstücke sind preiswerte Jacken und natürlich auch Jeans.
Alles Gute
Anna

Hallo! Hier sind die Martina und der Johann! Wir sind beide Musikfanatiker! Zweimal im Monat gehen wir ins Einkaufzentrum und kaufen uns Musik ... viel Musik! Johann ist Heavymetalfan und für mich sind die neuesten Boybands und CDs von Gruppen aus den achtziger Jahren die allerbesten! Musikgeschäfte gibt es viele bei uns … viele kleinere mit lustigen Namen: **Spacemusik, Himmel Himmel!** und **Alpha**. Die großen bekannteren gibt's natürlich auch – Megastore usw.
Macht's gut!
Martina u. Johann.

Die Aufgaben

Arbeitet in Gruppen zu viert oder fünf!

- Jede Gruppe soll eines der folgenden Geschäfte wählen:
  - Musik und Video
  - Mode
  - Sport- und Designerkleidung
  - Kaufhaus

- Geht am Wochenende oder nach der Schule in die Stadt! Sammelt Werbematerial von vielen verschiedenen Geschäften: Prospekte, Anzeige, Kataloge usw.!

- Macht Brainstorming! Was hält die Klasse von den Einkaufsmöglichkeiten in euerer Stadt? Schreibt eine Liste der Geschäfte in der Stadtmitte oder im Einkaufszentrum! Zeichnet einen Plan davon!

- Macht eine Umfrage in der Klasse über die beliebtesten Geschäfte!

- Tauscht eure Geschäftsinformationen mit denen einer anderen Gruppe! Zum Beispiel: Ihr habt Informationen über Sportgeschäfte. Tauscht diese mit Informationen über Kaufhäuser oder Musikgeschäfte. Schreibt mit diesen Infos einen Werbeprospekt, eine Broschüre oder ein kleines Poster für die Geschäfte: mit Beschreibungen der Waren, Sonderangeboten, Öffnungszeiten usw.! Sucht auch Fotos oder zeichnet Bilder!

- Schreibt E-Mails an die deutsche Schule mit Informationen und persönlichen Meinungen über Geschäften in eurer Stadt, so wie auf Seite 124!

- Findet Websiteadressen von bekannten Kaufhäusern, Modegeschäften und Supermärkten in Großbritannien! Besucht die Websites und notiert die Preise einiger Artikel! Schaut Bilder und Fotos der Waren an und schreibt Notizen auf Deutsch! Zum Beispiel:

> bei Next - www.next.co.uk
> dunkelblaue Damenhose -
> 100% Baumwolle - £29.99

- Surft im Internet und sucht Websites deutscher Geschäfte! Schreibt eine Liste von sechs oder mehr Artikeln von einer deutschen Shoppingwebsite, die ihr gern kaufen würdet!

A Wie bin ich?

1 Wir suchen Brieffreunde

a Lies die Steckbriefe und hör zu! Wähle den passenden Brieffreund/die passende Brieffreundin für Knut und Steffi!

> **Name:** Friederike
> **Alter:** 15 Jahre
> **Größe:** 1,63 m
> **Hobbys:** Lesen, Kino
> **Was mir wichtig ist:**
> Humor, gute Freunde
> **Was ich nicht gut finde:**
> arrogante Leute, Rauchen
> **Was für ein Typ ich bin:** optimistisch und lustig

> **Name:** Andreas
> **Alter:** 14 Jahre
> **Größe:** 1,71 m
> **Hobbys:** für Freunde kochen, Malen
> **Was mir wichtig ist:**
> Ehrlichkeit, Natürlichkeit
> **Was ich nicht gut finde:** Fastfood, Angeber
> **Was für ein Typ ich bin:** nachdenklich, manchmal launisch

> **Name:** Maximilian
> **Alter:** 15 Jahre
> **Größe:** 1,85 m
> **Hobbys:** Skateboard fahren, Surfen
> **Was mir wichtig ist:**
> viel Geld, Gesundheit
> **Was ich nicht gut finde:** Pessimisten, pleite sein
> **Was für ein Typ ich bin:** sportlich, locker

> **Name:** Liane
> **Alter:** 14 Jahre
> **Größe:** 1,53 m
> **Hobbys:** Computer, Fotografieren, Tanzen
> **Was mir wichtig ist:**
> Frieden, Umweltschutz
> **Was ich nicht gut finde:**
> Umweltverschmutzung, Lügen
> **Was für ein Typ ich bin:** romantisch, engagiert

b Schreib deinen eigenen Steckbrief!

c Wähle den passenden Brieffreund/die passende Brieffreundin für dich! Erkläre deine Wahl in zwei oder drei Sätzen!

> Beispiel: *Ich würde Andreas wählen, weil ich auch gern koche. Ich finde Ehrlichkeit wichtig und ich mag keine Angeber.*

d **Extra!** Schreib eine E-Mail an deinen Brieffreund/deine Brieffreundin von **Übung 1c!** Benutze die Informationen von deinem Steckbrief!

2 Was für ein Typ bist du?

Lies die Eigenschaften! Ordne sie: was ist positiv, was ist negativ? Und was passt zusammen? (Wenn du ein Wort nicht kennst, schlag es im Wörterbuch nach!)

Beispiel: **positiv:** *freundlich*
negativ: *unfreundlich*

> freundlich pessimistisch sympathisch
> arrogant ungeduldig fleißig launisch
> selbstsüchtig höflich faul
> gut gelaunt selbstbewusst geduldig
> optimistisch unfreundlich frech

Ich bin	immer oft manchmal selten nie	freundlich. launisch. frech. faul. ungeduldig.

3 Partnerarbeit

 Macht Sätze mit „Ich bin immer/oft/ manchmal/selten/nie …"!

Beispiel: **A** *Ich bin immer optimistisch.*
B *Ich bin immer freundlich.*
A *Ich bin oft frech.*
B *Ich bin oft …*

④ Und du?

Lies den Brief und schreib eine Antwort!

> Ich bin 15 Jahre alt und ich bin 1,75 m groß. Ich wohne in Lüneburg. Meine Hobbys sind Reiten und Computer. Ich gehe auch gern in die Disco. Humor und gute Freunde finde ich wichtig. Rauchen und Umweltverschmutzung finde ich nicht gut. Ich bin immer optimistisch, aber manchmal bin ich auch launisch. Und du? Wie bist du? Bitte antworte mir!

⑤ Idole

a Lies den Artikel! Lies dann die Beschreibungen unten!
Was passt zu welchem Idol? (Eine Beschreibung bleibt übrig!)

Mein Vorbild

Mein Vorbild – das ist Arnold Schwarzenegger. Arnie ist ein Superstar, aber er ist überhaupt nicht eingebildet. Das finde ich gut. Was ich auch toll finde: Arnie ist nicht nur Filmstar – er macht auch karitative Arbeit: die ‚Inner-City-Games‘, und die ‚Special Olympics‘. Und seine Familie ist sehr wichtig für ihn – er geht zum Beispiel nicht auf Partys, sondern spielt lieber mit seinen vier Kindern. Also, Arnie ist ein total sympathischer Typ!

Andrea (16 Jahre) aus Dresden

Mein Vorbild ist Til Schweiger. Til ist ein deutscher Schauspieler. Er sieht toll aus und er hat viele Muskeln – so möchte ich auch aussehen! Er raucht nicht und er trinkt keinen Alkohol – das finde ich gut. Til ist total locker und natürlich und überhaupt nicht arrogant. Aber er ist selbstbewusst und sagt immer seine Meinung. Toll finde ich auch, dass er so viel Humor hat und sich selbst nicht so ernst nimmt!

Dirk (15 Jahre) aus Köln

1 Er lebt sehr gesund und er ist ein sehr attraktiver, natürlicher Typ. Er kann über sich selber lachen. Er hat vor niemandem Angst und er sagt immer, was er denkt.

2 Er ist lustig und er hat viele Hobbys. Er ist auch sehr intelligent und er sieht sehr gut aus. Er ist sehr fleißig und diszipliniert – er arbeitet sehr viel.

3 Er ist sehr berühmt, aber er ist dabei nicht arrogant. Er interessiert sich für ernste Themen und er ist sehr verantwortungsvoll.

b Du bist dran. Hast du ein Idol? Schreib ein Profil von ihm/ihr! Die Informationen von **a** helfen dir. Mach dann eine Kassette!

- Was für ein Typ ist er/sie?
- Wie sieht er/sie aus?
- Wofür interessiert er/sie sich?
- Was ist für ihn/sie wichtig und nicht wichtig?
- Was sind seine/ihre Qualitäten?
- Was ist er/sie von Beruf?

Probleme

① Geschwister

Hör zu und wähle die passenden Sätze!

1 Annika wohnt bei
  a ihrem Vater.
  b ihrer Mutter.
  c ihrem Stiefvater.

2 Sie hat
  a einen älteren Bruder.
  b einen älteren und einen jüngeren Bruder.
  c einen jüngeren Bruder.

3 Annika und ihr Bruder
  a verstehen sich immer gut.
  b verstehen sich gar nicht gut.
  c haben nur manchmal Streit.

4 Sie hätte am liebsten
  a gar keine Geschwister.
  b eine ältere Schwester.
  c einen älteren Bruder.

5 Heiko und seine Geschwister verstehen sich
  a ziemlich gut.
  b sehr gut.
  c überhaupt nicht.

6 Manchmal gibt es Streit um das
  a Fernsehen.
  b Abwaschen.
  c Ausgehen.

7 Sie machen
  a sehr viel zusammen.
  b nicht viel zusammen.
  c gar nichts zusammen.

8 Mit seinen Eltern versteht er sich
  a sehr gut.
  b nicht so gut.
  c überhaupt nicht.

9 Silke hat
  a eine jüngere und eine ältere Schwester.
  b zwei jüngere Schwestern.
  c zwei ältere Schwestern.

10 Am besten versteht sie sich
  a mit ihrer Mutter.
  b mit ihren Eltern.
  c mit ihrem Stiefvater.

11 Sie versteht sich besser mit
  a Miriam.
  b Laura.
  c Katja.

Ich verstehe mich	mit meinen Eltern/meiner Mutter/meinem Vater	(sehr) gut.
	mit meiner Stiefmutter/meinem Stiefvater	nicht gut.
	mit meinen Geschwistern	
	mit meiner Schwester/meinem Bruder	
	mit meiner Stiefschwester/meinem Halbbruder	

Ich komme (nicht) gut mit ... aus.
Ich habe oft/manchmal/selten/nie Streit mit ...
Ich streite mich oft/manchmal/selten/nie mit ...
Ich habe Probleme mit ...

2 Partnerarbeit

 A fragt: „Mit wem verstehst du dich am besten in deiner Familie? Warum? Und mit wem am wenigsten? Warum?" Dann ist **B** dran.

3 Probleme mit den Eltern

 Hör zu und mach Notizen!

	Probleme
Tina	*Eltern = total streng*
Frieder	

4 Wir streiten uns!

a Finde die passenden Bilder für die Sprechblasen!

1 Ich höre gern sehr laute Musik, aber meine Eltern mögen keine Popmusik!

2 Ich trage nicht gern schöne Schuhe – aber ich darf keine Turnschuhe in der Schule tragen!

3 Wir streiten uns über Taschengeld – meine Eltern sagen, ich gebe zu viel Geld für CDs aus.

4 Ich habe immer Probleme mit dem Ausgehen – ich muss vor 10 Uhr zu Hause sein!

a

b

c

d

b Und du? Worüber streitest du dich mit deinen Eltern? Was sind die Probleme? Schreib Sätze! Zum Beispiel:

- Klamotten
- Zimmer aufräumen
- Ausgehen
- im Haushalt helfen
- Taschengeld
- Musik hören

5 Leserbriefe

a Lies die Leserbriefe und schreib eine Überschrift für jeden Brief!

Beispiel: 1 = *Das ist unfair!*

1 Ich bin 15 Jahre alt und mein Bruder ist ein Jahr jünger als ich. Ich habe ein Problem. Ich muss meiner Mutter immer im Haushalt helfen – aber mein Bruder tut gar nichts! Meine Eltern meinen: „Jungen können das nicht so gut. Hausarbeit ist Mädchensache"! **Frauke aus Hamburg**

2 Ich bin 16 Jahre alt und ich brauche dringend einen Rat. Das Problem ist meine Mutter: Wenn ich Besuch habe, kommt sie alle paar Minuten ins Zimmer – ohne anzuklopfen! Jetzt hat sie auch angefangen meine Briefe und mein Tagebuch zu lesen! **Doreen aus Leipzig**

b Gruppenarbeit: Was haltet ihr von den Problemen in den Briefen? Wie ist es bei euch zu Hause? Besprecht das in kleinen Gruppen!

Beispiel: **A** *Ich finde Nummer 1 total unfair. Jungen sollen auch zu Hause helfen!*

B *Ja, aber bei uns macht mein Bruder gar nichts!*

6 Partnerarbeit

Schreibt einen Problembrief – zum Beispiel über folgende Probleme: Eltern, Freunde/Clique, Liebeskummer/feste Freundschaft, Aussehen!

Beispiel: *Ich bin 16 Jahre alt und ich habe ein Problem: Meine Eltern sind so streng!*

Freundschaften und Heirat

1 Guter Freund, gute Freundin

a Wie muss ein guter Freund/eine gute Freundin für dich sein? Wähle positive Adjektive und schreib sie auf! Schau die neuen Wörter im Wörterbuch nach!

b Und wie darf ein guter Freund/eine gute Freundin *nicht* sein? Wähle negative Adjektive und schreib Sätze!

> Für mich darf ein Freund/eine Freundin nie _____ oder _____ sein. Er/Sie muss selten _____ sein. Ein guter Freund/eine gute Freudin ist nie _____ .

Positiv	Negativ
treu	launisch
zuverlässig	unzuverlässig
geduldig	oberflächlich
pünktlich	pessimistisch
rücksichtsvoll	unpünktlich
gesellig	ungeduldig
locker	selbstsüchtig
lustig	untreu
ehrlich	faul
tolerant	arrogant

2 Gruppenarbeit

Macht eine Umfrage! Fragt: „Wie muss ein guter Freund/eine gute Freundin für dich sein und wie nicht?" Schreib eine Liste der Top-5-Positiv- und Negativadjektive!

3 Meine beste Freundin

Lies den Text und beantworte die Fragen in ganzen Sätzen!

> Ich habe wirklich Glück, dass ich so eine gute Freundin habe. Kathi und ich verstehen uns gut, weil wir dieselben Interessen haben. Kathi ist sehr lustig und wir lachen oft und haben zusammen viel Spaß. Sie ist auch meistens locker und gesellig. Wir gehen deshalb gern aus: in die Disco oder ins Café, wo wir uns mit anderen Freundinnen treffen. Mit Kathi kann ich alles besprechen und wir haben keine Geheimnisse voreinander.
>
> Das einzige Problem mit Kathi ist, dass sie oft unpünktlich ist. Das gefällt mir nicht, weil wir oft spät zur Disco oder auch zur Schule kommen. Kathi findet, ich bin manchmal ein bisschen faul! Sie ist unpünktlich und ich bin faul, aber wir haben trotzdem eine tolle Freundschaft!
>
> Irmgard

1 Warum verstehen sich Irmgard und Kathi gut?
2 Welche positiven Eigenschaften hat Kathi?
3 Warum haben Irmgard und Kathi keine Geheimnisse voreinander?
4 Warum kommen Irmgard und Kathi oft spät zur Schule?
5 Welche negativen Eigenschaften hat Irmgard?
6 Wie findet Irmgard ihre Freundschaft mit Kathi?

④ Du bist dran

Was ist das Wichtigste an einem besten
Freund/einer besten Freundin? Warum? Was
sind seine/ihre positiven Eigenschaften?
Mach eine Kassette! Die Sätze in der Hilfe-
Box helfen dir.

⑤ Feste Freundschaften

 a Hör zu und beantworte die Fragen in
ganzen Sätzen!

   1 Was ist für Conny am wichtigsten?
   2 Was ist für Andreas am wichtigsten?
   3 Was machen sie in ihrer Freizeit?
   4 Was findet Andreas daran gut?
   5 Was findet Conny an ihren Freundinnen
   blöd?
   6 Seit wann ist Mareike solo?
   7 Warum ist sie gern solo?
   8 Was hat sie an ihrer Beziehung gestört?

b Was sind die Vor- und Nachteile einer festen
Beziehung? Mach Notizen!

Beispiel:

Vorteile	Nachteile
sich gut verstehen	keine Freiheit

⑥ Partnerarbeit

A stellt Fragen, **B** antwortet. Dann ist **B** dran.

* Hast du einen festen Freund/eine feste
  Freundin?
* Seit wann?
* Was macht ihr zusammen?
* Was ist das Wichtigste an einer festen
  Freundschaft?
* Was sind die Vorteile?
* Was sind die Nachteile?

⑦ Hast du einen festen Freund/eine feste Freundin?

Schreib einen Brief an deinen Brieffreund/
deine Brieffreundin! Die Fragen von **Übung 6**
helfen dir.

> Mein bester Freund ist manchmal/selten ...
> Meine beste Freundin ist nie ...
>
> Wir | verstehen uns gut.
> sind sehr ähnlich.
> besprechen alles/unsere Probleme.
> haben keine Geheimnisse
>   voreinander.
> gehen gern zusammen aus.
> lachen oft, weil sie sehr lustig ist.
> gehen gern mit Freundinnen aus,
>   weil wir beide gesellig sind.

⑧ Radiomagazin: Die Heiratsfrage

 a Hör zu und wähle die passende
Sprechblase für jede Person!

1 Eine feste Freundschaft ist
wichtiger für mich als die Ehe.

Kinder sind für mich
wichtiger als ein Beruf. **2**

3

Ehe und Kinder sind
nicht für mich.

b Und du? Was ist für dich wichtig?
Schreib Sätze!

Beispiel: *Ich möchte später heiraten,
aber Kinder möchte ich nicht
haben. Eine Karriere ist
wichtiger für mich.*

B Wo ich wohne

① Meine Heimatstadt

a Lies den Text! Notiere die Vorteile und Nachteile des Großstadtlebens!

Beispiel:

Vorteile	Nachteile
Bus und U-Bahn	Umweltverschmutzung

Ich wohne in einem riesigen Hochhaus in der Mitte von Berlin. Die Stadt hat mehr als drei Millionen Einwohner und es gibt natürlich sehr viele Häuser sowie Fabriken, Einkaufszentren und Büros. Es gibt einfach zu viele Gebäude und zu viele Menschen in unserer Stadt!

Ich kann natürlich noch nicht Auto fahren, aber das ist für mich kein großes Problem, weil ich überall mit dem Bus oder der U-Bahn hin fahren kann. Ich würde gern mit dem Rad fahren, aber das ist zu gefährlich, weil es so viel Verkehr gibt. Wir haben leider keine Fahrradwege in der Stadt. Die Umweltverschmutzung durch den Verkehr ist natürlich auch schlimm. Es ist

eigentlich gar nicht gesund, in der Mitte einer Großstadt zu wohnen. Es gibt natürlich auch viel Lärm vom Verkehr und von den Fabriken.

Ich habe Glück, weil es einen kleinen Park in unserer Gegend gibt. Im Sommer treffe ich mich dort mit meinen Freunden. Es gibt leider nur sehr wenige Parks in der Stadt. Das finde ich schade, besonders für Kinder, die keinen Garten haben. Ich gehe gern einkaufen und die Geschäfte bei uns sind wirklich toll. Ich muss nur zehn Minuten mit dem Bus fahren um in die großen Kaufhäuser zu gehen. Sie sind in der Fußgängerzone, die autofrei ist.

Karl

 b Hör zu und ergänze die Lücken!

Umweltverschmutzung	Fuß	Rad
Industrie	Busse	Fahrradwege
Wohnsiedlung	Spielplätze	
Grünanlagen	autofreie	

1 Ich wohne in einer kleinen _____ am Stadtrand.
2 _____ ist hier kein Problem.
3 Es gibt hier keine _____ .
4 Viele Leute gehen zu _____ oder fahren mit dem _____ .
5 Es gibt viele _____ Straßen und _____ .
6 Die _____ fahren nicht sehr oft.
7 Es gibt in der Stadt viele Parks, _____ und _____ .

② Partnerarbeit

Was hältst du von deiner Stadt und warum? Macht ein Tonbandinterview für das Schulradio! **A** stellt Fragen und **B** antwortet. Dann ist **B** dran.

- Wo wohnst du in deiner Stadt – in einem Wohnblock oder in einem Einfamilienhaus?
- Wie findest du das?
- Wie sind die öffentlichen Verkehrsmittel?
- Wo können Kinder in deiner Stadt spielen?
- Ist es gefährlich in der Stadt Rad zu fahren oder gibt es Fahrradwege?
- Hat die Stadt viel Industrie und wie ist die Umweltverschmutzung in der Stadt?
- Was für Häuser gibt es?
- Würdest du die Stadt als ruhig beschreiben oder gibt es viel Lärm?

❸ Deine Heimatstadt

Schreib eine kurze Beschreibung über deine eigene Heimatstadt! Die Sätze in **Übung 1b** und in der Hilfe-Box helfen dir.

Beispiel: *Ich wohne in einer großen Stadt. Es gibt schlimme Luftverschmutzung, aber man kann überall mit dem Bus hinfahren. ...*

❹ Wie kann man unsere Städte verbessern?

Hör die Radiointerviews an! Lies dann die Sätze! Sind sie richtig oder falsch ? Korrigiere die falschen Sätze!

1 Beate kann jede halbe Stunde mit dem Bus von ihrer Stadt in die Großstadt fahren.
2 Ali meint, es gibt nicht genug Spielplätze für die Kinder in seiner Stadt.
3 Für Anke ist Umweltverschmutzung nur ein kleines Problem.
4 Für die Obdachlosen gibt es nicht genug Herbergen.
5 Ahmed möchte bessere öffentliche Verkehrsmittel in der Stadt haben, damit er öfter Rad fahren kann.
6 In Ahmeds Stadt gibt es viele Abfalleimer auf den Straßen und es ist immer sehr sauber.

❺ Partnerarbeit

a Wie würdet ihr diese Stadt verbessern? Diskutiert! Seht euch die Bilder an und macht Vorschläge!

Beispiel: **A** *Man sollte hier einen Spielplatz für Kinder haben.*
B *Ja, und es sollte mehr Abfalleimer auf den Straßen geben.*

b Schreibt jetzt Titel für die Bilder!

Beispiel: **1** *Man sollte hier einen Park haben.*

> Die Stadt hat ...
> In der Stadt gibt es ...
>
> schlimme Luftverschmutzung
> zu viel Verkehr
> wenige Grünanlagen/Spielplätze
> fast keine Spielstraßen/autofreie Straßen
> keine Fußgängerzone/Fahrradwege
> riesige Hochhäuser/Wohnblocks
>
> Es ist zu gefährlich Rad zu fahren.
> Die Autoabgase sind sehr schlimm.
> Es gibt viel Lärm von den Fabriken/dem Verkehr.
> Die öffentlichen Verkehrsmittel sind gut/nicht gut.
> Man kann überall mit dem Bus/mit der U-Bahn hinfahren.

Unsere Umwelt

① Umweltprobleme

Sieh dir die Zeichnung einer deutschen Schülerin an! Wähle die passenden Bilder zu den Texten unten!

Beispiel: **6** – e

a Tierarten sterben aus.
b Kraftwerke produzieren Schwefeldioxid (SO_2).
c Müllberge wachsen.
d Autos verpesten unsere Luft.

e Bäume verlieren ihre Blätter.
f Fabriken verschmutzen unsere Flüsse.
g Saurer Regen fällt auf die Bäume.
h Fabriken produzieren gefährliche Chemikalien.

② Radiosendung – Zeit zum Umweltschutz!

a Hör die Sendung an und verbinde die Umweltprobleme mit den passenden Gründen und Lösungen!

Beispiel: *1 – C – b*

b Schreib die Antworten als ganze Sätze auf!

Beispiel: *Fische sterben, weil es Pestizide in Seen und Flüssen gibt. Wir müssen Gemüse usw. biologisch anbauen.*

Problem	Grund	Lösung
1 Fische sterben	A zu viel Verpackung	a nicht so oft mit dem Auto fahren
2 die Luft ist verpestet	B Autoabgase	b Gemüse usw. biologisch anbauen
3 zu viele große Müllberge	C Pestizide in Seen und Flüssen	c mehr Container um Müll zu recyceln
4 die Bäume verlieren ihre Blätter	D Kraftwerke, die Chemikalien produzieren	d Energie sparen

Man muss/sollte	Energie sparen.
Wir müssen/sollten	weniger Energie verbrauchen.
Es ist wichtig, dass wir	Obst/Gemüse biologisch anbauen.
	mehr Container fürs Recyceln haben.
	nicht so oft mit dem Auto fahren.
	weniger Verpackung benutzen.
	nur bleifreies Benzin benutzen.
	keine Pestizide benutzen.

③ Gruppenarbeit

 a Schaut die Fotos an! Was sind die Probleme? Erfindet Überschriften für die Fotos!

Beispiel: **a** *Es gibt zu viele große Müllberge.*

b Wie kann man die Probleme lösen? Schreibt Sprechblasen!

Beispiel:

Wir brauchen mehr Container fürs Recyceln.

a

b

c

d

e

f
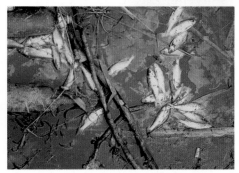

④ Du bist dran

a Was meinst du? Schreib eine Liste von Umweltproblemen! Ordne die Probleme – das Wichtigste zuerst! Schreib eine Liste von Lösungen für diese Probleme!

b **Extra!** Schreib Sätze mit deiner Meinung über die Umwelt! Warum findest du diese Probleme besonders schlimm? Wie kann man die Situation verbessern?

Umweltschutz

① Umwelt-Umfrage

 Hör zu und mach Notizen! Was ist umweltfreundlich oder umweltfeindlich?

Beispiel:

umweltfreundlich	umweltfeindlich
Pfandflaschen	Dosen

② Recycling in Deutschland

 Hör zu und lies die Sätze! Sind sie richtig oder falsch? Korrigiere die falschen Sätze!

1 Angelika ist sehr umweltfeindlich.
2 Sie recycelt ihren Müll.
3 Sie hat einen Container für ihren Müll.
4 Flaschen kommen in den Altglascontainer.
5 Zeitschriften kommen auch in den Altglascontainer.
6 In den gelben Sack kommen Metall und Kunststoff.
7 In der Biotonne sammelt sie Abfälle aus der Küche.
8 Sie findet Recycling sehr unbequem.

Meine Eltern fahren auf der Autobahn langsamer. Sie sparen Benzin. Ich bin umweltbewusst erzogen worden. Wenn ich aus dem Zimmer gehe, mache ich immer das Licht aus. Im Winter drehe ich die Heizung ab, sobald ich das Haus verlasse. Beim Einkaufen achte ich auf die Verpackung. Jogurt zum Beispiel kaufe ich im Glas, nicht in Pappbechern. **Christoph, 15**

Ich bade nicht in der Badewanne, sondern dusche. Dabei verbrauche ich weniger Wasser. Papier und Glas werfe ich nur in Spezialcontainer, die stehen in jedem Stadtteil. Dafür laufe ich gern ein paar Meter. Meine Mutter denkt auch an die Umwelt. Im Supermarkt macht sie zum Beispiel die Verpackungen ab und lässt sie einfach liegen. Meine Schwester und mein Vater interessieren sich wenig für den Umweltschutz. Sie sind zu bequem. **Ines, 18**

③ Was macht ihr für die Umwelt?

a Lies den Artikel oben rechts! Was machen diese Schüler und ihre Familien für die Umwelt:

* zu Hause?
* beim Autofahren?
* beim Einkaufen?

Beispiel: *Zu Hause: Christoph macht immer das Licht aus, wenn er aus dem Zimmer geht. Er …*

b Du bist dran. Was machst du für die Umwelt? Schreib Sätze für die drei Punkte in **Übung 3a**!

Beispiel: *Zu Hause: Ich dusche jeden Tag – ich bade nie. Ich sortiere immer den Müll und ich …*

Ich	finde	Umweltschutz sehr/nicht so wichtig.
Ich	kaufe	umweltfreundliche Produkte/Pfandflaschen.
		keine Spraydosen/Einwegflaschen/Dosen.
Ich	benutze	Mehrwertprodukte/recycelte Produkte.
	verwende	beim Einkaufen Stofftaschen/keine Plastiktüten.

Ich recycle/trenne meinen Müll.
Ich benutze Recycling-Mülltonnen.
Ich fahre mit dem Fahrrad.
Ich fahre nicht mit dem Auto.
Ich spare Energie/Wasser.

④ Partnerarbeit

 a **A** ist Umweltfreund. **B** stellt Fragen. Die Sätze in der Hilfe-Box helfen euch.

Beispiel: **B** *Findest du Umweltschutz wichtig?*
A *Ja, ich finde Umweltschutz sehr wichtig.*
B *Kaufst du Pfandflaschen?*
A *Ja, ich kaufe nur umweltfreundliche Produkte.*

b Dann ist **B** dran. Er/Sie ist kein Umweltfreund!

Beispiel: **A** *Findest du Umweltschutz wichtig?*
B *Nein, ich finde Umweltschutz nicht wichtig.*
A *Kaufst du Pfandflaschen?*
B *Nein, ich kaufe Einwegflaschen und Dosen.*

⑤ Umfrage

Mach eine Umfrage in der Klasse: „Findest du Umweltschutz wichtig? Was tust du für die Umwelt?" Schreib dann deinem deutschen Brieffreund/deiner deutschen Brieffreundin die Resultate!

Beispiel: *25 Schüler finden Umweltschutz sehr wichtig. 13 Schüler bringen Glas und Flaschen zum Altglascontainer …*

⑥ Umweltschutz in England

Was tust du für die Umwelt? Schreib einen Artikel für die Schülerzeitschrift deines Brieffreundes/deiner Brieffreundin!

Beispiel:

> Ich bringe Flaschen zum Altglascontainer und ich bringe Zeitungen und Papier zum Altpapiercontainer.

⑦ Was macht die Umweltschutzgruppe?

 a Hör zu und wähle die passenden Bilder!

b Hör noch einmal zu! Beantworte die Fragen in ganzen Sätzen!

1 Was für ein Projekt macht ‚Arche Noah' zur Zeit?
2 Warum war Müll ein Problem?
3 Was haben sie deshalb gemacht?
4 Wie haben sie die anderen Schüler informiert?
5 Wie ist die Müllsituation heute?
6 Was machen sie sonst noch für den Umweltschutz?
7 Was für Tiere leben dort?
8 Wie oft arbeiten sie dort?

⑧ Umweltschutz an deiner Schule

Gibt es ähnliche Umweltprojekte an deiner Schule? Welche Umweltprojekte würdest du an deiner Schule machen? Schreib einen Bericht!

C Welche Schule?

1 Das deutsche Schulsystem

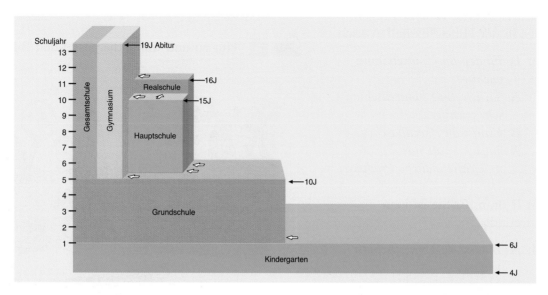

Schau dir das Diagramm an! Kopiere die Sätze und ergänze die Lücken!

1 Mit _____ Jahren geht man in den Kindergarten.
2 Mit sechs Jahren geht man in die _____.
3 Es gibt vier Schulsysteme ab zehn Jahre: die _____schule,
   die _____schule, die _____schule und das _____.
4 Die Realschule verlässt man mit _____ Jahren.
5 Wenn man Abitur macht, verlässt man die Schule mit _____ Jahren.

2 Welche Schule?

Verbinde die Beschreibungen mit den Fotos!

1
> Man lernt Fächer wie Marketing
> und Tourismus in der Realschule.

2
> Alle Schüler lernen alle Fächer in der
> Gesamtschule. Egal, ob man in Mathe oder
> Musik stark ist, jeder Schüler hat hier Erfolg!

3
> In der Hauptschule lernt man praktische
> Fächer wie Mechanik. Später kann man
> eine Lehre machen.

4
> Um Arzt oder Lehrer zu werden, muss
> man an der Universität studieren.

5
> Auf dem Gymnasium macht man Abitur.
> Dafür muss man intelligent und fleißig sein!

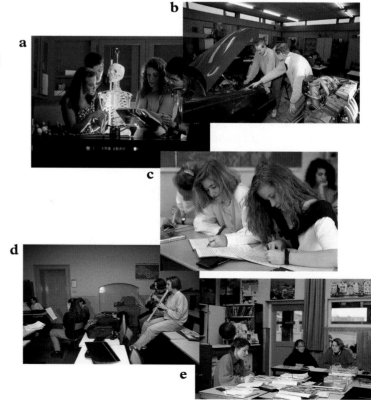

3 In welche Schule gehen sie?

 a Wo gehen diese jungen Leute in die Schule und warum? Hör zu und mach Notizen!

Name	Schule	Was ist gut?
Udo	Hauptschule	kann später eine Lehre machen

 b Wer ist das? Hör noch einmal zu und notiere die passenden Namen!

Beispiel: **1** – *Annette*

1 Es ist sehr wichtig für sie, gute Noten in der Schule zu bekommen.

2 Er interessiert sich für verschiedene Fächer, aber er weiß noch nicht, was er nach der Schule machen will.

3 Die Realschule gefällt ihr besser als die Hauptschule.

4 Er muss nur bis sechzehn zur Schule gehen.

5 Da sie gute Noten bekommen muss, lernt sie fleißig.

6 Sie will bald Geld verdienen.

4 Umfrage

 a Wie ist es bei euch in der Schule? Frag drei Personen:

* Wie findest du die Schule?
* Möchtest du nach der Schule studieren oder arbeiten?
* Möchtest du eine Lehre machen? Was für eine Lehre?

b Schreibt die Antworten auf!

Beispiel: *Tanya findet die Schule langweilig. Sie will nach der Schule arbeiten. Sie will eine Lehre als Mechanikerin machen.*

5 Das Schulleben

a Lies den Text!

Als ich klein war, hat mir der Kindergarten viel Spaß gemacht. Die Grundschule habe ich aber langweilig gefunden, da ich zu viel lernen musste! Ich interessiere mich nicht sehr für Schulfächer. Mit zehn Jahren bin ich auf die Hauptschule gegangen. Ich will unbedingt Friseuse werden und für mich ist die Hauptschule wirklich toll, weil ich nicht nur Schulfächer wie Englisch und Mathe lernen muss. Ich habe auch Frisieren als Fach und das interessiert mich sehr. Das ist natürlich jetzt mein Lieblingsfach. Für mich ist es sehr wichtig, einen guten Studienabschluss zu bekommen, damit ich bessere Chancen für die Zukunft habe. Mit fünfzehn gehe ich ein Jahr in die Realschule. Mit sechzehn verlasse ich hoffentlich die Schule und ich mache dann eine Lehre im Salon. Dann verdiene ich Geld!

Anja, 15 Jahre

b Du bist dran. Beantworte die Fragen und schreib einen Text, wie Anja.

* Was für eine Schule besuchst du?
* Ist dein Schultyp der beste für dich?
* Möchtest du auf die Uni gehen?
* Willst du eine Lehre machen? Warum (nicht)?
* Willst du nach der Schule arbeiten und Geld verdienen?
* Würdest du lieber studieren? Warum (nicht)?
* Was für Prüfungen machst du?

Deine Meinung

1 Schuluniformen

 a Hör zu und beantworte die Fragen in ganzen Sätzen!

1 Warum würde Monika keine Schuluniform tragen?
2 Warum findet Frank Schuluniformen gerechter?
3 Was ist Monikas Meinung?
4 Was ist Franks Meinung zur Kleidung seiner Klassekameraden?
5 Welche anderen Gründe nennt Monika?
6 Was ist Franks Meinung?

b Was ist deine Meinung? Schreib so viele Sätze wie möglich!

Beispiel: *Ich trage lieber eine Uniform, weil sie bequem ist.*
Ich trage lieber keine Uniform, weil …

c Mach eine Klassenumfrage für die Klasse deines Brieffreundes/deiner Brieffreundin! Nimm die Resultate auf Tonband/Kassette auf!

Beispiel: *Meine Klasse findet Uniformen gut. Sarah trägt gern eine Uniform, weil …*

Ich finde Schuluniformen	gut/schlecht.
Ich finde meine Uniform	praktisch/bequem/schön/toll/modisch.
	unpraktisch/unbequem/hässlich/altmodisch.

2 Schulordnung

a Lies die Schulordnung! Was darf man nicht machen? Schreib eine Liste (6 Details)!

SCHULZENTRUM DREBBERSTRASSE
Schulordnung

Ordnung und Sauberkeit
Es ist verboten, Abfall und Papier auf den Boden zu werfen. Es ist ebenfalls verboten, die Wände mit Graffiti zu bemalen.

Pausen
Während der Pausen müssen sich alle Schüler auf dem Hof oder in der Aula aufhalten. Der Aufenthalt in den Klassenräumen ist nicht gestattet.

Ballspiele
Das Ballspielen auf dem Hof ist ausdrücklich verboten. Schüler, die Fußball, Basketball, Handball usw. spielen wollen, müssen die Spielfelder hinter dem Sportplatz benutzen.

Fahrräder
Fahrräder dürfen nur im Fahrradhof links neben der Sporthalle abgestellt werden.

Rauchen
Das Rauchen ist für Schüler unter 16 Jahre auf dem Schulgelände verboten. Schüler ab 16 Jahre dürfen nur auf dem Raucherhof rauchen.

Gefährliche Gegenstände
Es ist ausdrücklich verboten, gefährliche Gegenstände (Schraubenzieher, Taschenmesser, Luftschutzpistolen usw.) mit zur Schule zu bringen.

---

b Lies den Text auf Seite 140 noch einmal und lies dann die Sätze unten! Sie sind alle falsch. Korrigiere sie!

1 Die Schüler müssen Abfall und Papier auf den Boden werfen.
2 Es ist verboten, sich in den Pausen auf dem Hof oder in der Aula aufzuhalten.
3 Zum Ballspielen müssen die Schüler den Hof benutzen.
4 Es ist verboten, die Fahrräder im Fahrradhof abzustellen.
5 Schüler unter 16 dürfen auf dem Schulgelände rauchen.
6 Es ist erlaubt, Messer mit zur Schule zu bringen.

❸ Deine Schulordnung

Was ist an deiner Schule erlaubt und was ist verboten? Mach ein Poster!

Beispiel: *Schulordnung*
1. Rauchen ist für Schüler über 16 erlaubt.
2. Es ist verboten, Messer mitzubringen.

❹ Schulordnung-Umfrage

a Mach eine Umfrage in der Klasse!

- Wie findest du unsere Schulordnung?
- Was findest du richtig?
- Was findest du falsch?

 b Gruppenarbeit: Arbeitet in Gruppen zu viert oder fünft! Schreibt eine neue/bessere Schulordnung mit den Informationen von **Übung 4a**!

❺ Eine bessere Schule?

Was kann man tun um eine Schule zu verbessern? Hör zu und mach Notizen!

Schuluniform	keine, weil ...
Sport	
Klubs	
Schultag	
Fremdsprachen	

❻ Eine Umfrage

Was würdest *du* machen um deine Schule zu verbessern? Mach eine Umfrage in deiner Schule!

Was würdest du tun um die Schule zu verbessern?	
Ich würde	keine Uniform tragen.
	ein Schwimmbad bauen lassen.
	mehr Sport treiben.
	mehr Fremdsprachen lernen.
	einen Schachklub haben.
	einen kürzeren Schultag haben.

❼ Einen Brief schreiben

Schreib einen Brief mit allen Vorschlägen an deinen Schulleiter/deine Schulleiterin (vielleicht mit Übersetzung ins Englische!).

Probleme und Konflikte

1 Gehst du gern zur Schule?

 a Hör zu und beantworte die Fragen in ganzen Sätzen!

1 Wie findet Andreas die Schule?
2 In welcher Klasse ist Andreas?
3 Warum geht er gern zur Schule?
4 Wie gefällt ihm der Unterricht?
5 Wie findet Susanne die Schule?
6 Warum geht sie nicht gern zur Schule?
7 Was findet sie wichtiger?
8 Was stört sie sonst noch an der Schule?

b Partnerarbeit: **A** stellt Fragen, **B** antwortet. Dann ist **B** dran.

- Wie findest du die Schule?
- Warum gehst du (nicht) gern zur Schule?
- Wie findest du den Unterricht?
- Warum findest du den Unterricht gut/schlecht?
- Was ist wichtig an einer guten Schule?

Mir gefällt die Schule. Ich gehe gern/überhaupt nicht gern zur Schule.		

Ich finde die Schule gut/toll, weil	der Unterricht Spaß macht/lebendig ist.

Die Schule ist für mich langweilig/total stressig, weil Ich habe Probleme, weil	der Unterricht trocken ist. ich nicht alles verstehe. ich in einigen Fächern schwach bin.

Die Lehrer sind	im Allgemeinen viel zu im Großen und Ganzen normalerweise	nett. streng/autoritär. verständnisvoll. hilfsbereit.

2 Stress in der Schule

Lies die Texte und die Sätze rechts! Füll die Lücken aus!

Ich finde Deutsch sehr schwierig. Die Lehrerin ist ein bisschen zu autoritär. Sie erwartet, dass wir alle immer gute Klassenarbeiten schreiben. Das nervt mich, weil ich immer schlechte Noten bekomme.
David

Ich finde, ich habe zu wenig Zeit, die Hausaufgaben für alle Fächer zu machen. Nachmittags und abends haben wir mindestens zwei Stunden Hausaufgaben. Ich bin fleißig, aber ich bin keine Streberin und möchte auch ein gesellschaftliches Leben haben. Es ist für mich wichtig, einige Zeit mit meinen Freundinnen zu verbringen.
Katrin

arbeiten	autoritär	wichtig
Hausaufgaben	Deutsch	Noten

David
1 Ich bin ganz schwach in _____ .
2 Ich finde die Lehrerin zu _____ .
3 Es nervt mich, schlechte _____ zu bekommen.

Katrin
4 Wir bekommen immer zu viele _____ .
5 Ich möchte nicht die ganze Zeit _____ .
7 Freizeit ist für mich sehr _____ .

3 „Ich habe ein Problem!"

 Drei junge Leute machen sich Sorgen über ihre Schularbeit. Was ist das Problem? Hör zu und mach Notizen!

Name	Problem

4 Partnerarbeit

Mach ein Interview mit deinem Partner/ deiner Partnerin! **A** stellt Fragen, **B** antwortet. Dann ist **B** dran.

- Hast du irgendwelche Probleme mit deiner Schularbeit/deinen Fächern?
- Was geht dir in der Schule auf die Nerven?
- Hast du während der Schulwoche Zeit, mit deinen Freunden/Freundinnen auszugehen?
- Wie findest du die Lehrer(innen) in deiner Schule?

5 Du bist dran

Was hältst du von der Schule? Was nervt dich? Hast du irgendwelche Probleme? Schreib einen Brief an deinen Brieffreund/deine Brieffreundin! Mach zuerst Notizen!

Beispiel:

> *Hausaufgaben: zu viele – zu wenig Zeit, mit Freunden/innen auszugehen.*
> *Lehrer: verständnisvoll und hilfsbereit*
> *Unterricht: meistens interessant – manchmal langweilig*

> *Liebe Ingrid!*
> *So eine Woche! Die Schule nervt mich total ... Ich bin so schwach in Mathe und die Lehrerin ist gar nicht nett. ...*

Der Unterricht geht mir auf die Nerven.
Die ganze Schule nervt total.
Ich bekomme immer zu viele Hausaufgaben.
Ich bin schwach in Mathe.
Ich bekomme immer schlechte Noten in Englisch.
Ich finde Erdkunde schwierig.

Ich habe	kaum	Zeit,	mit der Clique	auszugehen.
	zu wenig		mit meinen Freunden	
	immer		mit meinen Freundinnen	

Grammatik 4a

Future tense

There are two ways to talk about something which will happen in the future:

- You can use the present tense to describe what you are going to do in the immediate future or what your weekend or holiday plans are:

  *Morgen **gehe ich** in die Stadt.*
  I'm going into town tomorrow.

  *Im Sommer **fahre ich** nach Schottland.*
  I'm going to Scotland in the summer.

- You can also use the future tense. This is formed by using the present tense of *werden* (to become) and sending the main verb to the end of the sentence in its infinitive form:

  *Morgen **werde ich** in die Stadt **gehen**.*
  I will go into town tomorrow.
  *Im Sommer **werde ich** nach Schottland **fahren**.*
  I will go to Scotland in the summer.

See page 173 for a list of all parts of the verb *werden*.

1 Fill the gaps with the correct part of *werden*.

Example: **1** Ich **werde** im Supermarkt *arbeiten.*

1 Ich _____ im Supermarkt arbeiten.
2 Ich _____ morgen zum Arzt gehen.
3 Wir _____ immer Pfandflaschen kaufen.
4 Sie _____ einen Brief an ihre Brieffreundin schreiben.
5 Ich _____ eine Dusche nehmen.
6 Sie _____ nächstes Jahr heiraten.
7 Ihr _____ in der Schule viel lernen.
8 Er _____ als Krankenpfleger arbeiten.

2 Fill in the blanks with the correct infinitives.

> sein   arbeiten   verdienen   studieren
> studieren   machen   arbeiten   gehen

Nach der Schule werde ich auf die Uni _____ . Ich werde Englisch _____ , weil ich Lehrerin werden will. Mein Freund Johann wird nicht _____ . Er wird gleich nach der Schule _____ . Er sagt, er wird viel Geld _____ ! Meine Freundinnen Anna und Marlies werden Lehren als Friseusen _____ . Sie werden in einem Salon in der Großstadt _____ . Wir werden alle hoffentlich in der Zukunft glücklich _____ !

3 Put the sentences into the future tense using *werden*.

Example: **1** *Ich werde Medizin studieren.*

1 Ich studiere Medizin.
2 Ich arbeite danach als Arzt in Afrika.
3 Sandra macht eine Lehre.
4 Du trampst ein Jahr durch Europa.
5 Tom und Ina verdienen viel Geld.
6 Wir gründen eine Popgruppe.
7 Philipp heiratet ein Fotomodell.
8 Ute gewinnt eine Million im Lotto.

Conditional tense

The future indicates definite plans. However, when the future situation is unsure, you also need to be able to say what you *would* do. For this we use the conditional tense.

> How do I form the conditional tense?

You need to use *ich würde*, etc. and then add the infinitive of the main verb at the end of the sentence.

ich würde	wir würden
du würdest	ihr würdet
er/sie/es würde	sie/Sie würden

*Ich **würde** viele CDs **kaufen**.*
I **would buy** lots of CDs.

*Er **würde** nach Amerika **fahren**.*
He **would go** to America.

1 What would you do if you won the lottery? Write sentences using *ich würde*.

Example: **1** *Ich würde eine Weltreise machen.*

1 Ich mache eine Weltreise.
2 Ich kaufe einen Computer.
3 Ich gehe jeden Tag ins Restaurant.
4 Ich wohne in einer schönen Wohnung.
5 Ich mache jedes Wochenende eine Party.
6 Ich trage die neueste Mode.
7 Ich kaufe jeden Tag 10 neue CDs.
8 Ich spare jeden Monat 1000 Euro.

> How do I say 'If I were rich I would ...' or 'If I had lots of money I would ...'?

Look at the following sentences:

*Wenn **ich** reich **wäre, würde ich** nicht **arbeiten**.*
If **I were** rich, **I would**n't **work**.

*Wenn **ich** viel Geld **hätte, würde ich** in einem Schloss **wohnen**.*
If **I had** lots of money, **I would live** in a castle.

Don't forget that if a sentence begins with *wenn*, the main verb is sent to the end of the sentence:

***Wenn** ich reich **wäre**, würde ich nicht arbeiten.*

2 Match up the start of these sentences to an appropriate ending.

1 Wenn ich einen gut bezahlten Job hätte,
2 Wenn ich zum Geburtstag eine Party hätte,
3 Wenn ich nicht mehr Lehrerin wäre,
4 Wenn ich Millionär wäre,
5 Wenn ich sehr intelligent wäre,
6 Wenn ich Nichtraucher wäre,

a würde ich in einem Jazzcafé arbeiten.
b würde ich viel gesünder sein.
c würde ich viele Freunde einladen.
d würde ich auf der Uni Medizin studieren.
e würde ich ein Schloss in Schottland kaufen.
f würde ich viermal pro Jahr Urlaub machen.

3 Put together these sentences using *wenn* and the conditional tense.

Example: **1** *Wenn ich weniger Hausaufgaben hätte, würde ich einen Teilzeitjob finden.*

1 weniger Hausaufgaben haben – einen Teilzeitjob finden
2 reich sein – nicht arbeiten
3 ein Auto haben – abends ausgehen
4 mehr Zeit haben – in den Ferien arbeiten
5 ein Problem mit Freundinnen haben – es mit meiner älteren Schwester besprechen
6 Millionär sein – immer Urlaub machen

Tipp 4a

Preparing for the exam

Remember that the exams in all the skills (listening, speaking, reading and writing) are of *equal value*. Balance your revision to include regular practice of all four skills (but not all at once!).

Learning vocabulary should be a key part of your revision. This will help you with the exam for all four skills. Look back at the suggestions for memorizing vocabulary on page 82.

1 Select 10 words from a topic in the *Vokabular* (pages 195–203) and use some of the suggestions from page 82 to learn them. Test yourself. Which of the methods worked best for you?

Checking you know all the important grammar rules will also help you in your exam, particularly with the speaking and writing tests. Try copying key points onto cards or recording them on tape and test yourself until you're sure you know them. Use the Grammatik pages in every module to help you.

Listening

◀ **Revise! Tipp 1a, pages 26–27**

The more you hear a language, the easier it gets! Try to listen to as many people speaking German as possible so that you get used to a range of different voices and accents.

- Sit up and listen whenever you hear German on the television. You will be surprised at how much you'll understand, even from a short item on the news.

- If you have satellite or cable television, tune into a German programme. You might find childrens' programmes, soap operas and sports programmes the most accessible and enjoyable.

2 Work with a partner and each make up questions about a piece of taped German. Answer each others' questions in German.

Speaking

◀ **Revise!**   **Tipp 1b, pages 42–43**
       Tipp 3b, pages 122–43

Use every opportunity to speak German – in class, with friends, at home. The more you practise, the more fluent you'll become.

- If your school has a German assistant, you could invite him/her along to the school drama/music/sports club and insist that you converse only in German.

- See if you can practise with a brother or sister who has already learned German.

- Try to show off what you know. Add extra details and make longer sentences and statements when speaking.

- Create files for useful role-play language and add to them throughout the course.

3 Prepare a role play or a conversation with a friend and record it. Listen to it critically and spot any areas needing improvement, e.g. pronunciation, incorrect vocabulary or lack of fluency. Record it again a few days later after some focused practice.

Reading

Revise! | Tipp 1a, pages 26–27
Tipp 2b, page 83

As with listening, it is important to read as wide a range of German as possible.

- Read German magazines, advertisements and newspapers at every opportunity.

- Have a look at German websites such as town tourist information youth magazine sites. **Do not** use the Internet without first getting permission.

4 Practise reading without using a dictionary. Read a passage and highlight words which you don't understand. Try to work out their meanings using the suggestions from page 83.

Writing

Revise! | Tipp 2a, pages 66–67
Tipp 3a, pages 106–107

- Since you will not have a dictionary in the exam, you'll need to learn vocabulary and revise the grammar rules. Concentrate on one topic of vocabulary or grammar point at a time, and try to learn vocabulary and grammar every day, rather than leaving it all to just before the exam.

- Just as in speaking, you should show off what you know. Aim to work up from basic language by adding more details, e.g. adjectives and varying the structure of the sentences.

- Make sure you are familiar with the correct format for informal and formal letters. Write letters and e-mails, if possible to a penfriend in Germany. Differentiate between the language of formal letters and reports and informal postcards, e-mails and letters. Learn the key words and phrases for these.

5 Do a piece of writing practice in three stages:

  – make notes of key words and phrases;
  – the next day, write a short passage of 30–40 words;
  – the day after that, extend your writing to 70–80 words.

D Die Zukunft

1 Pläne für die Zukunft

 a Hör zu und wähle die passenden Bilder für die Interviews!

a

b

c

 b Hör noch einmal zu! Beantworte die Fragen in ganzen Sätzen!

Pit
1 Was möchte Pit machen, wenn er 16 ist?
2 Warum findet er die Schule langweilig?
3 Was hofft er, später zu machen?

Ute
1 Was möchte Ute später machen?
2 Was ist das Problem?
3 Was würde sie sonst machen?

Lutz
1 Was ist für Lutz sehr wichtig?
2 Was möchte er nicht machen?
3 Wie stellt er sich die Zukunft vor?

2 Umfrage

a Mach eine Umfrage in der Klasse! Stell folgende Fragen!

- Wer möchte später studieren?
- Wer möchte später eine Lehre machen?
- Wer möchte ein Jahr reisen?
- Wer möchte später Karriere machen/viel Geld verdienen?
- Wer möchte später heiraten/eine Familie haben?
- Wer weiß noch nicht, was sie/er später machen will?

b Schreib die Resultate für deinen Brieffreund/deine Brieffreundin auf!

Beispiel: *10 Schülerinnen und Schüler möchten später studieren.*

Ich möchte	später	studieren/eine Lehre machen.
	in ein oder zwei Jahren	meine ‚GCSE'/‚A Level'-Prüfung machen.
Ich würde gern	mit 16/17/18	die Schule verlassen/Abitur machen.
	nach dem Abitur	heiraten/eine Familie haben.
Ich habe vor,	eine Lehrstelle/einen Studienplatz zu finden.	
Ich hoffe,	Karriere zu machen/viel Geld zu verdienen.	
	herumzureisen/ein Jahr durch Europa zu trampen.	
	im Ausland zu arbeiten.	
	ein Jahr zu reisen.	

③ Partnerarbeit

Was möchtet ihr später machen? **A** stellt Fragen, **B** antwortet. Dann ist **B** dran.

Beispiel: **A** *Was möchtest du gern mit 16 machen?*
B *Ich möchte meine ,GCSE'-Prüfung machen.*
A *Und was möchtest du in zwei oder drei Jahren machen?*
B *Ich hoffe, meine ,A Level'-Prüfung zu machen.*
A *Und danach?*
B *Ich würde gern studieren.*

④ Ein Jahr reisen oder gleich studieren?

Lies den Text! Diese jungen Leute haben verschiedene Pläne für das nächste Jahr. Was sind die Vorteile und Nachteile ihrer Pläne? Füll die Tabelle aus!

	Pläne	Vorteile	Nachteile
Alice			
Hans			

Ich will Journalistin werden und ich habe schon einen Studienplatz an der Universität Berlin bekommen. Ich freue mich schon darauf! Zuerst mache ich aber eine große Pause. Nächsten Monat fahre ich mit zwei Freundinnen nach Afrika.  Wir werden in einem kleinen Dorf in Kenia wohnen, wo wir Kinder unterrichten werden. Wir haben auch vor, in Afrika herumzureisen. Wir werden nicht viel Geld haben, aber das ist mir egal – ich werde dabei viel über Afrika und die Leute lernen. Und ich hoffe, eine afrikanische Sprache zu lernen!°
Alice (19)

Für mich ist es wichtig, gleich auf die Uni zu gehen. Ich interessiere mich sehr für Sprachen und will Dolmetscher werden. Ich habe einen Studienplatz an der Aachener Hochschule bekommen und ich werde vier Jahren dort studieren. Nachher möchte ich im Ausland als Dolmetscher arbeiten – in Spanien oder sogar in Südamerika. Als Student werde ich sehr fleißig arbeiten müssen und ich werde nicht viel Freizeit haben, aber das Studium wird mich sehr gut auf meine Karriere vorbereiten. Also, ich  möchte so bald wie möglich damit anfangen!
Hans (19)

⑤ Du bist dran

Möchtest du ein Jahr reisen oder würdest du lieber gleich studieren oder arbeiten? Schreib Sätze!

Beispiel: *Ich weiß noch nicht, was ich nach der Schule machen will. Ich glaube, ich würde gern studieren. Aber ich möchte zuerst …*

⑥ Extra!

Mach eine Kassette! Beschreib deine Pläne und Hoffnungen für die Zukunft! Die Sätze in der Hilfe-Box auf Seite 148 helfen dir.

Meine Arbeit

1 Berufe, Berufe, Berufe …

a Hör zu und mach Notizen!

	Monika Pfeiffer	Ullrich König	Annemarie May
Alter:			
Beruf:			
Wo?			
Seit wann?			
Wie lange jeden Tag?			
Macht was?			
Gefällt ihr/ihm der Beruf?			

b Partnerarbeit: **A** ist Frau Pfeiffer, Herr König oder Frau May. **B** stellt Fragen. Dann ist **B** dran.

- Wie heißen Sie?
- Wie alt sind Sie?
- Was sind Sie von Beruf?
- Wo arbeiten Sie?
- Seit wann arbeiten Sie dort?
- Wie lange arbeiten Sie jeden Tag?
- Was machen Sie?
- Gefällt Ihnen Ihr Beruf?

2 Noch mehr Berufe!

Wähle einen anderen Beruf (zum Beispiel den deiner Mutter/deines Vaters) und beschreib diesen Beruf! Die Fragen von **Übung 1b** helfen dir.

Beispiel: *Meine Mutter ist Verkäuferin von Beruf. Sie arbeitet in einem Supermarkt …*

3 Vorteile und Nachteile

a Zwei Personen sprechen über ihre Berufe. Lies den Text!

Ich bin Krankenschwester in einem großen Kinderkrankenhaus. Ich arbeite seit elf Monaten hier und die Arbeit gefällt mir. Ich mag den Kontakt mit den Kindern, aber das kann auch sehr stressig sein. Die Arbeitsstunden im Krankenhaus sind anstrengend. Wir arbeiten in Schichten und müssen auch während der Nacht arbeiten. Das Geld ist auch nicht so gut, aber ich finde, die Arbeit lohnt sich, weil man den Kindern immer hilft.

Britta

Ich bin Sekretär im Büro einer Versicherungsfirma. Meine Arbeitsstunden sind regelmäßig: Ich arbeite von 9.00 bis 17.00 Uhr und ich verdiene nicht schlecht. Ich mache meine Arbeit recht gern, aber es kann ein bisschen langweilig sein. Um eine bessere Stelle zu finden muss ich wahrscheinlich in einer anderen Firma arbeiten – aber ich möchte lieber hier bleiben, weil ich meine Kollegen mag.

Andreas

b Was sind die Vorteile und Nachteile ihrer Berufe? Schreib zwei Listen!

Beispiel:

> Britta:
> Vorteile: Kontakt mit Kindern, ...

c Welchen Job möchtest du machen? Warum? Schreib Sätze!

Beispiel: *Ich möchte Kinderkrankenschwester werden, weil ich gern Kontakt mit Kindern habe. Das Geld ist für mich nicht wichtig. ...*

4 Mein Traumberuf

Beschreib deinen Traumberuf! Schreib Sätze und mach dann eine Kassette!

- Was möchtest du werden?
- Warum interessierst du dich für diesen Beruf?
- Wie soll deine Arbeitszeit aussehen?
- Willst du viele Kollegen haben? Warum (nicht)?
- Willst du viel Geld verdienen? Warum (nicht)?

Ich möchte ... werden.
Ich möchte Kontakt mit Kindern/Tieren/anderen Leuten haben.
Ich interessiere mich für ...
Ich möchte regelmäßige Arbeitsstunden haben.
Ich möchte (nicht) in Schichten arbeiten.
Die Arbeitsstunden sind für mich (nicht) wichtig.

Ich möchte viel Geld verdienen.
Das Geld ist für mich nicht wichtig.

Ich möchte mit vielen Leuten arbeiten.
Ich arbeite gern im Team.
Ich arbeite lieber allein.
Mein Job muss interessant/aufregend sein.

Entscheidungen

1 Probleme und Konflikte

 a Hör zu und finde die passenden
Sprechblasen!

b Ich möchte ein Jahr reisen, aber
ich muss direkt auf die Uni gehen!

a Wir wollen uns verloben, aber
unsere Clique denkt, wir sind doof!

c Ich möchte auf die Uni gehen,
aber ich muss zu Hause bleiben!

 b Hör noch einmal zu und füll die
Lücken aus!

> Ausland   jung   nach der Uni
> verloben   Clique   Hausarbeit
> Uni   später   verlieren

1 Alexander möchte ein Jahr im _____
reisen.
2 Seine Eltern glauben, dass er zu _____
ist.
3 Er wird vielleicht _____ reisen.
4 Beate und ihr Freund möchten sich

_____ .
5 Ihre _____ findet das doof.
6 Beate möchte ihre Freunde nicht

_____ .
7 Elisabeth muss ihrer Mutter immer bei
der _____ helfen.
8 Sie möchte auf die _____ gehen.
9 Sie kann vielleicht _____ gehen.

c Partnerarbeit: Spielt die Rollen von
Alexander, Beate und Elisabeth! **A** stellt
Fragen und **B** antwortet. Dann ist **B** dran.

Beispiel: **A** *Elisabeth, warum gehst du*
dieses Jahr nicht auf die Uni?
B *Ich kann doch nicht – ich*
muss meiner Mutter (bei der
Hausarbeit) helfen.

② Wir machen Online-Chat!

a Lies dieses Chatroom-Gespräch und wähle die passenden Antworten!

www.freunde.com.de

Adresse: *http://www.freunde.com/live*

Hallo, Leute! Ich bin's – die Asha! Meine Elten machen im Moment großen Druck: ich soll auf die Uni gehen, ich soll Ärztin werden, ich soll heiraten, ich soll drei Kinder haben ... Mensch! Aber ich will auf einem Ökohof mit vielen Tieren und ein paar Freunden wohnen! Studium, Ehe und Kinder sind nicht für mich – ich wohne lieber mit Katzen, Hunden und Mäusen!

Hallo, alle! Wie geht's? Ich heiße Kai und ich habe Ashas E-Mail gelesen. Es ist wirklich schade, dass sie sich nicht für Studium und Ehe interessiert. Ich freue mich sehr auf die Uni nächstes Jahr. Hoffentlich werde ich dort ein nettes Mädchen kennen lernen. Ehe und Familienleben sind für mich in der Zukunft total wichtig. Meine Freunde meinen, ich bin doof – sie trinken lieber Bier!

Hallo! Anna hier! Ich würde so gern an der Uni studieren, aber das ist unmöglich. Meine Familie kann sich das einfach nicht leisten. Mein Vater arbeitet nicht, weil er meine Mutter pflegt – sie ist seit zehn Jahre körperlich behindert. Ich muss also gleich nach der Schule einen Job bekommen. Dabei kann ich Geld verdienen und auch zu Hause bleiben und auf meine Mutter aufpassen.

1 Ashas Eltern wollen, dass sie
a auf die Uni geht.
b auf einem Ökohof wohnt.
c mit Tieren arbeitet.

2 Asha will
a heiraten.
b Kinder haben.
c nicht auf die Uni gehen.

3 Kai möchte
a Bier trinken.
b eine feste Freundin.
c mit seinen Freunden ausgehen.

4 Er findet das Studium
a doof.
b wichtig.
c toll.

5 Anna muss
a auf die Uni gehen.
b einen Job finden.
c auf der Schule bleiben.

6 Sie möchte aber
a auf die Uni gehen.
b viel Geld verdienen.
c ihren Vater pflegen.

b Schreib eine E-Mail (wie in **Übung 2a**) und beschreib ein persönliches Problem oder einen Konflikt. Welche Lösung hast du gefunden?

E Wir suchen Stellen

❶ Bist du dafür geeignet?

Schau die Berufe unten an! Wie muss man dafür sein? Finde die passenden Eigenschaften (in der Hilfe-Box) für jeden Beruf!

Verkäufer   Lehrer

Gärtner   Krankenpfleger

Mechaniker   Kellner

Ich bin	geduldig.
	tolerant.
	höflich.
	kräftig.
	sorgfältig.
	praktisch.
	locker.
	kontaktfreudig.
Ich arbeite gern	im Freien.
	in Schichten.
	mit Kindern/Männern.
Ich bin stark in	Mathe und Technik.
	Fremdsprachen.
	Naturwissenschaften.
	Musik/Kunst.
Ich interessiere mich für	Computer.
	Technik.

❷ Ungewöhnliche Berufe?

 Meike, Rudi und Kai sprechen über Berufe. Wie sind sie dafür geeignet? Finde die passenden Eigenschaften in der Hilfe-Box!

❸ Umfrage

 Wähle einen Beruf von **Übung 1** und frag die Klasse: „Wie muss man sein?" Schreib eine Liste der Antworten!

Beispiel: **A** *Gärtner – wie muss man sein?*
           B *Also, man arbeitet gern im Freien.*
           C *Und man ist kräftig.*

❹ Ein Lebenslauf

 a Hör zu! Lies dann den Lebenslauf rechts! Es gibt sechs Fehler. Korrigiere sie!

b Schreib deinen eigenen Lebenslauf!

 c Partnerarbeit: **A** hat den Lebenslauf von **B** und stellt Fragen. **B** antwortet in ganzen Sätzen. Dann ist **B** dran.

Beispiel: **A** *Wie ist dein Name?*
           B *Ich heiße …*

LEBENSLAUF

Name: Peter Holz
Alter: 17
Geburtsdatum: 08.05.84
Adresse: Scheinstraße 5, 28777 Bremen
Schulbildung: 1990-1994 – Grundschule seit 1995 Realschule
Qualifikationen: Realschulabschluss mit Krankenpflegerkurs
Eigenschaften: kontaktfreudig, unfreundlich, arbeite gern im Team
Berufswünsche: mit Kindern arbeiten, viel Geld verdienen, eine Karriere haben

❺ Sommerferienjobs

a Schau die Anzeige an und lies den Bewerbungsbrief! Füll die Lücken aus!

McDonald's Österreich

sucht Kassierer/innen
für das Salzburger Restaurant.
Wir brauchen Schüler/innen zwischen 15 und 18 Jahren,
für die Sommerferien (Juni – September)
Müssen kontaktfreudig, fleißig und höflich sein.
Wir warten auf Ihren Anruf!

06245 80451/29

16. Juni	fleißig	Anzeige
	höflich	mit anderen Leuten
3. September		Kassierer/innen

b Lies die Anzeige und schreib einen Bewerbungsbrief für den Job!

HOTEL KAISERHOF

SUCHT KELLNER/KELLNERIN FÜR DIE SOMMERFERIEN.

Sind Sie:
- mindestens 16 Jahre alt?
- geduldig und flexibel?
- im Juli und August frei?

Sprechen Sie Englisch oder Französisch?
Bitte bewerben Sie sich bei Frau Müller!

Salzburg, den 9. April

Sehr geehrte Damen und Herren,

ich habe Ihre _____ für _____ gesehen und möchte mich für den Job bewerben.

Ich bin 16 Jahre alt und könnte vom _____ bis _____ arbeiten. Ich arbeite gern _____ und ich bin _____ und _____ .

Ich hoffe, Sie finden mich für den Job geeignet.

Mit freundlichen Grüßen

Christian Meyer

---

❻ Das ist nichts für Mädchen/Jungen!

Mach eine Umfrage in der Klasse: „Stimmen diese Aussagen – ja oder nein?"

Jungen können besser mit Computern arbeiten.

Mädchen können keine schweren Arbeiten machen.

Mädchen interessieren sich nicht für Technik.

Nur Mädchen interessieren sich für Mode.

Jungen können nicht auf Kinder aufpassen.

Jungen können als Sekretäre arbeiten.

Ungesundes Leben

1 Rauchen ist …

a Lies die Wörter! Was meinst du? Warum rauchen Jugendliche? Schreib Sätze!

Beispiel: *Rauchen ist attraktiv.*

> langweilig   attraktiv   schädlich
> reizvoll   erwachsen   cool   ungesund
> ein tolles Gefühl   gefährlich   lässig
> falsch   altmodisch   schick
> teuer   entspannend   ekelhaft

2 Warum rauchen Jugendliche?

a Lies den Artikel und beantworte die Fragen in ganzen Sätzen!

 b Gruppenarbeit: Und wie findet ihr Rauchen? Schreibt Sätze für ein Klassenposter!

Beispiel:

> Ich finde Rauchen ekelhaft.

> Rauchen ist sehr ungesund.

> Mein Bruder meint, er ist attraktiver, wenn er raucht.

Rauchen – ja oder nein?

Katharina (16) raucht seit drei Jahren: „Ich habe mit dem Rauchen angefangen, weil alle meine Freundinnen geraucht haben. Geschmeckt hat es mir nicht – aber ich wollte keine Außenseiterin sein." Heute raucht sie 15 Zigaretten am Tag: „Ich weiß, das ist zu viel. Aber ich kann einfach nicht damit aufhören – es ist wie eine Sucht." Jan (15) ist Nichtraucher: „Meine Eltern sind beide Raucher und das Gequalme geht mir wirklich auf die Nerven! Das ist nichts für mich – ich will nicht wie ein Aschenbecher stinken!" Sein bester Freund Florian (16) hat vor einem Jahr mit dem Rauchen aufgehört: „Früher hab' ich eine Schachtel am Tag gepafft, aber mir ging's echt schlecht: morgens musste ich immer husten, und ich hab' schlecht Luft bekommen." Seitdem er nicht mehr raucht, geht es ihm viel besser: „Ich bin jetzt viel fitter – ich kann joggen und ich kann viel besser riechen und schmecken." Nina (15) raucht jedoch gern: „Rauchen schmeckt – und macht Spaß! Wenn ich rauche, fühle ich mich total gut!"

1 Warum raucht Katharina?
2 Warum hört sie nicht mit dem Rauchen auf?
3 Warum raucht Jan nicht?
4 Warum hat Florian aufgehört zu rauchen?
5 Wie geht es ihm jetzt?
6 Warum raucht Nina gern?

b Und du? Was hältst du vom Rauchen und was sind deine Erlebnisse? Beantworte die Fragen in Sätzen!

- Rauchst du jetzt?
- Warum (nicht)?
- Willst du es aufgeben?
- Wie ist es zu Hause? Rauchen deine Eltern/Geschwister?
- Was halten deine Freunde/Freundinnen vom Rauchen?

c Stell deinem Partner/deiner Partnerin die Fragen in **Übung 2b** und mach eine Kassette!

Ich bin total gegen Rauchen.
Ich habe Zigaretten nie probiert.
Rauchen finde ich …

Ich rauche, weil	viele in meiner Clique rauchen.
	ich denke, ich sehe cool/erwachsen aus.

Ich rauche nicht, weil	es so ungesund ist.
	ich einfach keine Lust dazu habe.

Meine Eltern	haben ihr ganzes Leben geraucht.
	wissen nicht, dass ich rauche.
	sind total dagegen.

3 Alkohol- und Drogendruck

Hör zu! Lies die Sätze! Sind sie richtig oder falsch? Korrigiere die falschen Sätze!

1 Dirk war immer ein geselliger Typ mit vielen Freunden.
2 Er mag den Geruch von Zigarettenrauch nicht.
3 Dirk hat zu rauchen angefangen, weil er nicht doof sein wollte.
4 Beim Alkoholtrinken hat er sich lockerer gefühlt.
5 Am Morgen nach einer Party ging es Dirk gut.
6 Alkohol war das größte Problem für Asha.
7 Sie hat alles von ihrem Taschengeld bezahlt.
8 Ashas Eltern wussten, dass sie zu Hause Alkohol getrunken hat.
9 Asha hat zuerst Heroin genommen.
10 Sie ist nicht drogensüchtig geworden, weil sie Hilfe bekommen hat.

4 Umfrage

 a Beantworte die Fragen! Benutze die Wörter und Ausdrücke in der Hilfe-Box unten!

- Würdest du Alkohol trinken, nur weil deine Freunde trinken?
- Hast du schon mal Alkohol probiert?
- In welchem Alter sollten junge Leute trinken dürfen?
- Gibt es Drogenprobleme in deiner Stadt/deinem Dorf?
- Was denkst du davon?

b

Mach dann eine Umfrage! Stell die Fragen in **Übung 4a** und schreib die Antworten auf!

Beispiel: *Karen – „Es ist mir egal, ob meine Freundinnen Alkohol trinken."*

Es ist mir egal, ob meine Freunde/Freundinnen Alkohol trinken.
Ich habe (nie) Alkohol probiert.
Ich will keinen Alkohol trinken.

Es gibt ein großes/kein Drogenproblem in der Stadt.
(Nicht) viele junge Leute hier nehmen Drogen.
Drogen finde ich doof/wahnsinnig/ungesund/gefährlich/rücksichtslos.

Leben und Probleme

❶ Unser Zuhause

Lies die Texte und die Sätze unten! Wer sagt was?

Ich komme aus der Türkei, aber ich wohne jetzt mit meinen Eltern und meinem Bruder in Dortmund. Wir sind vor zwei Jahren nach Dortmund umgezogen, weil mein Vater eine Stelle bei einer großen Computerfirma hier bekommen hat. Das war eine gute Chance für ihn.

Zuerst konnte ich kein Deutsch sprechen und ich war sehr einsam. Die Lehrer in meiner Schule waren aber sehr sympathisch und haben mir viel geholfen. Jetzt habe ich viele nette deutsche Freundinnen und ich vermisse die Türkei nicht so sehr.

Güyal Gücer (15)

Ich bin 17 Jahre alt und wohne noch zu Hause. Wir sind zu viert in der Familie: meine Mutter, meine zwei jüngeren Brüder und ich. Meine Eltern sind geschieden, und seit mein Vater nicht mehr bei uns wohnt, haben wir wirklich nicht genug Geld.

Ich bin immer noch auf der Schule und möchte gern auf die Uni gehen. Meine Mutter ist aber im Moment arbeitslos und kann sich das einfach nicht leisten. Sie muss sich um meine kleinen Brüder kümmern und die Miete, Elektrizitäts-, Gas- und Telefonrechnungen bezahlen. Ich muss also die Schule verlassen um einen Job zu finden und Geld zu verdienen – ich werde vielleicht später auf die Uni gehen.

Trude Huber (17)

1 Es war am Anfang schwer, in Deutschland zu wohnen.

2 Meine Familie ist für mich wichtiger als die Uni.

3 Das Leben zu Hause ist jetzt ganz anders.

4 Mein neues Leben gefällt mir sehr gut.

5 Man kann sich nicht viel leisten, wenn man arbeitslos ist.

6 Alle sind hier sehr freundlich.

② „No Future"-Generation

 a Hör zu und beantworte die Sätze!

1 Was ist die ‚No Future'-Generation?
2 Seit wann ist Molle in Ostberlin?
3 Wovon träumte er mit 16?
4 Was ist passiert?
5 Was hat Molle dann gemacht?
6 Was hat er mit 17 gemacht?
7 Was macht er nun?
8 Wie sieht er seine Zukunft?

 b Hör zu und lies die Sätze! Sind sie richtig oder falsch? Korrigiere die falschen Sätze!

1 Vor der Scheidung hat sich Elke mit ihrer Mutter gut verstanden.
2 Ihre Eltern haben entschieden, bei wem Elke wohnen sollte.
3 Die Situation mit ihrem Vater findet sie unerträglich.
4 Es gefällt Elke sehr gut, dass ihre Stiefmutter jung und cool ist.
5 Es ist kein Problem für sie, ein Zimmer mit ihrer Stiefschwester zu teilen.
6 Elke will jetzt bei ihrer Mutter wohnen.
7 Zur Zeit ist es für Elke unmöglich, eine eigene Wohnung zu haben.
8 Sie will ihren Teilzeitjob aufgeben und einen Vollzeitjob suchen.

③ Gruppenarbeit

 a Was ist besser – zu Hause bei der Familie zu wohnen oder eine eigene Wohnung zu haben? Was sind die Vorteile und Nachteile? Besprecht dies in einer Gruppe zu viert oder fünft und macht Notizen!

Beispiel:
zu Hause:
Vorteile – keine Miete bezahlen, …
Nachteile – das Zimmer mit Geschwistern teilen, …
eigene Wohnung:
Vorteile – kein Streit mit den Eltern, …
Nachteile – sich einsam fühlen, …

 b Macht dann ein Klassenposter! Schreibt eure eigene Meinung auf!

Beispiel:

Ich wohne gern zu Hause, weil ich keine Miete bezahlen muss. Ich möchte aber gern meine eigene Wohnung haben, weil ich mich immer mit meiner Schwester streite.

Ich wohne gern zu Hause,	weil	ich mein eigenes Zimmer habe.
		ich mit meinen Eltern/Geschwister gut auskomme.
		ich keine Miete bezahlen muss.
Ich möchte gern meine eigene Wohnung haben,		ich mich immer mit meinem Bruder streite.
		ich mein eigenes Zimmer möchte.
		ich laute Musik hören möchte.

Grammatik 4b

Past, present and future

Revise the past tense – pages 64–65

Use the **perfect tense** to describe actions and events that took place in the past:

*Ich **habe** Tennis **gespielt**.*　　　　I **played/have played** Tennis.
*Ich **bin** nach Frankreich **gefahren**.*　　I **went** to France.

The **imperfect tense** is used in a more descriptive way in the past:

Heute Morgen war das Wetter schlecht und ich hatte Kopfweh.

Revise the present tense – pages 24–25, 40

Use the **present tense** to describe what is happening now:

*Ich **gehe** zur Schule.*　　　I **go** to school.
*Ich **gehe** in die Stadt.*　　**I'm going** into town.

Revise the future tense – page 144

Use the **future tense** to say what will happen in the future:

*Ich **werde** morgen eine neue Jeans **kaufen**.*　　I **will buy** a new pair of jeans tomorrow.
*Wir **werden** im Sommer nach London **fahren**.*　　We **will go** to London in the summer.

1 Look at these time phrases and decide which tenses they should be used with:

Example:

past	present	future
gestern	heute	morgen

heute   nächste Woche
gestern   bald   in zwei Wochen
letzten Sommer   morgen
nächsten Winter   letzten Mittwoch
jetzt   nächstes Jahr
vor zwei Tagen

2 Choose an appropriate time expression from activity 1 for the sentences below.

Example: **1** *Gestern habe ich ein gutes Fußballspiel gesehen.*

1 _____ habe ich ein gutes Fußballspiel gesehen.
2 Ich werde _____ in die Stadt gehen.
3 _____ waren wir in Frankreich.
4 Ich spiele _____ mit Katrin Tennis.
5 Ich werde _____ viele Freunde zu meiner Party einladen.
6 Ich habe _____ mit Frau Klein gesprochen.
7 Ich muss _____ so viele Hausaufgaben machen!

3 Choose the correct tense for each sentence.

Example: **1** *Ich **fahre** nächsten Sommer nach Deutschland.*

1 Ich *fahre / fuhr* nächsten Sommer nach Deutschland.
2 Letztes Jahr *hatten / haben* wir keine Recylingcontainer in der Stadt.
3 Letzten Montag *bin ich ins Kino gegangen / gehe ich ins Kino*.
4 Nächsten Monat *werden meine Eltern ein neues Haus kaufen / haben meine Eltern ein neues Haus gekauft*.

5 Ich *habe / hatte* jetzt viele gute Freunde hier.
6 *Ich werde ihn vor fünf Minuten sehen / Ich habe ihn vor funf Minuten gesehen.*
7 Gestern *sahen wir / sehen wir* den ganzen Abend fern.

4 Change the present tense verbs to the future.

Example: **1** *Nach der Schule **werde ich** ins Cafe **gehen**. Mein Freund **wird** auch **mitkommen**.*

1 Nach der Schule *gehe* ich ins Cafe. Mein Freund *kommt* auch mit.
2 Wir *trinken* Cola und wir *essen* auch Kuchen.
3 Heute Abend *schreibe* ich einen Brief an meine Brieffreundin in Berlin.
4 Am Samstag *spielen* sie Fußball.
5 Meine Familie *fliegt* bald nach Kanada.
6 Nach dem Abendessen *mache* ich die Küche sauber.
7 Die Clique *trifft sich* heute Abend vor dem Kino.

5 Fill in the verb in the correct tense.

Example: **1** *Als ich klein **war, hatte** ich viele Spielsachen.*

1 Als ich klein (sein), (haben) ich viele Spielsachen.
2 Ich (fahren) jeden Samstag ins Stadtzentrum.
3 Letzte Woche (spielen) ich Gitarre im Konzert.
4 Vor zwei Wochen (sein) meine Mutter ziemlich krank.
5 Wir (gehen) vorgestern zu Fuß zur Schule.
6 Letzten Sommer (bekommen) ich viele Informationen vom Verkehrsbüro.

Tipp 4b

Exam day tips

Listening

- In both the listening and reading exams, questions may be asked in English or in German. Make sure you check whether you should answer in English or German.

- In the exam, you will be given five minutes to read through the questions before the tape is run. *This is an important time.* Use it to pinpoint key words or phrases in the questions which you think will be important.

- Use any pictures or sound effects to help you understand what the recording is all about.

- Keep your notes brief and abbreviate words e.g. **viele – vl.**
  Grundschule – Gsch.
  Umweltverschmutzung – Umwtschm.

- If you didn't hear or understand a key point, let it go and listen carefully the next time.

- Try to repeat dates and numbers in your head as you write them down. Double-check them at the next playing of the tape.

- Be very careful when ticking boxes or identifying pictures using letters or numbers. It is very easy to tick the wrong box by mistake. The differences between pictures are often subtle, so look carefully at all the details.

- Answer concisely and accurately. You will not be penalised for minor grammatical mistakes, but it is essential that all the details can be clearly understood.

- At the end of the exam, read through your answers carefully. Do not leave blanks. Think of a sensible answer to the question. You may have understood enough to make an informed guess at the answer. *There are no marks for a blank line!*

Speaking

- Use your preparation time effectively: try to *think* in German and make brief notes of key ideas and vocabulary you will need.

- Decide on the correct form of address for the role-play, i.e. **Sie** or **du**.

- Speak slowly and clearly to give yourself time to think. Ask the examiner to repeat a question if you don't understand:

> Wie bitte?
> Entschuldigung, ich habe das nicht gehört.
> Könnten Sie langsamer sprechen, bitte?
> Könnten Sie das bitte wiederholen?

- Only use more complicated structures if you feel comfortable with them. There are lots of ways of saying the same thing:

Ich glaube, dass Mathe ein kompliziertes und total langweiliges Schulfach ist.
Ich finde Mathe kompliziert und langweilig.

- If you realize that you have made a mistake, just carry on. Attempting to go back and correct your mistake could make you lose your track of the conversation.

- Remember that the examiner is not there to catch you out but to help you show off what you know.

Reading

- Many of the same techniques for listening also apply to reading:

  - read questions carefully and pinpoint key words and phrases *before* writing down any answers
  - check whether you should answer in German or in English
  - use pictures, photos and diagrams to help you

- Look closely at words you think you don't understand. Ask yourself:

  - Is it a compound noun? Identify the recognizable parts of the word:

    Kaufhausschlussverkauf –
    Kaufhaus *(department store)*
    Schlussverkauf *(sale)*

  - Is it part of a verb? Identify the verb – is it regular/irregular/separable? Identify the tense:

    *Dieses Arbeitspraktikum **gefiel** mir nicht.*
    gefiel – **gefallen** *(to like)* – irregular – imperfect tense

  - Is it similar to English? Take care to make sure that it is not a 'false friend', e.g. **Gymnasium**. Pay careful attention to the context of the word and don't let it lead you astray:

    Wir machen jeden Freitagnachmittag Gymnastik im Gymnasium.

- Read carefully through your answers at the end of the exam. Once you have checked that all details are included, take a few minutes to check your spelling and grammar.

Writing

- Look carefully at the questions and make notes or write a rough draft copy on a piece of paper. Leave enough time to write up a neat copy in the exam booklet.

- Leave time at the end to check all grammatical details, i.e. adjective endings, verb forms, genders and cases in your final copy.

- Look carefully even at familiar words to check for spelling mistakes. It's easy to mix up **ei** and **ie**, for example.

- Try to include some opinions and reasons.

Projekt 4

Umweltschutz an eurer Schule!

Das Szenario

Macht eine Umweltinitiative an eurer Schule! Teilt die Klasse in vier oder fünf Gruppen auf! Jede Gruppe sammelt Informationen.

- Gruppe 1: Was ist umweltfreundlich? Was ist umweltfeindlich? Welche Produkte sind umweltfreundlich – und welche sind umweltfeindlich? Warum sind diese Produkte umweltfreundlich/umweltfeindlich?

- Gruppe 2: Recycling. Welchen Müll kann man recyceln? In welche Container kommt dieser Abfall? Wie kann man zuviel Müll vermeiden? Welche Produkte soll man kaufen/nicht kaufen?

- Gruppe 3: Umweltprobleme in unserem Land. Wo gibt es bei euch Umweltverschmutzung? Wo ist die Umweltverschmutzung besonders groß – und warum? Wo wird etwas für die Umwelt getan – und was?

- Gruppe 4: Rettet die Natur und die Tiere! Was kann man praktisch tun, um die Natur zu retten? Welche Tierarten sind vom Aussterben bedroht – und warum?

- Gruppe 5: Umweltschutz in der Schule. Wie kann man die Umwelt in der Schule schützen? Was sollte man vermeiden – und was sollte man tun? Welche Aktionen kann man machen?

Ihr könnt eure Projekte auch mit Fotos oder Zeichnungen illustrieren.

Danach können alle Gruppen ihre Umweltschutzinitiativen der Klasse (und vielleicht der ganzen Schule!) vorstellen.

Euer Ziel: Ihr sollt die anderen Gruppen davon überzeugen, dass eure Umweltinitiative die beste ist.

Nachdem alle Gruppen ihr Projekt vorgestellt haben, wählt jede/jeder die Umweltinitiative, die ihr/ihm am besten gefallen hat.

Grammatik

Nouns

A noun names a person, animal or object. All nouns in German start with a capital letter.

1 Gender of nouns

Every German noun belongs to one of three gender groups: masculine (*m.*), feminine (*f.*) or neuter (*n.*). The definite and indefinite articles (the words for *the* and *a(n)*) depend on which gender the noun belongs to:

m.	der/ein Lehrer	*the/a teacher*
f.	die/eine Schülerin	*the/a female pupil*
n.	das/ein Klassenzimmer	*the/a classroom*

2 Plural of nouns

The plural form for **der, die, das** is always **die**. In German plurals vary a lot, and it is best to learn each noun along with its gender and its plural form.

Cases

Nouns are used in four cases in German: nominative, accusative, dative and genitive. The cases indicate the part the noun plays in the sentence.

3 The nominative case

The nominative case is used for the subject of the sentence (the person or thing doing the action described by the verb):

Der Schüler lacht.   *The student laughs.*

4 The accusative case

a The accusative case is used for the direct object of the sentence (the person or thing affected by the action of the verb):

Ich sehe **den** Schüler.   *I see the student.*

b The accusative case is also used after certain prepositions (see pages 169–170).

5 The dative case

a The dative case is used for the indirect object (the person or thing to whom something is given, offered, etc.):

Die Lehrerin gibt **dem** Schüler das Heft.
The teacher gives the exercise book to the student.
Or
The teacher gives the student the exercise book.

The English equivalent of the indirect object is *to …*, but this idea is often hidden in English.

b In the plural, **die** changes to **den**, and **-(e)n** is added to the end of the noun unless it already ends in **-n**:

Die Lehrerin gibt **den** Schüler**n** die Hefte.
The teacher gives the students the exercise books.

c A list of common verbs followed by the dative includes:

erklären (*to explain*)
erzählen (*to tell*)
geben (*to give*)
sagen (*to say*)
schenken (*to give*)
zeigen (*to show*)

d The dative case is also used after certain prepositions (see pages 169–170).

6 The genitive case

a The genitive case is used to show possession. The English equivalent is *of …* or *'s*:

Das ist das Fahrrad **des** Schülers.
That is the student's bicycle.
Or   *That is the bicycle of the student.*

b Masculine and neuter nouns sometimes add an extra **-(e)-** before the final **-s** in the genitive:

Das ist das Fahrrad **des** Kind**es**.
That is the child's bicycle.

7 The definite and indefinite articles

Here is a complete list of definite and indefinite articles in the four cases:

	nominative	accusative	dative	genitive
m.	der/ein	den/einen	dem/einem	des/eines
f.	die/eine	die/eine	der/einer	der/einer
n.	das/ein	das/ein	dem/einem	des/eines
pl.	die	die	den	der

8 Weak nouns

A small group of masculine nouns are known as weak nouns. They always add an **-(e)n** ending in the accusative, dative, genitive and plural forms:

	sing.	pl.
nominative	der Junge	die Jungen
accusative	den Jungen	die Jungen
dative	dem Jungen	den Jungen
genitive	des Jungen	der Jungen

Pronouns

a Pronouns are words used instead of a noun (like *he, we* in English). Like the definite and indefinite articles, the forms of pronouns change according to their function in a sentence.

nominative	accusative	dative
ich (*I*)	mich	mir
du (*you*)	dich	dir
er/sie/es (*he/she/it*)	ihn/sie/es	ihm/ihr/ihm
man (*one*)	einen	einem
wir (*we*)	uns	uns
ihr (*you*)	euch	euch
sie (*they*)	sie	ihnen
Sie (*you*)	Sie	Ihnen

b The pronoun **sie** can have different meanings: *she* or *they*.

c **Sie** is the polite form of *you* when talking to strangers, adults and in formal or business situations.

d **Du** and its plural form **ihr** are the informal ways of saying *you* and are used for addressing friends, family members, children and animals.

e **Man** is often used in German and can mean *one, you, they* or *we*.

Adjectives

Adjectives are used to describe nouns. When the adjective stands on its own it has no ending:

Der Pullover ist alt.   *The jumper is old.*

However, when the adjective stands in front of a noun it adds an ending:

Das ist ein alt**er** Pullover.   *That's an old jumper.*

Adjective endings change depending on which case is used.

9 Adjective endings after the definite article

	masculine	feminine	neuter	plural
nom.	der kleine Hund	die alte Frau	das neue Auto	die roten Hosen
acc.	den kleinen Hund	die alte Frau	das neue Auto	die roten Hosen
dat.	dem kleinen Hund	der alten Frau	dem neuen Auto	den roten Hosen
gen.	des kleinen Hundes	der alten Frau	des neuen Autos	der roten Hosen

10 Adjective endings after the indefinite article

	masculine	feminine	neuter	plural
nom.	ein kleiner Hund	eine alte Frau	ein neues Auto	rote Hosen
acc.	einen kleinen Hund	eine alte Frau	ein neues Auto	rote Hosen
dat.	einem kleinen Hund	einer alten Frau	einem neuen Auto	roten Hosen
gen.	eines kleinen Hundes	einer alten Frau	eines neuen Autos	roter Hosen

11 Adjective endings without an article

	masculine	feminine	neuter	plural
nom.	guter Wein	gute Wurst	gutes Brot	gute Nudeln
acc.	guten Wein	gute Wurst	gutes Brot	gute Nudeln
dat.	gutem Wein	guter Wurst	gutem Brot	guten Nudeln
gen.	guten Weines	guter Wurst	guten Brotes	guter Nudeln

12 Possessive adjectives

Possessive adjectives show possession:

mein	*my*	unser	*our*
dein	*your*	euer	*your*
sein	*his*	ihr	*their*
ihr	*her*	Ihr	*your*
sein	*its*		

Possessive adjectives follow the pattern of **ein**, **eine**, **ein** (see page 167).

	masculine	feminine	neuter	plural
nom.	mein Sohn	meine Tochter	mein Kind	meine Söhne, Töchter, Kinder
acc.	meinen Sohn	meine Tochter	mein Kind	meine Söhne, Töchter, Kinder
dat.	meinem Sohn	meiner Tochter	meinem Kind	meinen Söhnen, Töchtern, Kindern
gen.	meines Sohnes	meiner Tochter	meines Kindes	meiner Söhne, Töchter, Kinder

Write sentences using the preposition.

13 Comparative and superlative of adjectives

a Adjectives are also used to compare people or things.

Tim ist **älter** als Tobias. *Tim is older than Tobias.*

Aber Jan ist **am ältesten**. *But Jan is the eldest.*

adjective	comparative	superlative
neu	neuer	am neuesten
klein	kleiner	am kleinsten
schön	schöner	am schönsten
alt	älter	am ältesten
groß	größer	am größten
billig	billiger	am billigsten

b Some vowels take an extra umlaut in the comparative and superlative forms. There are also some completely irregular forms:

adjective	comparative	superlative
gern (*gladly*)	lieber	am liebsten
gut (*well*)	besser	am besten
viel (*much*)	mehr	am meisten

c When comparative and superlative adjectives are used before a noun, they take the same endings as all other adjectives (see page 177):

das billige**re** T-Shirt *the cheaper T-shirt*

das billigs**te** T-Shirt *the cheapest T-shirt*

Prepositions

A preposition is a word like *at* or *on* which stands in front of a noun or pronoun and links it to the rest of the sentence:

Ich gehe **in** das Haus. *I'm going into the house.*

Das Buch liegt **auf** dem Tisch. *The book is on the table.*

In German prepositions are always followed by the accusative, dative or genitive case.

14 Prepositions followed by the accusative case

The following prepositions are *always* followed by the accusative case:

bis	*until*
durch	*through*
für	*for*
gegen	*against*
ohne	*without*
um	*around*

Moving objects take akkusativ

Das ist ein Geschenk **für meine** Freundin.
That's a present for my friend.

Die Schule ist hier **um die** Ecke.
The school is just around the corner.

15 Prepositions followed by the dative case

a The following prepositions are *always* followed by the dative case:

aus	*from, out of*
bei	*at*
gegenüber	*opposite*
mit	*with*
nach	*after, to*
seit	*since*
von	*from, of*
zu	*to*

Static objects take Dativ

Er kommt **aus de**r Schweiz.
He comes from Switzerland.

Ich gehe **mit meinem** Freund in die Stadt.
I'm going into town with my friend.

b Note these shortened forms:

zu dem	→	zum *masculine/neutral.*
zu der	→	zur *femenine.*
bei dem	→	beim
von dem	→	vom

16 Prepositions followed by the accusative or the dative case

Some prepositions are sometimes followed by the accusative and sometimes by the dative case. When followed by the dative they tell you where someone or something is. When followed by the accusative they tell you where someone or something is going or moving to:

Ich bin **in der** Stadt.   *I'm in town.*
Ich fahre **in die** Stadt.   *I'm going into town.*

Here is a list of these prepositions:

preposition	meaning with dat.	meaning with acc.
an	*at, on*	*up to, over to*
auf	*on*	*onto*
in	*in*	*into*
hinter	*behind*	*(go) behind*
neben	*near, next to*	*(go) beside, next to*
über	*above, over*	*(go) over, across*
unter	*under*	*(go) under*
vor	*in front of*	*(go) before*
zwischen	*between*	*(go) between*

Note these shortened forms:

an dem   →   am
an das   →   ans
in dem   →   im
in das   →   ins

Verbs

A verb expresses an action or a state:

Ich **spiele** Tennis.   *I am playing tennis.*
Ich **bin** zu Hause.   *I am at home.*

In dictionaries and word lists, verbs are given in the infinitive form (the *to …* form in English). German infinitive forms always end in **-(e)n**: **spiel***en* (to play).

The tense is the form of the verb which expresses *when* the action takes place:

Er **schreibt** einen Brief.
He writes/is writing a letter. (present tense)

Er **hat** einen Brief **geschrieben**.
He has written a letter. (past tense)

Er **wird** einen Brief **schreiben**.
He will write a letter. (future tense)

17 The present tense

The present tense describes what someone is doing at the moment. In English there are three ways of expressing the present tense:

I play (every day, often, etc.).
I am playing (now, this morning, etc.).
I do play./Do you play?

In German there is only one equivalent for these three forms: **ich spiele**.

a Present tense of regular (weak) verbs. Regular or weak verbs all follow this pattern:

Infinitive: **spielen** *to play*
ich spiel**e**
du spiel**st**
er/sie/es/man spiel**t**
wir spiel**en**
ihr spiel**t**
sie/Sie spiel**en**

b Present tense of irregular (strong) verbs. Irregular (strong) verbs do not follow the above pattern. They change in the present tense in the **du** and **er/sie/es/man** forms as follows:

fahren *to go, drive*
ich fahre   wir fahren
du f**ä**hrst   ihr fahrt
er f**ä**hrt   sie/Sie fahren

a → ä

laufen *to run*

ich laufe	wir laufen
du läufst	ihr lauft
er läuft	sie/Sie laufen

au → äu

sehen *to see*

ich sehe	wir sehen
du siehst	ihr seht
er sieht	sie/Sie sehen

e → ie

geben *to give*

ich gebe	wir geben
du gibst	ihr gebt
er gibt	sie/Sie geben

e → i

You can find a list of the most common irregular verbs on pages 178–180.

18 Haben and sein

Two of the most important irregular verbs are **haben** (*to have*) and **sein** (*to be*). Their present tense forms are as follows:

	haben	sein
ich	habe	bin
du	hast	bist
er/sie/es/man	hat	ist
wir	haben	sind
ihr	habt	seid
sie	haben	sind
Sie	haben	sind

19 Modal verbs

Modal verbs are used together with another verb in the infinitive which goes to the end of the sentence:

Ich **muss** meine Hausaufgaben **machen**.
  (modal verb)   (second verb in the infinitive)

Modal verbs are all irregular. Their present tense forms are as follows:

	müssen	wollen
ich	muss	will
du	musst	willst
er/sie/es/man	muss	will
wir	müssen	wollen
ihr	müsst	wollt
sie	müssen	wollen
Sie	müssen	wollen

	können	dürfen
ich	kann	darf
du	kannst	darfst
er/sie/es/man	kann	darf
wir	können	dürfen
ihr	könnt	dürft
sie	können	dürfen
Sie	können	dürfen

	sollen	mögen
ich	soll	mag
du	sollst	magst
er/sie/es/man	soll	mag
wir	sollen	mögen
ihr	sollt	mögt
sie	sollen	mögen
Sie	sollen	mögen

20 Separable verbs

a Separable verbs consist of a verb and another part or prefix in front which alters the meaning of the verb: **an/kommen**, **um/steigen**. In the present tense the prefix is separated from the verb and goes to the end of the sentence:

Ich **komme** um acht Uhr **an**.
I arrive at eight o'clock.
Ich **steige** am Marktplatz **um**.
I change at the market place.

b If a modal verb is used in the same sentence, the separable prefix rejoins the verb and goes to the end of the sentence:

Ich **kann** am Wochenende **ausschlafen**.
I can have a lie in at the weekends.

21 Reflexive verbs

Reflexive verbs are verbs which include the pronoun **sich** in the infinitive form: **sich waschen** (*to wash oneself*). The reflexive pronoun changes according to the form of the verb:

ich wasche **mich** (*I wash myself*)
du wäschst **dich** (*you wash yourself*)
er/sie/es/man wäscht **sich** (*he/she/it/one washes him/her/it/oneself*)
wir waschen **uns** (*we wash ourselves*)
ihr wascht **euch** (*you wash yourselves*)
sie waschen **sich** (*they wash themselves*)
Sie waschen **sich** (*you wash yourself*)

Some German verbs are reflexive where the English forms are not:

Ich **interessiere mich** für Sport.
I am interested in sports.
Ich **setze mich** auf den Stuhl.
I sit down on the chair.

22 The perfect tense

The perfect tense is used to describe events that have happened in the past. It consists of two parts: the auxiliary verb **haben** or **sein** and the past participle of a verb, which always goes to the end of the sentence.

a **Haben** is used for most verbs:

Ich **habe** ein Buch **gekauft**.
I have bought a book.

b Verbs with **sein** are generally used to indicate movement:

Ich **bin** in die Stadt **gegangen**.
I've gone into town.

c Some verbs can take either **haben** or **sein** depending on the context:

Ich **habe** sein Mofa **gefahren**.
I drove his moped.
Ich **bin** nach Berlin **gefahren**.
I went to Berlin.

d Perfect tense of regular (weak) verbs.
To form the past participle of a regular or weak verb, the prefix **ge-** is added to the **er/sie/es/man** form of the verb:

er spielt   **ge**spielt

e Perfect tense of irregular (strong) verbs. Irregular (strong) verbs do not form the past participle like regular (weak) verbs. All verbs which form the past participle with **sein** are irregular or strong verbs:

gehen   ich bin **gegangen**
fliegen   ich bin **geflogen**

A few irregular or strong verbs form the past participle with **haben**:

sprechen   **gesprochen**

They should all be learned individually. A list of the most common irregular verbs can be found on pages 194–6.

Some verbs drop the **ge-** altogether from the past participle. These include verbs ending in **-ieren** and verbs with inseparable prefixes such as **be-**, **ent-**, **zer-**, **ver-**.

Ich habe **telefoniert**.   *I telephoned.*
Sie hat Tom **besucht**.   *She visited Tom.*
Er hat den Zug **verpasst**.   *He missed the train.*

f Separable verbs.
In the case of past participles of separable verbs, the prefix rejoins the verb with **-ge-** in the middle:

Der Zug ist um 15 Uhr ab**ge**fahren.
The train left at 3 o'clock.

23 The imperfect tense

a The imperfect tense is normally used in written German – articles, stories and reports are usually all in the imperfect tense. Some very common verbs are also almost always used in the imperfect tense. They are **haben**, **sein**, **werden** and the modal verbs:

Ich **hatte** Hunger.   *I was hungry.*
Ich **war** krank.   *I was ill.*
Ich **musste** meine Hausaufgaben machen.
I had to do my homework.

b Imperfect tense of regular (weak) verbs.
Regular or weak verbs form the imperfect tense by adding the following endings to the **er/sie/es/man** present tense form of the verb:

ich spiel**te** (*I played*)
du spiel**test** (*you played*)
er/sie/es/man spiel**te** (*he/she/it/one played*)
wir spiel**ten** (*we played*)
ihr spiel**tet** (*you played*)
sie/Sie spiel**ten** (*they/you played*)

c Imperfect tense of irregular (strong) verbs. There is no rule for forming the imperfect tense of irregular or strong verbs; they have to be learned individually. You can find a list of all the irregular (weak) verbs on pages 178–180.

d In both weak and strong verbs, the third person (**er/sie/es/man**) form is the same as the **ich** form. The **sie/Sie** form is also always the same as the **wir** form:

tragen *to carry*
ich **trug**   wir **trugen**
du trugst   ihr trugt
er/sie/es/man **trug**   sie/Sie **trugen**

24 The future tense

The future tense describes what is *going* to happen. There are two ways in German of talking about the future:

a The present tense + expression of time.
The present tense used with an expression of time tells us when something is going to happen:

Ich **fahre morgen** nach Berlin.
I'm going to Berlin tomorrow.

b The future tense with **werden**.
The true future tense is formed by using the present tense of **werden** plus an infinitive at the end of the sentence:

Ich **werde** nach Berlin **fahren**.
I will go to Berlin.

ich werde fahren
du wirst fahren
er/sie/es/man wird fahren
wir werden fahren
ihr werdet fahren
sie/Sie werden fahren

25 The conditional tense

a The conditional tense is used to say what you would do if …

Wenn ich reich **wäre, würde** ich eine Weltreise **machen**.
If I were rich I would go on a world trip.

Wenn ich eine Million Mark **hätte, würde** ich nicht mehr **arbeiten**.
If I had one million marks, I would not work any more.

b The conditional form is formed as follows:

Wenn ich … wäre, würde ich + infinitive at the end (*If I were …, I would …*)

Wenn ich … hätte, würde ich + infinitive at the end (*If I had …, I would …*)

kommen *to come*
ich würde kommen   wir würden kommen
du würdest kommen   ihr würdet kommen
er/sie/ }würde kommen   sie }würden kommen
es/man }   Sie }

c Some commonly occurring expressions used in conditional sentences are as follows:

ich möchte …	*I would like …*
ich hätte gern …	*I'd like …*
könntest du …?	*could you …?*
würdest du …?	*would you …?*
wir sollten …	*we should …*

26 The pluperfect tense

a The pluperfect tense expresses what *had* already happened in the past:

Ich **hatte** meine Hausaufgaben schon **gemacht**.
I had already done my homework.

Ich **war** schon letztes Jahr in Berlin **gewesen**.
I'd already been to Berlin last year.

b The pluperfect form is the same as the perfect form except that the forms of the auxiliary verbs **haben** or **sein** are in the imperfect form:

	haben	sein
ich	hatte	war
du	hattest	warst
er/sie/es/man	hatte	war
wir	hatten	waren
ihr	hattet	wart
sie	hatten	waren
Sie	hatten	waren

27 The passive

The passive describes what is being done to someone or something.

In German the passive is formed by using the verb **werden** (*to become*) with a past participle:

Der Hund **wird gebadet**.
The dog is being bathed.
Müll **wird recycelt**.
Rubbish is being recycled.

28 zu + infinitive

Apart from the modal verbs which are followed by the infinitive without **zu**, almost all other verbs or structures which are followed by an infinitive need to add **zu**:

Ich versuche **zu** lernen.
I'm trying to study.

Ich habe keine Lust, in die Stadt **zu** fahren.
I don't feel like going into town.

29 um … zu + infinitive

In order to … is expressed in German by **um … zu** + infinitive:

Ich lerne **um** gute Noten **zu** bekommen.
I'm studying in order to get good marks.

Ich gehe in die Stadt **um** eine CD **zu** kaufen.
I'm going into town in order to buy a CD.

30 lassen + infinitive

a **Lassen** + infinitive means *to get something done*. In the present and imperfect tense **lassen** is regular:

Ich **lasse** meine Hose **reinigen**.
I am having my trousers cleaned.

Ich **ließ** meine Kamera **reparieren**.
I got my camera repaired.

b In the perfect tense, **lassen** is used instead of the normal past participle **gelassen**:

Ich **habe** meine Hose reinigen **lassen**.
I got my trousers cleaned.

Ich **habe** meine Kamera reparieren **lassen**.
I had my camera repaired.

Negatives

31 nicht

Nicht is usually used to express *not*:

Sie ist **nicht** groß.   *She's not tall.*
Ich gehe **nicht** ins Schwimmbad.
I'm not going to the pool.

32 kein/keine

Kein(e) is used with nouns to express *no, not a, not any*. **Kein(e)** follows the pattern of **ein(e)**:

Ich habe **keine** Katze, aber ich habe eine Maus.
I haven't got a cat, but I have got a mouse.

Das ist **kein** Problem!
That's no problem!

33 nichts

Nichts means *nothing/not anything*:

Ich habe **nichts** gesehen.
I haven't seen anything.

Word order

34 Main clauses

a In main clauses the verb is always the second idea. Sometimes it's the actual second word, but not always:

Ich **heiße** Sandra.
(1)   (2)
I'm called Sandra.

Mein Bruder **hat** morgen Geburtstag.
(1)   (2)
It's my brother's birthday tomorrow.

b If any other idea in the sentence comes before the verb, the subject of the sentence comes after the verb so that the verb is still the second idea:

Morgen **fahre** ich nach Berlin.
(1)   (2)
Tomorrow I'm going to Berlin.

35 Co-ordinating conjunctions

Conjunctions are words which join sentences together. The following conjunctions don't change the word order of the sentence they introduce: **und** (*and*), **denn** (*for, because*), **oder** (*or*), **aber** (*but*), **sondern** (*but*):

Es regnet **und** es ist kalt.
It's raining and it's cold.

Ich gehe ins Bett, **denn** ich bin müde.
I'm going to bed because I'm tired.

36 Subordinate clauses

a Some conjunctions change the word order of the sentence they introduce – they send the verb to the end:

Ich finde es gut, **dass** wir die Umwelt **schützen**.
I'm pleased that we are protecting the environment.

Ich mag Mathe nicht, **weil** es so langweilig **ist**.
I don't like maths because it's so boring.

b The most common of these conjunctions are:

als	*when* (used to describe past actions)
bevor	*before*
bis	*until*
dass	*that*
nachdem	*after*
ob	*whether*
obwohl	*although*
während	*while*
weil	*because*
wenn	*when/if* (used to describe present and future actions; *whenever*)
wo	*where*

37 Time – manner – place

When sentences include several elements, they must follow the order **Time** (i.e. *when?*), **Manner** (i.e. *how?*), **Place** (i.e. *where (to/from)?*):

Ich fahre | um vier Uhr | mit dem Bus | in die Stadt.
| (time) | (manner) | (place)

At 4 o'clock I'm going into town by bus.

38 The imperative

a The imperative is used to give orders or instructions, or to express requests. In the imperative the verb always comes first in the sentence. With regular verbs an **e** may or may not be added:

Mach die Tür zu!   *Close the door!*
Gib mir bitte die Butter!
Please pass me the butter.

b When addressing someone as **du**, the imperative form of both regular (weak) and irregular (strong) verbs is the same as the **du** form, but the **du** and the ending **-st** are dropped:

Du machst die Tür auf.
→   **Mach(e)** die Tür auf!   *Open the door!*

Du gibst mir den Brief.
→   **Gib** mir den Brief!   *Give me the letter!*

c When adressing someone as **ihr**, the imperative is the same as the present tense form with the verb in front, but **ihr** is dropped:

Ihr macht die Tür auf.
→   **Macht** die Tür auf!   *Open the door!*
Ihr ruft ihn an.
→   **Ruft** ihn an!   *Give him a call!*

d When adressing someone as **Sie**, the imperative is the same as the present tense form with the verb in front, however the **Sie** is not dropped:

Sie machen die Tür auf.
→   **Machen Sie** die Tür auf!   *Open the door!*
Sie rufen ihn an.
→   **Rufen Sie** ihn an!   *Give him a call!*

39 Relative clauses

a Relative clauses are subordinate clauses. They are introduced by a relative pronoun (*who* or *which* in English) which sends the verb to the end of the sentence:

Das ist der Lehrer, **der** sehr nett ist.
That's the teacher who is very nice.

Der Lehrer, **der** sehr nett ist, unterrichtet Mathe.
The teacher who is very nice is teaching maths.

b Relative pronouns depend on the gender and number of the noun they refer to. The case relative pronouns take depends on their role in the relative clause:

	m.	*f.*	*n.*	*pl.*
nominative	der	die	das	die
accusative	den	die	das	die
dative	dem	der	dem	denen
genitive	dessen	deren	dessen	deren

40 Question forms

To form a question which requires only a
ja/nein answer, you simply put the verb at the
beginning of the sentence:

Sprichst du Deutsch?   *Do you speak German?*

41 Question words

To form a question which requires more
information in the answer, you use a question
word at the beginning of the sentence followed
by the verb:

Wann fährt der Zug nach Bremen?
When does the train to Bremen leave?

Wann?	*When?*
Warum?	*Why?*
Was?	*What?*
Was für?	*What kind of?*
Welche/r/s?	*Which?*
Wer?	*Who?*
Wie?	*How?*
Wie lange?	*How long?*
Wie viel?/Wie viele?	*How much?/How many?*
Wo?	*Where?*

Starke Verben

*Verbs which always take **sein** in the perfect and pluperfect tense.

Infinitive	Present	Imperfect	Perfect	English
beginnen	beginnt	begann	begonnen	*to begin*
beißen	beißt	biss	gebissen	*to bite*
biegen	biegt	bog	gebogen	*to bend*
bieten	bietet	bot	geboten	*to offer*
binden	bindet	band	gebunden	*to tie*
bitten	bittet	bat	gebeten	*to ask*
blasen	bläst	blies	geblasen	*to blow*
bleiben	bleibt	blieb	geblieben*	*to stay*
brechen	bricht	brach	gebrochen	*to break*
brennen	brennt	brannte	gebrannt	*to burn*
bringen	bringt	brachte	gebracht	*to bring*
denken	denkt	dachte	gedacht	*to think*
dürfen	darf	durfte	gedurft	*to be allowed to*
empfehlen	empfiehlt	empfahl	empfohlen	*to recommend*
essen	isst	aß	gegessen	*to eat*
fahren	fährt	fuhr	gefahren*	*to go, travel*
fallen	fällt	fiel	gefallen*	*to fall*
fangen	fängt	fing	gefangen	*to catch*
finden	findet	fand	gefunden	*to find*
fliegen	fliegt	flog	geflogen*	*to fly*
fliehen	flieht	floh	geflohen*	*to flee*
fließen	fließt	floss	geflossen*	*to flow*
frieren	friert	fror	gefroren	*to freeze*
geben	gibt	gab	gegeben	*to give*
gehen	geht	ging	gegangen*	*to go*
gelingen	gelingt	gelang	gelungen*	*to succeed*
genießen	genießt	genoss	genossen	*to enjoy*
geschehen	geschieht	geschah	geschehen*	*to happen*
gewinnen	gewinnt	gewann	gewonnen	*to win*
graben	gräbt	grub	gegraben	*to dig*
greifen	greift	griff	gegriffen	*to grasp*
haben	hat	hatte	gehabt	*to have*
halten	hält	hielt	gehalten	*to stop*
hängen	hängt	hing	gehangen	*to hang*
heben	hebt	hob	gehoben	*to lift*
heißen	heißt	hieß	geheißen	*to be called*
helfen	hilft	half	geholfen	*to help*
kennen	kennt	kannte	gekannt	*to know*
kommen	kommt	kam	gekommen*	*to come*
können	kann	konnte	gekonnt	*to be able to*
laden	lädt	lud	geladen	*to load*
lassen	lässt	ließ	gelassen	*to allow*
laufen	läuft	lief	gelaufen*	*to run*

Infinitive	Present	Imperfect	Perfect	English
leiden	leidet	litt	gelitten	*to suffer*
leihen	leiht	lieh	geliehen	*to lend*
lesen	liest	las	gelesen	*to read*
liegen	liegt	lag	gelegen	*to lie*
lügen	lügt	log	gelogen	*to tell a lie*
meiden	meidet	mied	gemieden	*to avoid*
misslingen	misslingt	misslang	misslungen*	*to fail*
mögen	mag	mochte	gemocht	*to like*
müssen	muss	musste	gemusst	*to have to*
nehmen	nimmt	nahm	genommen	*to take*
nennen	nennt	nannte	genannt	*to name*
raten	rät	riet	geraten	*to guess*
reiten	reitet	ritt	geritten	*to ride*
reißen	reißt	riss	gerissen	*to rip*
rennen	rennt	rannte	gerannt*	*to run*
rufen	ruft	rief	gerufen	*to call*
saugen	saugt	saugte	gesaugt	*to suck*
scheiden	scheidet	schied	geschieden*	*to separate*
scheinen	scheint	schien	geschienen	*to shine*
schlafen	schläft	schlief	geschlafen	*to sleep*
schlagen	schlägt	schlug	geschlagen	*to hit*
schließen	schließt	schloss	geschlossen	*to shut*
schneiden	schneidet	schnitt	geschnitten	*to cut*
schreiben	schreibt	schrieb	geschrieben	*to write*
schreien	schreit	schrie	geschrien	*to cry*
sehen	sieht	sah	gesehen	*to see*
sein	ist	war	gewesen*	*to be*
senden	sendet	sandte	gesandt	*to send*
sitzen	sitzt	saß	gesessen	*to sit*
sollen	soll	sollte	gesollt, sollen	*ought to*
sprechen	spricht	sprach	gesprochen	*to speak*
stehen	steht	stand	gestanden*	*to stand*
stehlen	stiehlt	stahl	gestohlen	*to steal*
steigen	steigt	stieg	gestiegen*	*to climb*
sterben	stirbt	starb	gestorben*	*to die*
stoßen	stößt	stieß	gestoßen	*to push*
streichen	streicht	strich	gestrichen	*to paint*
tragen	trägt	trug	getragen	*to carry*
treffen	trifft	traf	getroffen	*to meet*
treiben	treibt	trieb	getrieben	*to do*
treten	tritt	trat	getreten	*to step*
trinken	trinkt	trank	getrunken	*to drink*
tun	tut	tat	getan	*to do*

Infinitive	Present	Imperfect	Perfect	English
überwinden	überwindet	überwand	überwunden	*to overcome*
vergessen	vergisst	vergaß	vergessen	*to forget*
verlieren	verliert	verlor	verloren	*to lose*
verschwinden	verschwindet	verschwand	verschwunden★	*to disappear*
verzeihen	verzeiht	verzieh	verziehen	*to pardon*
wachsen	wächst	wuchs	gewachsen★	*to grow*
waschen	wäscht	wusch	gewaschen	*to wash*
weisen	weist	wies	gewiesen	*to show*
wenden	wendet	wandte	gewendet	*to turn*
werben	wirbt	warb	geworben	*to advertise*
werden	wird	wurde	geworden★	*to become*
werfen	wirft	warf	geworfen	*to throw*
wiegen	wiegt	wog	gewogen	*to weigh*
wissen	weiß	wusste	gewusst	*to know*
ziehen	zieht	zog	gezogen	*to pull*

Grammatiktraining

1   Rewrite these sentences changing *ein/eine* to *der/die/das*.

Example: **a** *Das Mädchen steht ganz allein an der Bushaltestelle.*

a *Ein* Mädchen steht ganz allein an der Bushaltestelle.

b *Ein* Urlaub in Amerika macht sicher Spaß.

c *Eine* Ferienwohnung am Meer ist immer bequem.

d Direkt in der Stadtmitte ist *ein* Hallenbad.

e *Eine* Gemüsesuppe in diesem Restaurant ist normalerweise lecker.

f *Ein* Bewerbungsbrief an eine Firma ist sehr wichtig um eine gute Stelle zu bekommen.

g *Eine* Eintrittskarte für das Kino kostet 5 Euro.

h *Ein* Einkaufszentrum hat viele Geschäfte unter einem Dach.

2   **a**   Write the plural forms of these nouns.

Example: *die Freundin – die Freundinnen*

das Zimmer	das Buch	das Fach
der Brief	der Monat	die Zeitung
der Lehrer	der Kollege	der Gast
das Dorf	der Platz	der Bruder
die Freundin		

b   Complete these sentences with one of the plural nouns from activity **a**.

Example: **a** *Als Teilzeitjob trage ich Zeitungen aus.*

a Als Teilzeitjob trage ich _____ aus.

b Die _____ auf dem Land in unserer Gegend sind klein und hübsch.

c Es gibt viele strenge _____ an unserer Schule.

d Ich habe eine jüngere Schwester und zwei ältere _____ .

e Sie schreibt viele _____ an ihre deutsche Brieffreundin.

f Die _____ in unserem Haus sind ziemlich klein.

g Es gibt zwölf _____ in einem Jahr.

h Entschuldigen Sie bitte, wie viele freie _____ haben Sie auf dem Campingplatz?

i Die _____ , die wir in der Schule lernen, sind meistens interessant.

j Ich lese am liebsten Sciencefiction _____ .

k Die _____ im Geschäft, in dem ich samstags arbeite, sind nett.

l Zu Silvesterfeier kommen ungefähr zwanzig _____ .

3   Write an appropriate answer to these questions using the pictures with accusative case indefinite articles: *einen, ein* and *eine*.

Example: **a** *Ich habe einen Kuli.*

a Was hast du in der Hand?

b Was seht ihr im Klassenzimmer?

c Was isst du?

d Was schreibst du?

e Was trägt er, wenn er samstagabends in die Disco geht?

f Was kaufst du morgen im Supermarkt?

g Was möchten Sie heute reinigen lassen?

h Was für Sachen hast du im Kaufhaus gekauft?

4 Here are some things which are happening in school today. Fill in the correct definite article in the dative case (*dem/dem/der/den*) for each sentence.

Example: **a** *Die Lehrerin erzählt <u>den</u> Schülern eine kurze Geschichte.*

a Die Lehrerin erzählt _____ Schülern eine kurze Geschichte.
b Die Lehrerin erklärt _____ Kind ein Matheproblem.
c Der Direktor zeigt _____ Eltern das neue Schulgebäude.
d Die kleinen Kinder schenken _____ Lehrerin eine Schachtel Pralinen.
e Die Klasse sagt _____ Englischassistentin „goodbye", weil sie nach Hause fährt.
f Der Hausmeister gibt _____ Lehrer einen neuen Papierkorb.
g Der Junge gibt _____ Schüler einen Bleistift.
h Das Mädchen erzählt _____ Freundin einen lustigen Witz.
i Der Referendar zeigt _____ Mädchen eine Landkarte von Europa.

5 Use the genitive case to make sentences saying what belongs to whom.

Example: **a** *Das ist die Schultasche <u>meines Bruders</u>.*

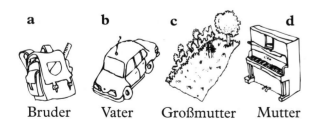

a	**b**	**c**	**d**
Bruder	Vater	Großmutter	Mutter

e	**f**	**g**
Lehrer	Schwester	Großeltern

6 Fill in the genitive case endings.

Example: **1** *Im August dieses Jahres fahren wir an die Nordsee.*

1 Im August dies___ Jahr___ fahren wir an die Nordsee.
2 Das kleine weiße Haus unser___ Freund___ steht direkt am Meer.
3 Die Häuser d___ Dorf___ sind typisch für Schleswig-Holstein.
4 Die Zimmer unser___ Ferienhaus___ sind klein, aber sehr gemütlich.
5 Wir gehen jeden Tag mit den Kindern d___ Nachbarin an den Strand.
6 Das Wasser d___ Nordsee ist im Sommer warm und wir schwimmen viel.
7 Wir gehen auch oft essen. Das Essen d___ zwei Restaurant___ im Dorf schmeckt uns gut!
8 Ich nehme meistens den ‚Fisch d___ Tag___'. Er ist immer frisch!

7 Write appropriate answers to these questions, using the correct pronoun.

Example: **a** *<u>Er</u> ist Lehrer.*

a Was macht dein Vater von Beruf?
b Was machen die Schüler normalerweise in der Pause?
c Warum lernst du nicht gern Mathe?
d Ist Frau Schmidt Deutsch- oder Französischlehrerin?
e Wie heißt dein kleines Kaninchen?
f Wo ist der Hauptbahnhof, bitte?
g Wie viel kostet bitte eine Postkarte nach Großbritannien?
h Was will der Kunde kaufen?
i Wann beginnt für dich das Wochenende?

8 Fill in the correct form of you: *du, ihr, Sie* and *man* in these questions.

Example: **a** *Wie findest <u>du</u> deinen neuen Kindergarten?*

a Wie findest _____ deinen neuen Kindergarten?

b Guten Tag, Herr Bauer. Was hätten _____ heute gern?

c Wie kommst _____ mit deinen Eltern aus?

d Johannes und Philipp, könnt _____ bitte die Flaschen zum Recyclingcontainer bringen?

e Entschuldigung, könnten _____ mir sagen, wie viel Uhr es ist?

f Wo kann _____ einen Zugfahrplan bekommen, bitte?

g Was macht _____ zwei hier im Garten?

h Würden_____ lieber einen Strand- oder einen Cityurlaub machen, Frau Huber?

⑨ Choose the correct accusative or dative pronoun.

a Mein Vater gibt _mich/mir_ regelmäßig Taschengeld.

b Peter suchte seine Freundin in der Disco und fand _sie/ihr_ nicht.

c Zum Geburtstag hat meine Kusine Blumen von _ihn/ihm_ bekommen.

d Unser Haus ist ziemlich klein, aber wir finden _es/ihm_ trotzdem bequem.

e Am Stadtrand gibt es viele Wohnsiedlungen und ich finde _sie/ihnen_ viel zu groß.

f Die Lehrer müssen _ihnen/sie_ die Schulregeln erklären.

g Zeig _mich/mir_, wo du diese Armbanduhr gefunden hast!

h Die Rechnungen sind alle fertig, weil ich _ihnen/sie_ getippt habe.

⑩ Complete the sentences with an appropriate adjective from the list below. Adjective endings are already filled in.

Example: **a** _Der alte Mann sitzt allein in seinem Wohnzimmer._

fleißig	weiß	neu
gut	groß	alt
jung	grün	

a Der _____e Mann sitzt allein in seinem Wohnzimmer.

b Ein _____er Apfel schmeckt besser als ein roter Apfel.

c Eine _____e Schule hat mehr als tausend Schüler.

d Ein _____er Freund ist immer treu.

e Das _____e Mädchen weint, weil es müde ist.

f Der _____e Hund wird immer schmutzig!

g Die _____e Mode gefällt mir gut.

h Ein _____er Schüler macht jeden Abend zwei Stunden Hausaufgaben.

⑪ Choose the correct adjective from the list below.

Example: **a** _Gehen Sie die nächste Straße entlang und dann kommen Sie zur Post._

dunkelblaue/dunkelblaues
roten/rote   kleinen/klein   frische/frisches
nächste/nächster
schmutzige/schmutzigen   beste/besten
österreichischen/österreichische

a Gehen Sie die _____ Straße entlang und dann kommen Sie zur Post.

b Man kann das _____ Obst im Gemüseladen kaufen.

c Die _____ Busse in London sind weltbekannt.

d Ich habe das _____ Hemd gekauft.

e Wir haben ein bisschen mit dem _____ Baby gespielt.

f Wir fahren nächsten Winter in die _____ Alpen.

g Die Fische in den _____ Flüssen sterben leider aus.

h Die _____ Karriere für mich wäre, als Tierarzt zu arbeiten.

12 Complete the sentences with the appropriate adjective endings.

Example: **a** *Er interessiert sich nicht für schnelle Autos.*

a Er interessiert sich nicht für schnell____ Autos.

b Meine Mutter isst nur vegetarisch ____ Essen.

c In der Kneipe hört man toll____ Musik.

d In der Stadt gibt es viele schön____ Grünanlagen, wo Kinder spielen können.

e Meine Schwester bekommt ständig gut____ Noten.

f Im Sommer gibt es bei uns in der Türkei immer heiß____ Wetter.

g In Frankreich kann man ausgezeichnet____ Wein trinken.

h Es ist toll, wenn man pünktlich____ Freunde hat.

13 Add the correct possessive adjectives to these sets of sentences.

Example: **a** *Mein Freund Alex hat Probleme zu Hause. Seine Eltern sind nämlich geschieden.*

a Mein Freund Alex hat Probleme zu Hause. _____ Eltern sind nämlich geschieden.

b Der Kellner im Restaurant erklärt meinem Vater: „Entschuldigen Sie, _____ Essen ist noch nicht fertig."

c _____ kleine Schwester hat nächste Woche Geburtstag. Sie freut sich sehr auf _____ Party.

d Wir haben echt Glück. _____ Freunde wohnen alle in dieser Gegend.

e Ich habe einen sehr faulen Bruder. Er räumt _____ Zimmer nie auf.

f Die Lehrerin fragt: „Warum hast du heute _____ Heft nicht mitgebracht?"

g Die jungen Leute gehen zum Rockkonzert. Sie mussten _____ Konzertkarten letzte Woche kaufen.

h Hans und Johann waren im Urlaub in Italien. „Wie war _____ Wohnung?", fragte ihre Großmutter.

14 Compare all these people and things by using comparative and superlative adjectives.

Example: **a** *Der Pullover ist teuer, die Jeans ist teurer, aber der Trainingsanzug ist am teuersten.*

a der Pullover – die Jeans – der Trainingsanzug → teuer

b mein Freund – Tanjas Freund – Marias Freund → groß

c der Campingplatz am Strand – das Hotel auf dem Land – die Wohnung am See → schön.

d die Halskette – der Ring – das Portemonnaie → billig

e meine Kusine – meine beste Freundin – ich → klein

f die Hausaufgaben – die Klassenarbeiten – die Prüfungen → schlimm.

15 Fill in the comparative and superlative adjective blanks in this story.

Example: **1** *besser*

Wir wollten letztes Wochenende ausgehen. „Ich glaube, Kino wäre am besten", sagte Tony. „Ach nein! Fur mich wäre die Disco sicher _____ (1)", sagte Rudi. „Na so was!" sagte Heike. „Für mich wäre es am _____ (2), einfach ins Jugendzentrum zu gehen." „Sollen wir vorher essen?" fragte Tony. „Ich esse so gern italienisch!" „Nein, auf keinem Fall! Ich esse _____ (3) Chinesisch!" sagte Rudi. „Na Also ehrlich!" sagte Heike. „Ich esse am _____ (4) traditionell Deutsch." „Aber hör mal", sagte Tony, „es gibt viele billige italienische Restaurants in der Stadtmitte." „Ja, aber es gibt dort noch _____ (5) chinesische Restaurants", sagte Rudi. „Ach was!" sagte Heike. „Hier in der Stadt gibt es viele gute deutsche Imbissstuben, wo man am _____ (6) *und* am billigsten essen kann!"

16 Fill in the endings on these comparative and superlative adjectives and translate the sentences into English.

Example: **a** *Ich habe das billigere T-Shirt gekauft.*
– I bought the cheaper T-Shirt.

a Ich habe das billiger__ T-Shirt gekauft.
b Sie geht lieber in die kleiner__ Grundschule.
c Er hat den best__ Teilzeitjob im Supermarkt bekommen.
d Mein Bruder und ich haben die schönst__ Blumen für meine Mutter gekauft.
e Das neue Einfamilienhaus ist das größt__ Haus in unserer Straße.
f Der länger__ Film hat uns am besten gefallen.
g Meiner Meinung nach ist die Landschaft in Österreich die schönst__ in Europa.
h Mit meinem älter__ Bruder komme ich nicht gut aus.

17 Fill in appropriate accusative case prepositions in this story, e.g. *bis; durch, für, gegen, ohne, um.*

Example: *Ich musste für meinen besten Freund ein Geburtstagsgeschenk kaufen.*

Ich musste _____ meinen besten Freund ein Geburtstagsgeschenk kaufen. Ich fuhr mit dem Rad _____ die ganze Stadtmitte zum Einkaufszentrum. Ich ließ das Rad draußen _____ eine Mauer stehen. Ich konnte aber meinen Geldbeutel nicht finden. Ich hatte kein Geld und _____ Geld konnte ich nichts kaufen. Plötzlich sah ich _____ die Ecke meinen Onkel. „Hallo, Onkel Jürgen, könntest du mir vielleicht zehn Euro leihen? Ich habe meinen Geldbeutel vergessen!" schrie ich. „Hallo, Kai. Zehn Euro?" antwortete er. „Kein Problem. Bitte schön. _____ nächstes Wochenende! Tschüs!" „Tschüs, Onkel Jürgen, und vielen Dank. Bis nächstes Wochenende!"

18 Put the correct dative case indefinite articles (*einem* or *einer*) after the dative case prepositions in these sentences.

Example: **a** *Sie kommt aus einer großen Stadt im Norden.*

a Sie kommt aus _____ großen Stadt im Norden.
b Ich habe sechs Euro Trinkgeld von _____ Gast im Hotel bekommen.
c Nach _____ Jahr fühle ich mich jetzt in Deutschland zu Hause.
d Das Rathaus liegt am Marktplatz direkt gegenüber _____ Kirche.
e Der kleine Hund läuft schnell aus _____ Garten auf die Straße.
f Nächsten Monat werde ich ein Wochenende bei _____ Freundin verbringen.

19 Choose the correct accusative or dative definite article in these sentences.

a Samstagmorgens gehe ich um 7:45 Uhr in *die/der* Drogerie.
b Die Küche liegt zwischen *den/dem* Wohnzimmer und *dem/den* Esszimmer.
c Leg dein Heft und deinen Bleistift auf *den/dem* Tisch.
d Fahren Sie an *der/die* Kirche und *das/dem* Rathaus vorbei.
e Im Sommer liegen wir an *den/dem* Strand.
f Meine Familie fährt jeden Samstag in *die/der* Stadtmitte.
g Die Clique trifft sich vor *das/dem* Café.
h Fahren Sie geradeaus über *der/die* Brücke.
i Die Tennisplätze befinden sich neben *dem/das* Sportzentrum.

20 Follow the progress of Johann throughout the day, adding the appropriate articles. Abbreviate the articles if appropriate.

Example: **1** *die*

Um sieben Uhr stand ich auf. Ich ging sofort in _____ (1) Küche um Frühstück zu essen. Eine

Tasse heißer Tee stand schon auf _____ (2) Tisch. Auf einmal kam meine Schwester in _____ (3) Raum. Sie legte ein Brötchen auf _____ (4) Tisch. „Fur dich!" sagte sie. „Deine Klamotten sind schon auf _____ (5) Stuhl im Wohnzimmer. Deine Trainingsschuhe sind hier auf _____ (6) Boden. Ich habe sie sauber gemacht" sagte sie. „Deine Schultasche habe ich hinter _____ (7) Tür gestellt."
Ich ging in _____ (8) Wohnzimmer und setzte mich auf _____ (9) Sofa. „Das ist komisch", dachte ich. „Warum ist sie heute so nett?" Sie setzte sich in _____ (10) Sessel. „Johann", sagte sie langsam, „ich habe deinen Ball über _____ (11) Mauer geworfen. Er liegt jetzt leider unter _____ (12) großen Stein im Fluß! Tut mir furchtbar, furchtbar Leid!"

 Translate the responses to these present tense questions into English.

Example: **a** *I have breakfast at 8 o'clock every day.*

a Um wie viel Uhr frühstückst du morgens?
Ich frühstücke jeden Tag um acht Uhr.
b Was für Sport macht ihr am liebsten?
Wir spielen am liebsten Volleyball.
c Wie kommst du nächsten Samstag zur Party?
Ich fahre mit meiner Mutter im Auto.
d Wo esst ihr jeden Tag zu Mittag?
Wir essen immer im Speisesaal zu Mittag.
e Was macht dein Vater?
Er reserviert ein Zimmer für uns im Hotel.
f Wo verbringt ihr dieses Jahr die Sommerferien?
Wir fahren für zwei Wochen nach Italien.
g Was macht ihr beide denn hier?
Wir schmücken den Weihnachtsbaum, Mutti!

 a Complete the sentences using the correct present tense part of the verb.

Example: *Ich habe Glück.*

Ich (haben) Glück. Ich (arbeiten) jeden Samstag in einer Drogerie. Manchmal (finden) ich die Arbeit ein bisschen hektisch. Ich (tragen) eine Uniform. Ich (sein) kontaktfreudig und (kennen) viele Leute, die hier einkaufen. Ich (verdienen) 6 Euro pro Stunde und jeden Monat (geben) ich meiner Mutter 35 Euro. Nach der Arbeit (gehen) ich zu Fuß nach Hause, weil ich gar nicht weit von der Drogerie (wohnen).

b Now complete the sentences again in the present tense, changing the subject to Anja, (*sie*).

Example: *Anja hat Glück. Sie arbeitet jeden Samstag …*

 a Complete these questions using the present tense.

Example: **a** *Was schenkst du deiner Großmutter zum Geburtstag?*

a Was (schenken) du deiner Großmutter zum Geburtstag?
b Wann (fahren) ihr nach Hause zurück?
c Am welchen Tag (treffen) du dich normalerweise mit deiner Freundin?
d (Sind) ihr bereit in die Stadt zu fahren?
e Wie oft (helfen) du deinen Eltern bei der Hausarbeit?
f Mit wem (sprechen) die Lehrerin am Ende der Stunde?
g Was für Getränke (nehmen) er zur Party mit?
h Wo (lassen) du deine Schultasche?

b Answer the questions in activity **a** using the following information.

Example: **a** *Ich schenke meiner Großmutter eine Flasche Parfüm zum Geburtstag.*

a eine Flasche Parfüm
b 17.30 Uhr
c Samstag
d Ja!
e jeden Tag
f mit dem Schuldirektor
g 2 Flaschen Cola
h hinter der Tür

24 Complete the sentences with the correct form of *haben* or *sein*.

Example: **a** *Für Günther ist die Schule total langweilig.*

a Für Günther _____ die Schule total langweilig.
b Anke _____ viele gute Ideen für neue Umweltprojekte.
c Die Grünanlagen in der Stadt _____ ideale Spielplätze für kleine Kinder.
d _____ ihr jeden Tag viele Hausaufgaben?
e Meine Freundinnen _____ alle sehr locker.
f Güyal und Turabi _____ Probleme, weil sie nicht gut Deutsch sprechen.
g Ich esse kein Fleisch. _____ ihr auch Vegetarier?
h Er _____ zu faul einen Teilzeitjob anzunehmen.

25 Complete the dialogues with the correct form of the modal verb in brackets.

Example: **a** – *Ich will nicht ausgehen, weil ich Kopfweh habe.*
– *Ja, du sollst am besten zu Hause bleiben.*

a – Ich (wollen) nicht ausgehen, weil ich Kopfweh habe.
– Ja, du (sollen) am besten zu Hause bleiben.
b – (Können) die Kinder hier spielen?
– Ja, sicher, aber sie (müssen) auf dem Spielplatz bleiben.

c – Wir (müssen) bald essen gehen!
– Gerne! Das neue McDonalds (mögen) ich wirklich gern.
d – Ihr (sollen) um zehn Uhr wieder zu Hause sein.
– Ach was! Ich (dürfen) bis Viertel vor elf wegbleiben.
e – Mein Vater (wollen) nie einkaufen gehen.
– Mein Vater geht gern einkaufen, aber man (müssen) immer mit ihm in langweilige Musikgeschäfte gehen.
f – Nach der Party (müssen) ihr die leeren Flaschen zum Altglascontainer bringen.
– Na, klar. (Dürfen) wir bitte die vollen Mülleimer im Garten lassen?
g – Paul (sollen) besser mit seinem Bruder auskommen.
– Ja, aber es ist schwer, weil er ein Zimmer mit ihm teilen (müssen).

26 **a** Complete the sentences with separable verbs in the present tense.

Example: **a** *Zu Chanukka zünden wir Kerzen an.*

a Zu Chanukka _____ wir Kerzen _____ . (anzünden)
b _____ Sie am Münchener Hauptbahnhof _____ . (umsteigen)
c Wenn ich mit dem Hund spazieren gehe, _____ ich meine alten Klamotten _____ . (anziehen)
d Mein ältester Bruder ist jetzt Student und er _____ immer spät _____ . (aufstehen)
e Wie viele Freunde _____ ihr zur Party _____ ? (einladen)
f Die dunkelblaue Jeans gefällt ihm am besten und er _____ sie _____ . (anprobieren)
g Samstagabends _____ ich gewöhnlich zwei Stunden _____ . (fernsehen)
h Fahren Sie mit der Buslinie 1 und _____ Sie in der Lutherstraße _____ . (aussteigen)

b Choose the correct separable verb infinitive.

a Wenn ich nachmittags in der Schule müde bin, kann ich nicht gut (ausschlafen/aufpassen).

b Ich glaube, man sollte mit seinen Eltern gut (auskommen/ankommen).

c Wir wollen das neue Einkaufszentrum am Stadtrand (annehmen/anschauen).

d Wir dürfen keinen Alkohol zur Party (mitmachen/mitnehmen).

e Ich will an der nächsten Radtour (aufteilen/teilnehmen).

f Darf ich bitte heute Abend meine Freundinnen (ankommen/anrufen)?

g Sie müssen an der nächsten Ecke rechts (abbiegen/abnehmen).

h Möchtest du in Köln (umdrehen/ umsteigen) oder würdest du lieber direkt nach Bonn fahren?

27 Fill in the correct reflexive pronoun.

Example: **a** *Ich ziehe <u>mich</u> morgens schnell an.*

a Ich ziehe _____ morgens schnell an.

b Meine zwei besten Freunde interessieren _____ leider nicht für Sport.

c Du siehst müde aus. Setz _____ mal auf den Stuhl!

d Meine Großmutter verlässt _____ viel zu sehr auf meine Tante.

e Ich dusche _____ kurz vor dem Frühstück.

f Wir verstehen _____ gut mit unseren neuen Bekannten in Österreich.

g Der Junge traut _____ nicht, mit den Erwachsenen Fußball zu spielen.

h Ihr kommt am Anfang der Stunde ins Klassenzimmer und setzt _____ gleich hin.

28 Choose the correct auxiliary verbs in the description of Karsten's day.

Kurz vor neun Uhr (bin/habe) ich mit dem Bus in die Stadt gefahren. Das Wetter war schrecklich und es (ist/hat) viel geregnet. Ich war etwas dumm und (habe/bin) meine Jacke zu Hause gelassen. Am Busbahnhof in der Stadtmitte (bin/habe) ich meine Freundin, Petra getroffen und wir (sind/haben) zusammen in die Geschäfte gegangen. Sie hatte nicht viel Geld dabei und sie (hat/ist) nur eine billige CD gekauft. Ich (bin/habe) nichts gekauft, weil ich mein Taschengeld zur Zeit spare. Zum Essen (haben/sind) wir zu einer tollen Imbissstube gegangen, wo wir Hotdogs mit Ketschup gegessen (haben/sind). Um vier Uhr (haben/sind) wir den Bus nach Hause genommen.

29 Answer the questions about your school day in the perfect tense.

Example: **a** *Ich habe das Haus um Viertel nach acht verlassen.*

a Wann hast du das Haus verlassen?

b Wie bist du zur Schule gefahren?

c Um wie viel Uhr hat die erste Stunde angefangen?

d Was hast du als Pausenbrot gegessen?

e In welchem Fach hast du eine Klassenarbeit geschrieben?

f Hast du gute oder schlechte Noten für deine Hausaufgaben in Mathe bekommen?

g Wo hast du zu Mittag gegessen?

h Welche Stunden hast du heute interessant gefunden?

30 Ask your friend about his/her holiday abroad. Put the questions into the perfect tense.

Example: **a** *Wo hast du deine Sommerferien verbracht?*

a Wo verbringst du deine Sommerferien?

b Wie fährst du dorthin?

c Wo wohnst du?

d Wie lange bleibst du dort?

e Mit wem fährst du in Urlaub?

f Was machst du jeden Tag?

g Was isst du dort am liebsten?

h Wie lange dauert die Rückfahrt?

31 Complete the sentences in the perfect tense with the correct past participle.

Example: **a** *Mathe und Chemie habe ich sehr schwer gefunden.*

a Mathe und Chemie habe ich sehr schwer _____ . (finden)

b Ich habe kein Taschengeld mehr, weil ich neue Klamotten _____ habe. (kaufen)

c Er ist nicht ins Kino _____ , weil er zu müde war. (gehen)

d Entschuldigung, ich habe das nicht _____ . (verstehen)

e Meine Schwester hat ziemlich viel Geld _____ , als sie in der Fabrik arbeitete. (verdienen)

f Wir sind von London nach Frankfurt _____. (fliegen)

g Ich bin zum Fundbüro gegangen, weil ich meinen Geldbeutel _____ habe. (verlieren)

h Das Essen in Deutschland hat meiner ganzen Familie gut _____ . (schmecken)

32 Retell this short scene in the imperfect tense.

Der erste Tag im Arbeitspraktikum <u>ist</u> sehr interessant. Meine Kollegen <u>sind</u> nett und hilfsbereit. Ich <u>arbeite</u> von 8 bis 18 Uhr und <u>finde</u> das ziemlich anstrengend. Ich <u>bin</u> Kellnerin und <u>bediene</u> im Restaurant. Die Restaurantbesitzerin <u>finde</u> ich leider ein bisschen unfreundlich. Sie <u>interessiert</u> sich nicht sehr für junge Leute. Meine Eltern <u>essen</u> im Restaurant zu Mittag und ich <u>muss</u> sie bedienen! Ich <u>bin</u> so nervös. Ich <u>freue</u> mich den ganzen Tag auf 18 Uhr. Nach der Arbeit <u>gehe</u> ich gleich ins Bett!

33 Put the modal verbs into the imperfect tense and change the time expression to one in the box.

Example: **a** *Du konntest gestern schwimmen gehen.*

letztes Jahr	gestern	dann
letzte Woche	letzten zwei Wochen	
nächstes Jahr	nach	

a Du kannst morgen schwimmen gehen.

b Sie wollen jetzt mehr Zeit im Freizeitzentrum verbringen.

c Meine Schwester darf diese Woche nicht in die Disco gehen.

d Du sollst dieses Jahr einige kleine Andenken in deinem Ferienort kaufen.

e In den nächsten zwei Wochen muss ich einen englischen Roman lesen.

f Vor dem Interview können sie seinen Bewerbungsbrief nicht finden.

g Die Id-ul-Fitr-Feier mögen wir besonders.

34 Your family is preparing for a party. Use the future tense to describe everyone's tasks.

Example: **a** *Johannes wird den Tisch decken.*

a Johannes – den Tisch decken

b Meine Eltern – Wein und Bier kaufen

c Mein Vater – das Feuerwerk vorbereiten

d Meine kleine Schwester und ich – kleine Geschenke einpacken

e Meine Tante – meine Großeltern mit dem Auto zur Party holen

f Meine Mutter – einen Kuchen backen

g Anjas Vater – die Karaokemaschine vom Jugendzentrum bringen

35 Dream of an ideal world and fill in the correct forms of the conditional *hätte* or *wäre*. Then complete the sentences.

Example: **a** *Wenn ich eine Million Pfund hätte, würde ich sofort von der Schule gehen.*

a Wenn ich eine Million Pfund _____ , (sofort von der Schule gehen).

b Wenn das Wetter immer schön _____ , (regelmäßig im Freibad schwimmen).

c Wenn ich mehr Zeit _____ , (an mehr Umweltprojekten teilnehmen).

d Wenn ich sportlicher _____ , (im Winter Skikurse machen).

e Wenn die Stadt größere Geschäfte _____ , (alle Weihnachtsgeschenke hier kaufen).

f Wenn meine Schwester geselliger und freundlicher _____ , (gern mit ihr ausgehen).

g Wenn die Stadt mehr Sportmöglichkeiten _____ , (wahrscheinlich mehr Sport treiben).

36 Complete the auxiliary verbs in these pluperfect tense sentences.

Example: **a** *Ich hatte zehn Stunden gearbeitet, bevor ich nach Hause gehen konnte.*

a Ich _____ zehn Stunden gearbeitet, bevor ich nach Hause gehen konnte.

b Vor diesem Besuch _____ er schon zweimal in London gewesen.

c Wir _____ den kleinen Hund im Park bemerkt.

d Er _____ nie nach Amerika gefahren, weil er Angst vorm Fliegen hatte.

e Meine Schwester _____ zu viel gegessen und _____ Bauchweh bekommen.

f Mit dreizehn Jahren _____ meine Freundinnen und ich zum ersten Mal mit einer Schulgruppe ins Ausland gefahren.

g Die Touristen _____ keine Zeit gehabt, sich das ganze Museum anzuschauen.

h Der Schulunterricht _____ Spaß gemacht, als wir mehr mit den Lehrern sprechen konnten.

37 Choose a subject from the box below for these passive sentences.

das Auto		Zigaretten
Artikel	Zugfahrpläne	
Chemikalien	Altpapier	das Frühstück

a _____ wird am besten immer recycelt.

b Gefährliche _____ werden von vielen Kraftwerken produziert.

c _____ wird von 6 bis 8.30 Uhr serviert.

d Interessante _____ werden für die Schülerzeitung geschrieben.

e _____ werden im Verkehrsbüro verkauft.

f Alkohol und _____ werden nie an Kinder verkauft.

g _____ wird heute Nachmittag gewaschen.

38 Make sentences using *zu*.

Example: **a** *Ich beginne, Deutsch zu lernen.*

a Ich beginne – Deutsch lernen

b Ich habe Lust – Tennis spielen

c Er hofft – nach Amerika fahren

d Ich versuche – gesund essen

e Ich bin bereit – neue Sprachen lernen

f Das Baby beginnt – mit Spielsachen spielen

g Er versucht – weniger Zigaretten rauchen

h Es gefällt mir – Musikzeitschriften lesen

i Ich habe Interesse – Kunst studieren

39 Give reasons for doing the following things using *um … zu*.

Example: **a** *Ich bin Vegetarier um fit zu bleiben.*

a Warum bist du Vegetarier? (fit bleiben)

b Warum trinkst du keinen Kaffee oder Tee? (gesünder leben)

c Warum fährst du heute in die Stadt? (CDs kaufen)

d Warum habt ihr einen Recyclingcontainer auf dem Schulhof? (Altpapier sammeln)

e Warum hast du einen Teilzeitjob im Supermarkt? (Geld verdienen)

f Warum rufst du deine Freundin an? (eine Party organisieren)

g Warum hast du ein Bankkonto? (Taschengeld sparen)

h Warum gehst du ins Café? (Freunde treffen)

40 **a** There are a number of jobs being done just now for different members of your family. Fill in the correct part of *lassen* in the present tense.

Example: **a** *Ich lasse meine Jacke reinigen.*

a Ich _____ meine Jacke reinigen.
b Meine Eltern _____ das Wohnzimmer streichen.
c Mein Bruder Peter _____ sein Rad reparieren.
d Meine Großeltern _____ eine neue Mauer im Garten bauen.
e Meine kleine Schwester _____ die Weihnachtsgeschenke einpacken.
f Mein Bruder Andreas _____ ein Karnevalskostüm machen.
g Meine Kusinen _____ ihre Computer reparieren.

b Now imagine that the jobs were done last week and rewrite the sentences in the imperfect tense.

Example: **a** *Ich ließ meine Jacke reinigen.*

41 Fill in the correct form of *haben* and an appropriate infinitive in each passive sentence in the perfect tense.

Example: **a** *Er hat ein neues Haus bauen lassen.*

streichen	reinigen	bauen
reparieren	machen	
einpacken		

a Er _____ ein neues Haus _____ lassen.
b Sie _____ neue Kleider _____ lassen.
c Wir _____ unsere Computer _____ lassen.
d Er _____ sein Zimmer _____ lassen.
e Ihr _____ eure Fußballhemden _____ .
f Die alte Dame _____ ihre Einkäufe _____ lassen.

42 You are describing a friend who has become a bit unpleasant and very negative about everything. Re-write the paragraph in a negative way.

Example: *Johann ist unfreundlich und er ist schlecht gelaunt …*

Johann ist freundlich und gut gelaunt. Er hat gute Freunde und eine Freundin. Er ist sportlich und schwimmt gern. Johann geht mit uns ins Schwimmbad. Er interessiert sich für die Umwelt und ist umweltfreundlich. Er hat Interesse an Politik und sagt seine Meinung. Er ist fit und er isst gesund. Er hat Humor und ist beliebt in unserer Gruppe. Ja, Johann ist ein sympathischer Typ!

43 Complete the sentences using the correct form of *kein/keine/kein/keine*.

Example: **a** *Hier in unserer Stadt gibt es keine Sportmöglichkeiten.*

a Hier in unserer Stadt gibt es _____ Sportmöglichkeiten.
b Es ist schade, dass wir zu Hause _____ Anrufbeantworter haben.
c Es regnet und ich habe _____ Regenschirm dabie.
d Meine Schwester hat _____ Idee, wohin wir diesen Sommer in Urlaub fahren.
e Leider habe ich noch _____ Austauschpartner in Deutschland.
f Wir machen jetzt _____ Arbeitspraktikum, weil wir viele Klausuren schreiben.
g Ich habe noch _____ Fax von der Firma bekommen.
h Der Computer funktioniert nicht und du kannst auf _____ Fall E-Mails schicken.

44 Answer these questions with a negative answer using *nicht/nichts, kein/keine*, etc.

Example: **a** *Nein, ich habe keine Geschwister.*

a Hast du Geschwister?

b Hast du einen Hund?

c Bist du sportlich?

d Was hast du gestern Abend im Fernsehen gesehen?

e Was machst du samstagmorgens?

f Stehen heute gute Gerichte auf der Speisekarte?

g Kann man mit 14 Jahren an einer Tankstelle arbeiten?

h Hast du Interesse im Tierheim zu arbeiten?

f Wir besichtigen alle Sehenswürdigkeiten. Wir machen dann eine Stadtrundfahrt.

g Unsere Clique geht am Samstagabend in die Disco. Wir gehen ins Kino.

h Mathestunden sind langweilig. Ich finde Englisch ganz interessant.

45 Change the order of the sentences, placing the underlined words first.

Example: **a** *Heiße Schokolade trinke ich gern.*

a Ich trinke gern <u>heiße Schokolade</u>.

b Ich kenne <u>seinen Namen</u> nicht.

c Sie kaufte <u>die silberne Halskette</u> auf dem Markt.

d Von den Kraftwerken fließen <u>viele Chemikalien</u> ins Meer.

e Er kauft <u>die Blumen</u> vom neuen Blumengeschäft.

f Wir lernen schon <u>Deutsch und Französisch</u> in der Grundschule.

g Ich trage jeden Tag <u>Schuluniform</u>.

h Wir essen <u>das Abendessen</u> normalerweise im Esszimmer.

46 Link the sentences with an appropriate co-ordinating conjunction: *und, denn, oder, aber, sondern.*

Example: **a** *Ich finde die Arbeit anstrengend, aber es macht schon Spaß.*

a Ich finde die Arbeit anstrengend. Es macht schon Spaß.

b Ich will Arzt werden. Ich interessiere mich sehr für Naturwissenschaften.

c Er geht auf die Uni. Er bekommt eine Stelle bei einer Computerfirma.

d Ich bin sehr müde. Es ist früh und ich gehe noch nicht ins Bett.

e Sie fahren zu Ostern nicht nach London. Sie fahren jetzt nach Deutschland.

47 Add an appropriate verb to the end of these subordinate clauses.

Example: **a** *Ich glaube, dass viele junge Leute nicht sportlich genug sind.*

a Ich glaube, dass viele junge Leute nicht sportlich genug _____ .

b Es gibt viel Abfall auf dem Schulhof, obwohl wir Abfalleimer dort _____ .

c Ich habe meine Hausaufgaben immer fertig gemacht, bevor ich ins Bett _____ .

d Wir haben eine Currywurst in der Imbissstube gekauft, weil wir Hunger _____ .

e Ich werde gleich auf die Uni gehen, nachdem ich die Schule _____ .

f Ich habe ein tolles Musikgeschäft gefunden, wo man billige CDs kaufen _____ .

g Wir wechseln unser Geld, bevor wir ins Ausland _____ .

48 Fill in the correct conjunction: *als, bevor, dass, nachdem, ob, obwohl, weil, wenn.*

Example: **a** *Ich weiß nicht, <u>ob</u> man hier rauchen darf.*

a Ich weiß nicht, _____ man hier rauchen darf.

b Ich habe ein Arbeitspraktikum als Gärtner gemacht, _____ ich gern im Freien arbeite.

c Wir glauben, _____ es in unserer Stadt nicht genug Fahrradwege gibt.

d Ich werde Abitur machen, _____ ich die Schule verlasse.

e Fast alle Leute in unserem Dorf fahren mit dem Auto, _____ es regelmäßige Busse gibt.

f Ich bin immer nervös, _____ ich zum Zahnarzt gehe.

g Mein Bruder macht eine Lehre als Mechaniker, _____ er seinen Schulabschluss macht.

h Es gab keine Neubaugebiete in der Stadt, _____ ich klein war.

i Ich weiß nicht, _____ meine Mutter wieder heiraten wird.

49 Make sentences placing the time, manner, place phrases in the correct order.

Example: **a** _Das Wetter wird am Ende der Woche im Nordosten ziemlich schlecht._

a am Ende der Woche – im Nordosten – das Wetter – wird ziemlich schlecht

b der Arzt – im Krankenhaus – arbeitet eine lange Schicht

c mein Duschgel – in der Dusche oder im Hallenbad gelassen – gestern

d zum Vergnügungspark – einen Ausflug machen – nächstes Wochenende

e eine Telefonkarte – morgen vor der Abreise – im Geschäft kaufen

f auf eine Geburtstagsparty gehen – bei meiner besten Freundin – übernächsten Samstag

g alle Schüler in der Grundschule laufen – in der Stadtmitte – in einem Kindermarathon – am Sonntag

h die Weihnachtsdisco – mit der ganzen Clique – im Jugendzentrum – morgen

50 Fill in an expression of time, manner or place in these sentences.

Example: **a** _Ich habe keine Lust, heute Abend mit dir ins Kino zu gehen._

zu Fuß		heute Abend
im Restaurant	um 10 Uhr	gestern
im Stadion		Samstag
mit dem Flugzeug		

a Ich habe keine Lust, _____ mit dir ins Kino zu gehen.

b Gestern habe ich telefonisch einen Tisch _____ reserviert.

c Ich fahre am _____ mit meiner Schwester nach Wien.

d Morgens gehe ich immer _____ zur Schule, weil meine Eltern kein Auto haben.

e Die Fußballtrainierung findet samstags _____ statt.

f Ich habe meine Ledertasche _____ im Zug liegen lassen.

g Mein Onkel hat neulich eine lange Reise _____ von Amerika gemacht.

h Ihr müsst pünktlich _____ mit euren Eltern zum Jugendzentrum kommen.

51 **a** The following instructions are directed at one person of your own age. Change them to be directed at more than one person of your own age.

Example: **a** _Gebt mir die Zeitschriften!_

a Gib mir die Zeitschriften!
b Sprich bitte langsamer!
c Teile die Schokolade aus!
d Schau mich an!
e Bleib einen Moment hier!
f Trink keinen Alkohol!
g Treib viel Sport!
h Lern viele neue Wörter!

b Adapt the instructions for speaking to someone in a more formal way

Example: **a** _Geben Sie mir die Zeitschriften!_

52 **a** Fill in the correct relative pronoun to describe these people and places.

Example: **a** _Der Mann, den ich gestern gesehen habe …_

a Der Mann, ____ ich gestern gesehen habe …

b Die Familie, ____ wir in Spanien kennen gelernt haben …

c Das Magazin, ____ ich bei dir zu Hause gelesen habe …

d Der Lehrer, _____ wir heute Morgen in der Stadt gesehen haben …

e Das Pausenbrot, _____ ich in der Pause esse …

f Der Computer, _____ du neulich gekauft hast …

g Das Würstchen, _____ er gegessen hat …

j Die Verwandten, _____ uns oft besuchen …

b Now complete the sentences.

Example: **a** _Der Mann, den ich gestern gesehen habe, war sehr groß._

53 Link the sentences with the correct relative pronoun.

Example: **a** _Die Gesamtschule, die sehr groß ist, liegt nicht weit von hier._

a Die Gesamtschule ist sehr groß. Sie liegt nicht weit von hier.

b Die Kinder spielen zusammen. Sie verstehen sich gut miteinander.

c Das Mädchen ist immer allein. Es ist sehr schüchtern.

d Der Wohnblock hat fünfzig Wohnungen. Er ist zu groß.

e Der junge Kellner hat uns bedient. Er war sehr freundlich.

f Meine beste Freundin ist sehr intelligent. Sie bekommt immer gute Noten.

g Der Reissalat enthält viel Gemüse und Gewürze. Er ist lecker.

h Der Supermarkt ist gleich um die Ecke. Er ist der beste in der Gegend.

54 Turn the following statements into questions.

Example: **a** _Verdienst du viel Geld in diesem Job?_

a Du verdienst viel Geld in diesem Job.

b Man darf hier zelten.

c Ihr übernachtet im Hotel.

d Sie trinken Orangensaft und Mineralwasser.

e Deine Eltern sprechen auch gut Deutsch.

f Es gibt viele Sehenswürdigkeiten in der Stadt.

g Ihr kauft viele umweltfreundliche Produkte.

55 **a** Complete the questions with the correct question word.

Example: **a** _Wie ist das Wetter in Nordengland?_

a _____ ist das Wetter in Nordengland?

b _____ tust du um fit zu bleiben?

c _____ _____ Haustiere hast du?

d _____ _____ dauert der Flug von London nach Berlin?

e _____ ist der Betriebsleiter der Firma?

f _____ kann man in Deutschland am besten Ski fahren?

g _____ lernst du nicht gern Mathe?

h _____ Sonnenbrille gefällt dir am besten?

b Write some questions of your own

Example: **a** _Warum gehst du um zwölf Uhr in die Kirche?_

a Warum … ?

b Wo … ?

c Wie lange … ?

d Wer … ?

e Wie viele … ?

f Was für … ?

g Welches … ?

h Was … ?

Vokabular Englisch–Deutsch

This section provides an English–German glossary of useful structures and phrases, arranged thematically, for each of the modules.

s.o.	= someone
s.th.	= something
acc.	= accusative
dat.	= dative
pl.	= plural
sing.	= singular

General Vocabulary

Useful adjectives

active aktiv
bad schlecht, schlimm
beautiful schön
broken kaputt
careful sorgfältig
cheeky frech
clean sauber
clever klug
comfortable bequem
complicated kompliziert
conceited eingebildet
considerate rücksichtsvoll
dangerous gefährlich
depressing deprimierend
dirty schmutzig
dry trocken
empty leer
faithful treu
famous berühmt
fantastic fabelhaft
fashionable modisch
fat dick
fresh frisch
friendly freundlich
funny komisch, lustig
good gut
great toll, spitze
happy froh, glücklich
hard work anstrengend
hardworking fleißig
hectic hektisch
helpful hilfsbereit
honest ehrlich
impatient ungeduldig
important wichtig
in a good mood gut gelaunt
large groß
lazy faul
lively lebendig
long lang
loud laut
medium-sized mittelgroß
moody launisch
nice lieb, nett

optimistic optimistisch
patient geduldig
pessimistic pessimistisch
polite höflich
pretty hübsch
punctual pünktlich
relaxed locker
reliable zuverlässig
rotten mies
self-confident selbstbewusst
selfish selbstsüchtig
serious ernst
short kurz
simple einfach
small klein
sociable gesellig, kontaktfreudig
sporty sportlich
strict streng
strong kräftig, stark
stupid blöd, doof
superficial oberflächlich
sympathetic sympathisch
thin dünn
tight eng
tired müde
tolerant tolerant
total total
unfriendly unfreundlich
weak schwach
wide weit

Calendar

Months

January Januar
February Februar
March März
April April
May Mai
June Juni
July Juli
August August
September September
October Oktober
November November
December Dezember

Days

Monday Montag
Tuesday Dienstag
Wednesday Mittwoch
Thursday Donnerstag
Friday Freitag
Saturday Samstag/Sonnabend
Sunday Sonntag

Seasons

spring der Frühling(-e)
autumn der Herbst(-e)
summer der Sommer(-)
winter der Winter(-)

Countries and continents

abroad das Ausland
Africa Afrika
America Amerika
Austria Österreich
Belgium Belgien
England England
Europe Europa
European Union (EU)
   die Europäische Union (EU)
France Frankreich
Germany Deutschland
Great Britain Großbritannien
Greece Griechenland
Holland Holland, die Niederlande
India Indien
Ireland Irland
Italy Italien
Portugal Portugal
Scotland Schottland
Spain Spanien
Switzerland die Schweiz
Turkey die Türkei
USA die USA
Wales Wales

Colours

colour die Farbe(-n)
blue blau
blond(e) blond

brown braun
brightly coloured bunt
dark dunkel
yellow gelb
gold golden
grey grau
green grün
orange orange
pale hell
pink rosa
red rot
black schwarz
silver silbern
white weiß

Module 1 My World

1A Self, family and friends

address die Adresse(-n)
adult der/die Erwachsene(-n)
age das Alter(-)
animal das Tier(-e)
to **argue** sich streiten
argument der Streit(-e)
aunt die Tante(-n)
baby das Baby(-s)
bald head die Glatze(-n)
beard der Bart(̈-e)
bird der Vogel(̈-)
birthday der Geburtstag(-e)
born on geboren an
boy der Junge(-n)
brother der Bruder(̈-)
brothers and sisters die Geschwister (*pl.*)
budgerigar der Wellensittich(-e)
Bye! Tschüs!
cashier der Kassierer(-)/ die Kassiererin(-nen)
cat die Katze(-n)
child das Kind(-er)
civil servant der Beamte(-n)/ die Beamtin(-nen)
cousin, female die Cousine(-n), die Kusine(-n)
cousin, male der Cousin(-s), der Vetter(-n)
date das Datum (Daten)
daughter die Tochter(̈-)
dentist der Zahnarzt(̈-e)/ die Zahnärztin(-nen)
to **describe** beschreiben
director der Direktor(-en)/ die Direktorin(-nen)
divorced geschieden
doctor der Arzt(̈-e)/die Ärztin(-nen)
dog der Hund(-e)

driver der Fahrer(-)/ die Fahrerin (-nen)
earring der Ohrring(-e)
eye das Auge(-n)
family die Familie(-n)
father der Vater(̈-)
first name der Vorname(-n)
friend der Freund(-e)/ die Freundin(-nen)
friendship die Freundschaft(-en)
to **get on with** auskommen mit + *dat.*
girl das Mädchen(-)
glasses die Brille(-n)
Goodbye! Auf Wiedersehen!
Goodbye! (on the phone) Auf Wiederhören!
grandfather der Großvater (-väter)
grandmother die Großmutter (-mütter)
grandparents die Großeltern (*pl.*)
greeting die Begrüßung(-en)
guest der Gast(̈-e)
guinea pig das Meerschweinchen(-)
hair die Haare (*pl.*)
half brother der Halbbruder (-brüder)
half sister die Halbschwester (-schwestern)
hamster der Hamster(-)
happy glücklich
head der Kopf(̈-e)
house number die Hausnummer(-n)
housewife die Hausfrau(-en)
housing estate die Wohnsiedlung(-en)
How are you? Wie geht's?
to **introduce** vorstellen
invitation die Einladung(-n)
lady die Dame(-n)
to **live** wohnen
to **look** aussehen
luck das Glück
man der Mann(̈-er)
married verheiratet
meat das Fleisch
mechanic der Mechaniker(-)/ die Mechanikerin(-nen)
mother die Mutter(̈-)
mouse die Maus(̈-e)
moustache der Schnurrbart (-bärte)
Mr Herr
Mrs/Ms/Miss Frau
name der Name(-n)
nationality die Nationalität(-en), die Staatsangehörigkeit(-en)
never nie
night die Nacht(̈-e)
nobody niemand

nose die Nase(-n)
nurse der Krankenpfleger(-)/ die Krankenschwester(-n)
occupation der Beruf(-e)
office das Büro(-s)
only child das Einzelkind(-er)
pain die Schmerzen (*pl.*)
parents die Eltern (*pl.*)
person die Person(-en)
pet das Haustier(-e)
picture das Bild(-er)
place of residence der Wohnort(-e)
policeman/woman der Polizist(-en)/ die Polizistin(-nen)
programmer der Programmierer(-)/ die Programmiererin(-nen)
rabbit das Kaninchen(-)
sales assistant der Verkäufer(-)/ die Verkäuferin(-nen)
salesman/woman der Kaufmann (-männer)/die Kauffrau(-en)
secretary der Sekretär(-e)/ die Sekretärin(-nen)
separated getrennt
single ledig
sister die Schwester(-n)
snake die Schlange(-n)
son der Sohn(̈-e)
to **spell** buchstabieren
to **stay** bleiben
step- Stief-
stomach der Bauch(̈-e)
street die Straße(-n)
surname der Familienname(-n), der Nachname(-n)
teacher der Lehrer(-)/ die Lehrerin(-nen)
telephone number die Telefonnummer(-n)
to **thank** danken + *dat.*
thanks danke
there is/are es gibt
town die Stadt(̈-e)
twin der Zwilling(-e)
uncle der Onkel(-)
to **visit** besuchen
waiter der Kellner(-)
waitress die Kellnerin(-nen)
wedding photo das Hochzeitsfoto(-s)
woman die Frau(-en)
work die Arbeit
to **work** arbeiten
year das Jahr(-e)

1B Interests and hobbies

advantage der Vorteil(-e)
alone allein
book das Buch(̈-er)

card   die Karte(-n)
cinema   das Kino(-s)
club   der Verein(-e)
to **collect**   sammeln
computer   der Computer(-)
concert   das Konzert(-e)
to **cycle**   Rad fahren
to **dance**   tanzen
diary   das Tagebuch (-bücher)
disadvantage   der Nachteil(-e)
disco   die Disco(-s)
film   der Film(-e)
fitness centre   das Fitnesszentrum
   (-zentren)
football   der Fußball(¨e)
friend   der Freund(-e)/
   die Freundin(-nen)
game   das Spiel(-e)
to **go for a walk**   spazieren gehen
to **go in for** (a sport)   treiben
to **go out**   ausgehen
group   die Gruppe(-n)
guitar   die Gitarre(-n)
hobby   das Hobby(-s)
horse   das Pferd(-e)
indoor swimming pool
   das Hallenbad (-bäder)
instrument   das Instrument(-e)
leisure time   die Freizeit
magazine   die Zeitschrift(-en)
to **meet**   treffen
member   das Mitglied(-er)
music   die Musik
open-air swimming pool
   das Freibad (-bäder)
park   der Park(-s)
photo   das Foto(-s)
to **photograph**   fotografieren
piano   das Klavier(-e)
to **play**   spielen
playground   der Spielplatz (-plätze)
pub   die Kneipe(-n)
to **read**   lesen
to **ride** (a horse)   reiten
to **sail**   segeln
to **ski**   Ski fahren
sport   der Sport (die Sportarten)
to **swim**   schwimmen
swimming pool   das Schwimmbad
   (-bäder)
table tennis   das Tischtennis
team   die Mannschaft(-en)
tennis   das Tennis
theatre   das Theater(-)
town   die Stadt(¨e)
visit   der Besuch(-e)
to **visit**   besuchen

volleyball   der Volleyball
to **watch TV**   fernsehen
weekend   das Wochenende(-n)
youth club   der Jugendklub(-s)

1C Home and local environment

alarm clock   der Wecker(-)
at home   zu Hause
attic   der Dachboden (-böden)
bath   das Bad(¨er)
bathroom   das Badezimmer(-)
to **be situated**   liegen
beach   der Strand(¨e)
bed   das Bett(-en)
bedroom   das Schlafzimmer(-)
bicycle   das Fahrrad (-räder)
bike   das Rad(¨er)
bridge   die Brücke(-n)
building   das Gebäude(-)
bungalow   der Bungalow(-s)
bus station   der Busbahnhof (-höfe)
bus stop   die Haltestelle(-n)
bus   der Bus(-se)
car   das Auto(-s)
castle   das Schloss(¨er)
cathedral   der Dom(-e)
centre   das Zentrum (Zentren)
chair   der Stuhl(¨e)
chest of drawers   die Kommode(-n)
church   die Kirche(-n)
coast   die Küste(-n)
corridor   der Flur(-e)
countryside   das Land(¨er)
cuddly toy   das Kuscheltier(-e)
detached house   das Einfamilienhaus
   (-häuser)
dining room   das Esszimmer(-)
door   die Tür(-en)
estate agent's
   das Immobiliengeschäft(-e)
flat   die Wohnung(-en)
flower   die Blume(-n)
garden   der Garten(¨)
ground floor   das Erdgeschoss
harbour   der Hafen(¨)
hospital   das Krankenhaus(¨er)
house   das Haus(¨er)
ice-rink   die Eisbahn(-en)
in the east   im Osten
in the north   im Norden
in the south   im Süden
in the west   im Westen
industry   die Industrie(-n)
inhabitant   der Einwohner(-)/
   die Einwohnerin(-nen)
journey   die Reise(-n)
kitchen   die Küche(-n)

lamp   die Lampe(-n)
landscape   die Landschaft(-en)
living room   das Wohnzimmer(-)
market   der Markt(¨e)
marketplace   der Marktplatz(¨e)
mirror   der Spiegel(-)
mountain   der Berg(-e)
museum   das Museum (Museen)
nursery school   der Kindergarten
   (-gärten)
on foot   zu Fuß
opera   die Oper(-n)
outskirts of town   der Stadtrand(¨er)
to **park**   parken
petrol station   die Tankstelle(-n)
place   der Ort(-e), der Platz(¨e)
poster   das Poster(-)
primary school
   die Grundschule(-n)
radio   das Radio(-s)
railway station   der Bahnhof (-höfe)
region   die Gegend(-en)
river   der Fluss(¨e)
roof   das Dach(¨er)
room   das Zimmer(-)
school   die Schule(-n)
semi-detached house
   das Doppelhaus (-häuser)
to **share**   teilen
shop   das Geschäft(-e), der Laden(¨)
sixth form   die Oberstufe
sofa   das Sofa(-s)
suburb   der Vorort(-e)
surroundings   die Umgebung
table   der Tisch(-e)
telephone   das Telefon(-e)
terraced house   das Reihenhaus
   (-häuser)
there   dort
toilet   die Toilette(-n)
tower block   der Wohnblock(-s)
town   die Stadt(¨e)
town centre   die Stadtmitte(-n)
town hall   das Rathaus (-häuser)
train   der Zug(¨e)
tree   der Baum(¨e)
underground railway   die U-Bahn
village   das Dorf(¨er)
waiter   der Kellner(-)
waitress   die Kellnerin(-nen)
wall   die Wand(¨e)
wardrobe   der Kleiderschrank
   (-schränke)
washing machine
   die Waschmaschine(-n)
window   das Fenster(-)
zoo   der Tierpark(-s), der Zoo(-s)

1D Daily routine

alarm clock   der Wecker(-)
to **begin**   anfangen
beginning   der Anfang(¨e)
breakfast   das Frühstück(-e)
to **breakfast**   frühstücken
cake   der Kuchen(-)
canteen   die Kantine(-n)
chips   die Pommes frites (*pl.*)
to **clean**   putzen
clothes   die Kleidung
cocoa   der Kakao
to **cook**   kochen
daily routine   der Tagesablauf
   (-läufe)
to **drink**   trinken
to **eat**   essen
evening meal   das Abendessen(-)
everyday life   der Alltag
fruit   das Obst
fruit tee   der Früchtetee
to **get dressed**   sich anziehen
to **get up**   aufstehen
to **go to bed**   ins Bett gehen
homework   die Hausaufgabe(-n)
   (*usually pl.*)
honey   der Honig(-e)
jam   die Marmelade(-n)
to **leave**   verlassen
life   das Leben(-)
lunch   das Mittagessen(-)
meal   die Mahlzeit(-en)
meat   das Fleisch
milk   die Milch
to **ring**   klingeln
school day   der Schultag(-e)
to **shower**   duschen
to **sleep**   schlafen
soup   die Suppe(-n)
tea   der Tee(-s)
toast   der Toast
to **undress**   sich ausziehen
uniform   die Uniform(-en)
to **wake up**   aufwachen
to **wash oneself**   sich waschen
water   das Wasser

1E School and future plans

A Levels (German equivalent)
   das Abitur
art   Kunst
to **ask a question**   eine Frage stellen
assembly hall   die Aula (Aulen)
biology   Biologie
book   das Buch(¨er)
break   die Pause(-n)
chemistry   Chemie

choir   der Chor(¨e)
club   der Klub(-s)
commercial   der Werbespot(-s)
companion   der Kamerad(-en)/
   die Kameradin(-nen)
comprehensive school   die
   Gesamtschule(-n)
cookery course   der Kochkurs(-e)
to **copy**   kopieren
to **correct**   korrigieren
to **describe**   beschreiben
dictionary   das Wörterbuch (-bücher)
to **draw**   zeichnen
drawing (activity)   Zeichnen
English   Englisch
examination   die Prüfung(-en)
exchange   der Austausch(-e)
to **fascinate**   faszinieren
to **fill out** (a form)   ausfüllen
foreign language
   die Fremdsprache(-n)
French   Französisch
future   die Zukunft
geography   Erdkunde
German   Deutsch
grade   die Note(-n)
grammar school   das Gymnasium
   (Gymnasien)
gym   die Turnhalle(-n)
handicrafts   das Werken
headteacher   der Schuldirektor(-en)/
   die Schuldirektorin(-nen)
history   Geschichte
holidays   die Ferien (*pl.*)
homework   die Hausaufgabe(-n)
   (*usually pl.*)
independent school
   die Privatschule(-n)
information technology   Informatik
laboratory   das Labor(-s)
to **last**   dauern
to **learn**   lernen
lesson   die Stunde(-n)
lessons   der Unterricht
library   die Bibliothek(-en)
maths   Mathe(matik)
midday break   die Mittagspause(-n)
mistake   der Fehler(-)
mixed   gemischt
natural sciences   Naturwissenschaften
   (*pl.*)
orchestra   das Orchester(-)
page   die Seite(-n)
paper   das Papier(-e)
partner   der Partner(-)/
   die Partnerin(-nen)
PE   Turnen
physics   Physik

plan   der Plan(¨e)
playground   der Schulhof(¨e)
pupil   der Schüler(-)/
   die Schülerin(-nen)
to **read**   lesen
religious studies   Religion
to **repeat**   wiederholen
school   die Schule(-n)
school day   der Schultag(-e)
school leaving certificate
   der Abschluss (-schlüsse)
school report   das Zeugnis(-se)
school trip   die Klassenfahrt(-en)
to **sing**   singen
sixth form   die Oberstufe
Spanish   Spanisch
to **spell**   buchstabieren
sport   Sport (Sportarten)
sports centre   das Sportzentrum
   (-zentren)
sports club   die Sport-AG(-s)
subject   das Fach(¨er)
survey   die Umfrage(-n)
technology   Technologie
test   der Test(-s)
timetable   der Stundenplan (-pläne)
window   das Fenster(-)
work experience
   das Arbeitspraktikum (-praktika)
to **write**   schreiben

Module 2: Holiday time and travel

2A Travel, transport and finding the way

aeroplane   das Flugzeug(-e)
airport   der Flughafen (-häfen),
   (smaller:) der Flugplatz (-plätze)
to **apologize**   sich entschuldigen
arrival   die Ankunft (-künfte)
to **arrive**   ankommen
bus stop   die Bushaltestelle(-n)
to **change**   umsteigen
class   die Klasse(-n)
coach   der Reisebus(-se)
to **come**   kommen
corner   die Ecke(-n)
to **depart**   abfahren
departure   die Abfahrt(-en)
direct   direkt
to **enjoy**   genießen
entrance   der Eingang (-gänge)
   (*pedestrian*), die Einfahrt(-en) (*vehicle*)
exit   der Ausgang (-gänge) (*pedestrian*),
   die Ausfahrt(-en) (*vehicle*)
express train   der D-Zug(¨e)

ferry   die Fähre(-n)
flight   der Flug(¨e)
to **fly**   fliegen
to **get in**   einsteigen
to **get off**   aussteigen
to **go**   gehen
to **go for a trip**   einen Ausflug machen
to **go out**   hinausgehen
guided tour   die Führung(-en)
holiday   die Ferien (*pl.*)
hospital   das Krankenhaus (-häuser)
information   die Auskunft (-künfte)
intercity train   der Intercityzug (-züge)
journey   die Fahrt(-en), die Reise(-n)
lane   die Gasse(-n)
to **leave**   verlassen
left   links
map   die Landkarte(-n)
motorway   die Autobahn(-en)
one-way street
   die Einbahnstraße(-n)
to **park**   parken
passport   der Reisepass (-pässe)
petrol station   die Tankstelle(-n)
platform   der Bahnsteig(-e),
   das Gleis(-e)
railway   die Bahn
return (ticket)   hin und zurück
right   rechts
route   der Weg(-e), die Linie(-n)
   (bus etc.)
side   die Seite(-n)
sign   das Schild(-er)
simple   einfach
to **smoke**   rauchen
snack bar   die Imbissstube(-n)
stop (bus stop)   die Haltestelle(-n)
straight ahead   geradeaus
ticket   die Fahrkarte(-n)
ticket window
   der Fahrkartenschalter(-)
timetable   der Fahrplan (-pläne)
tourist information office
   das Verkehrsamt (-ämter)
town plan   der Stadtplan (-pläne)
traffic lights   die Ampel(-n)
train   der Zug(¨e)
tram   die Straßenbahn(-en)
to **travel**   fahren, reisen
traveller   der/die Reisende(-n)
underground (railway)   die U-Bahn
walk   der Spaziergang (-gänge)

See also 1C: Home and local environment.

2B Tourism

adventure   das Abenteuer(-)
boat   das Boot(-e)
brochure   die Broschüre(-n)
camping   das Camping
cloudy   wolkig
dry   trocken
flea market   der Flohmarkt (-märkte)
to **freeze**   frieren
friendly   freundlich
frozen   gefroren
hailed   gehagelt
holiday   der Urlaub(-e)
information   die Auskunft (-künfte),
   die Information(-en)
lake   der See(-n)
list   die Liste(-n)
old part of town   die Altstadt
   (-städte)
prospectus   der Prospekt(-e)
rain   der Regen
to **rain**   regnen
rainy   regnerisch
round trip   die Rundfahrt(-en)
sea   die See(-n)
ship   das Schiff(-e)
sight   die Sehenswürdigkeit(-en)
sightseeing tour
   die Stadtrundfahrt(-en)
snow   der Schnee
to **snow**   schneien
sun   die Sonne
sunny   sonnig
thunderstorm   das Gewitter(-)
tourist   der Tourist(-en)/
   die Touristin(-nen)
travel agent's   das Reisebüro(-s)
trip   der Ausflug (-flüge)
to **visit**   besichtigen
weather   das Wetter
windy   windig

2C Accommodation

air conditioning
   die Klimaanlage(-n)
balcony   der Balkon(-s)
bath   das Bad(¨er)
bath towel   das Badetuch (-tücher)
bed linen   die Bettwäsche
beginning   der Anfang(¨e)
bill   die Rechnung(-en)
camp site   der Campingplatz (-plätze)
camper van   das Wohnmobil(-e)
caravan   der Wohnwagen(-)
reception   die Anmeldung
corridor   der Flur(-e)
double room   das Doppelzimmer(-)

family room   das Familienzimmer(-)
full board   die Vollpension
guest house   die Pension(-en)
hair-drier   der Fön(-e)
half board   die Halbpension
hand towel   das Handtuch (-tücher)
hotel   das Hotel(-s)
light   das Licht(-er)
quiet period at night   die Nachtruhe
pub   das Gasthaus (-häuser)
reception   der Empfang
to **reserve**   reservieren
restaurant   das Restaurant(-s)
room   das Zimmer(-)
shower   die Dusche(-n)
single room   das Einzelzimmer(-)
soap   die Seife
to **stay overnight**   übernachten
to **take with one**   mitnehmen
tent   das Zelt(-e)
toothbrush   die Zahnbürste(-n)
toothpaste   die Zahnpasta
vacant   frei
washing facilities   der Waschraum
   (-räume)
WC   das WC(-s)
youth hostel   die Jugendherberge(-n)

2D Holiday activities

altogether   insgesamt
apple juice   der Apfelsaft (-säfte)
bacon   der Speck
bag   die Tüte(-n)
to **be hungry**   Hunger haben
to **be thirsty**   Durst haben
beer   das Bier(-e)
bottle   die Flasche(-n)
box   die Schachtel(-n)
café   das Café(-s)
cake   der Kuchen(-),
   die Torte(-n) (*gateau*)
cherry   die Kirsche(-n)
chicken   das Hähnchen(-)
chips   die Pommes (frites) (*pl.*)
chocolate   die Schokolade
coffee   der Kaffee(-s)
cola   die Cola(-s)
cream   die Sahne
cup   die Tasse(-n)
curry sausage   die Currywurst
   (-würste)
dessert   der Nachtisch(-e)
to **discover**   entdecken
dish   das Gericht(-e)
drink   das Getränk(-e)
egg   das Ei(-er)
fish   der Fisch(-e)
fork   die Gabel(-n)

fried sausage   die Bratwurst (-würste)

fries   die Pommes (frites) (*pl.*)

glass   das Glas(¨er)

to **go for a walk**   spazieren gehen

gram   das Gramm(-)

to **hike**   wandern

hungry   hungrig

ice cream   das Eis(-)

juice   der Saft(¨e)

kilo   das Kilo(-)

knife   das Messer(-)

lemonade   die Limonade

milk   die Milch

mineral water   das Mineralwasser

orange juice   der Orangensaft

to **order**   bestellen

to **pay**   (be)zahlen

pepper   der Pfeffer

piece   das Stück(-e)

plate   der Teller(-)

pot (of yoghurt etc.)   der Becher(-)

pot (small, of coffee or tea)   das Kännchen(-)

potato   die Kartoffel(-n)

pound   das Pfund(-)

rice   der Reis

round trip   die Rundfahrt(-en)

to **sail**   segeln

salt   das Salz

sausage (small)   das Würstchen(-)

to **ski**   Ski fahren

slice   die Scheibe(-n)

smell   der Geruch(¨e)

to **smell**   riechen

snack   der Imbiss(-e)

soup   die Suppe(-n)

spoon   der Löffel(-)

starter   die Vorspeise(-n)

strawberry   die Erdbeere(-n)

sugar   der Zucker

sweet   süß

to **swim**   schwimmen

to **taste**   schmecken

tasty   lecker

tea   der Tee(-s)

thirsty   durstig

tin   die Dose(-n)

to **try**   probieren

vinegar   der Essig

volleyball   der Volleyball

Waiter!/Waitress!   Herr Ober!/Fräulein!

yoghurt   der Jogurt(-s)

See also 3B: Healthy living.

2E Services

accident   der Unfall(¨e)

airmail   die Luftpost

ambulance   der Krankenwagen(-)

arm   der Arm(-e)

back   der Rücken(-)

bank   die Bank(-en)

boat   das Boot(-e)

body   der Körper(-)

box   die Schachtel(-n)

to **break**   brechen

breakdown recovery service   der Abschleppdienst

bureau de change   die Wechselstube(-n)

to **burn**   brennen

to **call**   anrufen

Careful!   Vorsicht!

cash   das Bargeld

to **cash** (cheque)   einlösen

change   das Kleingeld

to **change (money)**   wechseln

chemist's (pharmacy)   die Apotheke(-n)

cold   der Schnupfen

to **connect**   verbinden

danger   die Gefahr(-en)

dangerous   gefährlich

to **dial**   wählen

diarrhoea   der Durchfall

drop   der Tropfen(-)

ear   das Ohr(-en)

e-mail   die E-Mail(-s)

emergency call   der Notruf(-e)

euro note   der Euroschein(-e)

euro   der Euro(-)

examination (medical)   die Untersuchung(-en)

to **exchange**   (um)tauschen

exchange rate   der Kurs(-e)

eye   das Auge(-n)

to **feel better**   sich besser fühlen

fever   das Fieber

filling   die Füllung(-en)

fire   das Feuer(-)

fire brigade   die Feuerwehr

first-aid box   der Erste-Hilfe-Kasten (-Kästen)

flu   die Grippe

foot   der Fuß(¨e)

hand   die Hand(¨e)

hay fever   der Heuschnupfen

health   die Gesundheit

healthy   gesund

help   die Hilfe

to **help**   helfen

to **hire**   mieten

to **hurt**   weh tun

ill   krank

inclusive   inklusiv

injured   verletzt

insurance   die Versicherung

knee   das Knie(-)

leather   das Leder

leg   das Bein(-e)

letter   der Brief(-e)

to **loan**   leihen

to **look after**   aufpassen auf

lost property office   das Fundbüro(-s)

material   der Stoff(-e)

medicine   das Medikament(-e)

to **miss**   vermissen

money   das Geld

mouth   der Mund(¨er)

to **need**   brauchen

nose   die Nase(-n)

ointment   die Salbe(-n)

paper   das Papier(-e)

pfennig   der Pfennig(-)

plastic   die Plastik

police   die Polizei

post office   die Post (Postämter)

postcard   die Postkarte(-n)

pound   das Pfund(-)

savings bank   die Sparkasse(-n)

to **send**   schicken

signature   die Unterschrift(-en)

sleeping bag   der Schlafsack (-säcke)

stamp   die Briefmarke(-n)

stomach   der Magen (¨)

to **swallow**   schlucken

tablet   die Tablette(-n)

to **telephone**   telefonieren

telephone box   die Telefonzelle(-n)

telephone card   die Telefonkarte(-n)

thief   der Dieb(-e)/die Diebin(-nen)

throat   der Hals(¨e)

tired   müde

tooth   der Zahn(¨e)

traveller's cheque   der Reisescheck(-s)

What's the matter with you?   Was fehlt dir/Ihnen?

to **watch out**   aufpassen

wool   die Wolle(-n)

Module 3: Work and lifestyle

3A Home life

to **bake**   backen
cage   der Käfig(-e)
candle   die Kerze(-n)
Carnival   der Karneval
to **celebrate**   feiern
celebration   das Fest(-e)
to **choose**   auswählen
Christmas   Weihnachten
Christmas Eve   Heiligabend
to **clean**   putzen
conversation   das Gespräch(-e)
to **decorate**   schmucken
Easter   Ostern
fireworks   das Feuerwerk (*sing.*)
holiday   der Feiertag(-e)
household   der Haushalt(-e)
to **iron**   bügeln
Jewish   jüdisch
to **lay**   decken
to **light**   anzündern
to **look after**   aufpassen auf + *acc.*
New Year   das Neujahr
New Year's Eve   Silvester
to **place**   stellen
procession   der Umzug (-züge)
rubbish bin   die Mülltonne(-n)
to **shop**   einkaufen
to **take place**   stattfinden
to **tidy up**   aufräumen
to **vacuum**   staubsaugen
to **wash up**   abwaschen

See also 1A: Self, family and friends; 1B: Interests and hobbies; 1D: Daily routine.

3B Healthy living

appetite   der Appetit
apple   der Apfel(")
banana   die Banane(-n)
beer   das Bier(-e)
bread   das Brot(-e)
butter   die Butter
carrot   die Karotte(-n)
cauliflower   der Blumenkohl(-e)
cheese   der Käse(-)
cherry   die Kirsche(-n)
chicken   das Hähnchen(-)
chocolate   die Schokolade
cola   die Cola(-s)
cream   die Sahne
cruelty   die Quälerei
drink   das Getränk(-e)

egg   das Ei(-er)
fat   das Fett
fatty   fettig
fit   fit
fried sausage   die Bratwurst (-würste)
grape   die Weintraube(-n)
groceries   die Lebensmittel (*pl.*)
ham   der Schinken
hamburger   der Hamburger(-)
ice cream   das Eis(-)
ice cream parlour   die Eisdiele(-n)
lemon   die Zitrone(-n)
lemonade   die Limonade(-n)
lettuce   der Salat(-e)
main dish   das Hauptgericht(-e)
pasta   die Nudeln (*pl.*)
pasta gratin   der Nudelauflauf (-läufe)
peach   der Pfirsich(-e)
pear   die Birne(-n)
pepper   der Pfeffer
pizza   die Pizza(-s)
pork   das Schweinefleisch
potato   die Kartoffel(-n)
price   der Preis(-e)
regularly   regelmäßig
rice   der Reis
roll   das Brötchen(-)
runner bean   die grüne(-n) Bohne (-n)
salad   der Salat(-e)
salt   das Salz
speciality   die Spezialität(-en)
strawberry   die Erdbeere(-n)
sugar   der Zucker
sweet   die Süßigkeit(-en)
unfit   unfit
unhealthy   ungesund
vanilla   die Vanille
vegetable   das Gemüse (*no pl.*)
vegetarian   vegetarisch
vegetarian   der Vegetarier(-)/ die Vegetarierin (-nen)
vinegar   der Essig
vitamin   das Vitamin(-e)
yoghurt   der Jogurt(-s)

See also 1D: Daily routine.

3C Part-time jobs and work experience

activity   die Tätigkeit(-en)
advisor   der Berater(-)/ die Beraterin(-nen)
answer   die Antwort(-en)
application   die Bewerbung(-en)
to **babysit**   babysitten

babysitter   der Babysitter(-)/die Babysitterin (-nen)
business   der Betrieb(-e)
company   die Firma (Firmen)
contact   der Umgang
customer   der Kunde(-n)/ die Kundin(-nen)
to **deliver**   austragen
different   verschieden
factory   die Fabrik(-en)
to **have a (part-time/casual) job**   jobben
help   die Aushilfe(-n)
job   der Job(-s), die Stelle(-n) (*position*)
knowledge   die Kenntnisse (*pl.*)
to **leave a message**   eine Nachricht hinterlassen
newspaper boy/girl   der Zeitungsausträger (-)/ die Zeitungsausträgerin(-nen)
occupation   der Beruf(-e)
office   das Büro(-s)
part-time job   der Teilzeitjob(-s)
private tuition   die Nachhilfe
to **report**   melden
to **save**   sparen
to **share**   teilen
to **wish for**   erwünschen
work   die Arbeit
work experience   das Arbeitspraktikum (-praktika)

See also 1A: Self, family and friends; 1B: Interests and hobbies; 1C: Home and local environment; 1D: Daily routine; 1E: School and future plans.

3D Leisure

actor/actress   der Schauspieler(-)/ die Schauspielerin(-nen)
adventure film   der Abenteuerfilm(-e)
advertisement   die Anzeige(-n)
to **be a matter of**   sich handeln um
classical   klassisch
concert   das Konzert(-e)
to **enjoy oneself**   sich unterhalten
entertainment   die Unterhaltung
entrance   der Eintritt
entrance fee   das Eintrittsgeld
to **fancy doing s.th.**   Lust haben, etwas zu tun
feature film   der Spielfilm(-e)
film   der Film(-e)
to **go out**   ausgehen
to **have had enough of s.th.**   etwas satt haben

invitation die Einladung(-en)
to **invite** einladen
leisure park der Freizeitpark(-s)
list die Liste(-n)
lottery winner der Lottogewinner(-)/
die Lottogewinnerin(-nen)
to **paint** malen
performance die Vorstellung(-en)
playing field der Sportplatz (-plätze)
programme die Sendung(-en)
prospectus der Prospekt(-e)
reason der Grund(̈e)
to **recommend** empfehlen
reduction die Ermäßigung(-en)
sailing boat das Segelboot(-e)
schedule das Programm(-e)
series die Serie(-n)
song das Lied(-er)
sports centre das Sportzentrum
(-zentren)
to **take part** teilnehmen
to **take up** aufnehmen
ticket die Karte(-n)
together zusammen
trip der Ausflug (-flüge)
to **watch** angucken

See also 1A: Self, family and friends;
1B: Interests and hobbies.

3E Shopping

bag die Tüte(-n)
bakery die Bäckerei(-en)
bank die Bank(-en)
biscuit der Keks(-e)
boot der Stiefel(-)
bottle die Flasche(-n)
box die Schachtel(-n)
to **buy** kaufen
cassette die Kassette(-n)
CD die CD(-s)
chemist die Drogerie(-n)
clothes die Klamotten (*pl.*)
clothing Kleidung
to **complain** sich beschweren
to **cost** kosten
credit card die Kreditkarte(-n)
crisps die Chips (*pl.*)
customer der Kunde(-n)/
die Kundin(-nen)
department die Abteilung(-en)
department store das Kaufhaus
(-häuser)
dress das Kleid(-er)
electrical appliance
das Elektrogerät(-e)
fashion die Mode(-n)
to **fit** passen

floor die Etage(-n)
free of charge kostenlos
fruit das Obst (*no pl.*)
grocery store
das Lebensmittelgeschäft(-e)
ground floor das Erdgeschoss
ham der Schinken
jacket die Jacke(-n)
jeans die Jeans(-) (*sing.*)
leather das Leder
magazine die Zeitschrift(-en)
material der Stoff(-e)
moustache der Schnurrbart
(-bärte)
nut die Nuss(̈e)
open geöffnet
to **open** öffnen
opening time die Öffnungszeit(-en)
orange die Apfelsine(-n)
pair das Paar(-e)
parcel das Päckchen(-)
pear die Birne(-n)
perfume das Parfüm(-s)
piece das Stück(-e)
pocket money das Taschengeld
present das Geschenk(-e)
pullover der Pullover(-)
purse die Geldbörse(-n)
raspberry die Himbeere(-n)
to **receive** bekommen
refund die Rückzahlung(-en)
to **save** sparen
shoe der Schuh(-e)
shop der Laden(̈), das Geschäft(-e)
shopping centre
das Einkaufszentrum (-zentren)
size die Größe(-n)
souvenir das Souvenir(-s)
special offer das Sonderangebot(-e)
to **spend** ausgeben
stationery die Schreibwaren (*pl.*)
sunglasses die Sonnenbrille(n)
supermarket der Supermarkt
(-märkte)
swimsuit der Badeanzug (-anzüge)
T-shirt das T-Shirt(-s)
tin die Dose(-n)
tomato die Tomate(-n)
trainer der Turnschuh(-e)
to **try on** anprobieren
vegetable das Gemüse (*no pl.*)

See also 1C: Home and local
environment; 1D: Daily routine; 3B
Healthy living.

Module 4: The young person in society

4A Character and personal relationships

advice der Rat
to **be afraid** Angst haben
to **be broke** pleite sein
characteristic die Eigenschaft(-en)
choice die Wahl(-en)
to **cry** weinen
to **get on someone's nerves**
jemandem auf die Nerven gehen
group of friends die Clique(-n)
honesty die Ehrlichkeit
human being der Mensch(-en)
humour der Humor
humourless humorlos
I feel sorry for s.o. jemand tut mir
Leid
idol das Vorbild(-er)
to **lie** lügen
to **look at** sich ansehen
love sickness der Liebeskummer
marriage die Ehe(-n)
to **marry** heiraten
pop music die Popmusik
relationship die Beziehung(-en)
secret das Geheimnis(-se)
thoughtful nachdenklich
together gemeinsam
to **understand** verstehen

See also 1A: Self, family and friends;
3D: Leisure.

4B The environment

actually eigentlich
air die Luft
bottle with refundable deposit
die Pfandflasche(-n)
building das Gebäude(-)
danger die Gefahr(-en)
to **dirty** verschmutzen
energy die Energie
environment die Umwelt
environmentally friendly
umweltfreundlich
environmentally unfriendly
umweltfeindlich
exhaust das Abgas(-e)
flat die Wohnung(-en)
homeless obdachlos
leadfree bleifrei
nature die Natur
noise der Lärm
packaging die Verpackung

pedestrian zone
 die Fußgängerzone(-n)
to **pollute**   verpesten
pollution   die Umweltverschmutzung
power station   das Kraftwerk(-e)
problem   das Problem(-e)
to **protect**   schutzen
recycling   das Recycling
rubbish   der Abfall(-e)
solution   die Lösung(-en)
to **smoke**   rauchen
traffic   der Verkehr
world   die Welt

4C Education

A Level (German equivalent)   das
 Abitur
apprenticeship   die Lehre(-n)
to **correct**   korrigieren
fashion   die Mode(-n)
general   allgemein
hardly   kaum
it makes no difference (to me)
 es ist (mir) egal
to **look after**   sorgen für
make-up   das Make-up
old-fashioned   altmodisch
protection   der Schutz
to **recycle**   recyceln
result   das Resultat(-e)
rule   die Regel(-n)
secondary modern school
 die Realschule(-n)
smart   schick
to **study**   lernen,
 studieren (*at university*)
uniform   die Uniform(-en)
university   die Universität(-en)
university study   das Studium
to **wear**   tragen

*See also 1D: Daily routine; 1E: School
and future plans.*

4D Careers and future plans

to **afford**   sich (*dat.*) etwas leisten
to **get engaged**   sich verloben
in the open air   im Freien
pressure   der Druck(-e)
shift   die Schicht(-en)

*See also 1A: Self, family and friends;
1E: School and future plans; 2B:
Tourism; 3C: Part-time jobs and work
experience; 3D: Leisure; 4C: Education.*

4E Social issues, choices and responsibilities

addiction   die Sucht(-e)
alcohol   der Alkohol
attractive   reizvoll
to **care for**   pflegen
to **choose**   wählen
cigarette   die Zigarette(-n)
considerate   rücksichtsvoll
to **die**   sterben
disabled   behindert
disgusting   ekelhaft
drug   die Droge(-n)
drug addict   der/die
 Drogensüchtige(-n)
feeling   das Gefühl(-e)
forbidden   verboten
harmful   schädlich
to **have meaning**   Sinn haben
image   das Image
inconsiderate   rücksichtslos
independent   unabhängig
insane   wahnsinnig
laid-back   lässig
to **make known**   bekannt geben
to **move**   umziehen
picture   das Bild(-er)
problem   das Problem(-e)
relaxing   entspannend
to **smoke**   rauchen
suitable   geeignet
unbearable   unerträglich
unemployed   arbeitslos

*See also 1A: Self, family and friends;
1C: Home and local environment;
3C: Part-time jobs and work experience;
3D: Leisure; 3E: Shopping;
4A: Character and personal
relationships; 4B: The environment;
4C: Education; 4D: Careers and future
plans.*

Vokabular Deutsch–Englisch

This vocabulary list contains all but the most common words which appear in the book. Where a word has several meanings, only those which occur in the book are given.

★	= irregular verb
†	= verb + *sein* in the perfect and pluperfect tenses
sep.	= separable verb
s.o.	= someone
s.th.	= something
acc.	= accusative
dat.	= dative
pl.	= plural
sing.	= singular

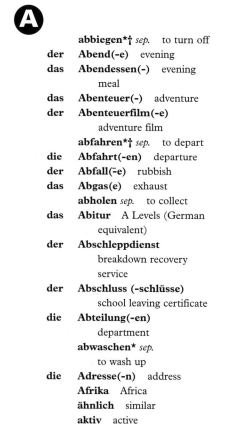

A

abbiegen★† *sep.* to turn off
der **Abend(-e)** evening
das **Abendessen(-)** evening meal
das **Abenteuer(-)** adventure
der **Abenteuerfilm(-e)** adventure film
abfahren★† *sep.* to depart
die **Abfahrt(-en)** departure
der **Abfall(-̈e)** rubbish
das **Abgas(e)** exhaust
abholen *sep.* to collect
das **Abitur** A Levels (German equivalent)
der **Abschleppdienst** breakdown recovery service
der **Abschluss (-schlüsse)** school leaving certificate
die **Abteilung(-en)** department
abwaschen★ *sep.* to wash up
die **Adresse(-n)** address
Afrika Africa
ähnlich similar
aktiv active
der **Alkohol** alcohol
allgemein generally
der **Alltag** everyday life
die **Alpen** the Alps
alt old
altmodisch old-fashioned
das **Alter(-)** age
die **Altstadt(-̈e)** old part of town
Amerika America
die **Ampel(-n)** traffic light
der **Anfang(-̈e)** beginning, start
anfangen★ *sep.* to begin

die **Angst(-̈e)** fear
ankommen★† *sep.* to arrive
die **Ankunft(-̈e)** arrival
die **Anmeldung(-en)** reception
angucken *sep.* to watch
anprobieren *sep.* to try on
anrufen★ *sep.* to call
ansehen★ *sep.* to look at
anstrengend hard work, taxing
die **Antwort(-en)** answer
antworten to answer
die **Anzeige(-n)** advertisement
sich anziehen★ *sep.* to get dressed
anzünden *sep.* to light
der **Apfel(-̈)** apple
der **Apfelsaft(-̈e)** apple juice
die **Apfelsine(-n)** orange
der **Appetit** appetite
April April
die **Arbeit(-en)** work
arbeiten to work
arbeitslos unemployed
das **Arbeitspraktikum (-praktika)** work experience
der **Arm(-e)** arm
arrogant arrogant
der **Arzt(-̈e)** doctor (male)
die **Ärztin(-nen)** doctor (female)
Auf Wiederhören! Goodbye! (on the telephone)
Auf Wiedersehen! Goodbye!
aufhören *sep.* to stop
aufgeben★ *sep.* to give up
aufnehmen★ *sep.* to record

aufpassen *sep.* to watch out, to look after someone
aufräumen *sep.* to tidy
aufregend exciting
aufstehen★† *sep.* to get up
aufwachen *sep.* to wake up
das **Auge(-n)** eye
August August
die **Aula (Aulen)** assembly hall
die **Ausfahrt(-en)** exit
der **Ausflug(-̈e)** trip
ausfüllen *sep.* to fill out (a form)
der **Ausgang(-̈e)** exit
ausgeben★ *sep.* to spend
die **Aushilfe** help
auskommen★† *sep.* **mit + dat.** to get on with
die **Auskunft(-̈e)** information
das **Ausland** *sing.* foreign countries, abroad
aussehen★ *sep.* to look
die **Aussprache(-n)** discussion
aussprechen★ *sep.* to say what is on one's mind
aussteigen★† *sep.* to get off
der **Austausch(-e)** exchange
austragen★ *sep.* to deliver
auswählen *sep.* to choose
sich **ausziehen**★ *sep.* to get undressed
das **Auto(-s)** car
die **Autobahn(-en)** motorway

B

das **Baby(-s)** baby
babysitten to babysit
der **Babysitter(-)** babysitter (male)

die **Babysitterin(-nen)** babysitter (female)

backen★ to bake

die **Bäckerei(-en)** bakery

das **Bad(-̈er)** bath

das **Badetuch (-tücher)** towel

das **Badezimmer(-)** bathroom

die **Bahn** railway

der **Bahnhof (-höfe)** station

der **Bahnsteig(-e)** platform

der **Ball(-̈e)** ball

der **Balkon(-s)** balcony

die **Banane(-n)** banana

die **Bank(-en)** bank

die **Bar(-s)** bar

das **Bargeld** cash

der **Bart(-̈e)** beard

der **Bauch(-̈e)** stomach

der **Bauer(-n)** farmer (male)

die **Bäuerin(-nen)** farmer (female)

der **Baum(-̈e)** tree

der **Beamte(-n)** civil servant (male)

die **Beamtin(-nen)** civil servant (female)

der **Becher(-)** pot

bedeuten to mean

sich **befinden★** to be (situated)

beginnen★ to begin

die **Begrüßung(-en)** greeting

behindert handicapped

beide both

das **Bein(-e)** leg

bekannt geben★ to make known

bekommen★ to receive, get

benutzen to use

bequem comfortable

der **Berater(-)** advisor (male)

die **Beraterin(-nen)** advisor (female)

der **Berg(-e)** mountain

der **Beruf(-e)** job, occupation

berühmt famous

beschreiben★ to describe

sich **beschweren** to complain

besichtigen to visit (a place of interest)

besonders especially

bestellen to order

der **Besuch(-e)** visit

besuchen to visit (a person)

der **Betrieb(-e)** business, firm

betrunken drunk

das **Bett(-en)** bed

die **Bettwäsche** bed linen

die **Bewerbung(-en)** application

bezahlen to pay (for)

die **Beziehung(-en)** relationship

die **Bibliothek(-en)** library

das **Bier(-e)** beer

das **Bild(-er)** picture

billig cheap

die **Biologie** biology

die **Birne(-n)** pear

blau blue

bleiben★† to stay

bleifrei unleaded

blitzen: es blitzt there is (a flash of) lightning

blöd stupid

blond blond(e)

die **Blume(-n)** flower

der **Blumenkohl(-e)** cauliflower

die **grüne Bohne(-n)** runner bean

das **Boot(-e)** boat

die **Bratwurst(-̈e)** fried sausage

brauchen to need

braun brown

brechen★ to break

breit wide, broad

brennen★ to burn

der **Brief(-e)** letter

die **Brille(-n)** pair of glasses

die **Broschüre(-n)** brochure

das **Brot(-e)** bread

das **Brötchen(-)** bread roll

die **Brücke(-n)** bridge

der **Bruder(-̈)** brother

das **Buch(-̈er)** book

buchstabieren to spell

bügeln to iron

die **Bundeswehr** German armed forces

der **Bungalow(-s)** bungalow

bunt brightly coloured

das **Büro(-s)** office

der **Bus(-se)** bus

der **Busbahnhof (-höfe)** bus station

die **Bushaltestelle(-n)** bus stop

die **Butter** butter

C

das **Café(-s)** café

das **Camping** camping

der **Campingplatz(-̈e)** camp site

die **CD(-s)** CD

die **Chemie** chemistry

die **Chips** pl. crisps

der **Chor(-̈e)** choir

die **Clique(-n)** group of friends, 'gang'

die **Cola(-s)** cola

der **Computer(-)** computer

der **Cousin(-s)** cousin (male)

die **Cousine(-n)** cousin (female)

die **Currywurst(-̈e)** curry sausage

D

das **Dach(-̈er)** roof

der **Dachboden (-böden)** attic

dagegen against it

die **Dame(-n)** lady

danken + dat. to thank

da sein★† to be there

das **Datum (Daten)** date

dauern to last

decken to lay (the table)

deprimierend depressing

deutsch German (adjective)

Deutsch German (language)

Deutschland Germany

Dezember December

dick fat

der **Dieb(-e)** thief (male)

die **Diebin(-nen)** thief (female)

Dienstag Tuesday

direkt direct

der **Direktor(-en)** director (male)

die **Direktorin(-nen)** director (female)

die **Disco(-s)** disco

der **Dom(-e)** cathedral

Donnerstag Thursday

doof stupid

das **Doppelhaus (-häuser)** semi-detached house

das **Dorf(-̈er)** village

dort there

die **Dose(-n)** tin

dringend urgent

die **Droge(-n)** drug

der **Drogensüchtige(-n)** drug addict (male)

die **Drogensüchtige(-n)**
   drug addict (female)
die **Drogerie(-n)** non-
   dispensing chemist,
   drugstore
der **Druck(-̈e)** pressure
   dünn thin
   dunkel dark
der **Durchfall** diarrhoea
der **Durst** thirst
   durstig thirsty
die **Dusche(-n)** shower
   duschen to shower
der **D-Zug (-Züge)**
   express train

E

die **E-Mail(-s)** e-mail
   egal: es ist mir egal
      I don't care, it's all the
      same to me
die **Ehe(-n)** marriage
   ehrlich honest
die **Ehrlichkeit** honesty
das **Ei(-er)** egg
die **Eigenschaft(-en)**
      characteristic
   eigentlich actually
   einander one another
   ein paar a few
   ein wenig a little
die **Einbahnstraße(-n)**
      one-way street
   einfach easy, single
die **Einfahrt(-en)** entrance
      (for vehicle)
das **Einfamilienhaus (-häuser)**
      detached house
der **Eingang(-̈e)** entrance (for
      pedestrian)
   eingebildet conceited
die **Einheit(-en)** unit
   einkaufen sep. to shop
das **Einkaufszentrum (-zentren)**
      shopping centre
   einladen★ sep. to invite
die **Einladung(-en)** invitation
   einlösen sep. to cash (a
      cheque)
   einsteigen★† sep. to get in
der **Eintritt(-e)** admission
der **Einwohner(-)** inhabitant
das **Einzelkind(-er)** only child
das **Einzelzimmer(-)**
      single room
das **Eis(-)** ice cream
die **Eisbahn(-en)** ice-rink

die **Eisdiele(-n)** ice-cream
      parlour
   ekelhaft disgusting
das **Elektrogerät(-e)** electrical
      appliance
die **Eltern** pl. parents
der **Empfang(-̈e)** reception
   empfehlen★ to recommend
das **Ende(-n)** end
die **Energie** energy
   eng tight
   England England
   englisch English (adjective)
   Englisch
      English (language)
   entdecken to discover
   entlang along
sich **entscheiden** to decide
sich **entschuldigen** to excuse
   entspannend relaxing
die **Erdbeere(-n)** strawberry
das **Erdgeschoss** ground floor
die **Erdkunde** geography
   erklären to explain
die **Erlaubnis** permission
die **Ermäßigung(-en)**
      reduction, discount
   ernst serious
   erst- first
der **Erste-Hilfe-Kasten**
      (-Kästen) first-aid box
der **Erwachsene(-n)** grown-
      up, adult (male)
die **Erwachsene(-n)** grown-
      up, adult (female)
   erwünschen to wish for
   es gibt there is/are
   essen★ to eat
der **Essig** vinegar
das **Esszimmer(-)** dining room
die **Etage(-n)** storey, floor
   etwas something
die **EU (Europäische Union)**
      the EU (European
      Union)
der **Euro(-)** Euro
der **Euroschein(-e)** Euro note
   Europa Europe
   extra extra

F

   fabelhaft fantastic
die **Fabrik(-en)** factory
das **Fach(-̈er)** subject
die **Fähre(-n)** ferry
   fahren★† to go (by vehicle),
      travel

der **Fahrer(-)** driver (male)
die **Fahrerin(-nen)**
      driver (female)
die **Fahrkarte(-n)** ticket (for
      public transport)
der **Fahrkartenschalter(-)**
      ticket window
der **Fahrplan (-pläne)**
      timetable
die **Fahrt(-en)** journey
   falsch wrong, incorrect
die **Familie(-n)** family
der **Familienname(-n)**
      surname
die **Farbe(-n)** colour
   fast almost
   faszinieren to fascinate
   faul lazy
   Februar February
   fehlen: wo fehlt's? what's
      wrong?
der **Fehler(-)** mistake
   feiern to celebrate
   fein fine
das **Fenster** window
die **Ferien** pl. holidays
der **Feiertag(-e)** holiday
   fernsehen★ sep. to watch
      television
das **Fest(-e)** celebration
das **Fett(-e)** fat
   fettig fatty
das **Feuer(-)** fire
die **Feuerwehr** fire brigade
das **Feuerwerk** sing. fireworks
das **Fieber** fever
der **Film(-e)** film
   finden★ to find
die **Firma (Firmen)** company
der **Fisch(-e)** fish
   fit fit
das **Fitnesszentrum (-zentren)**
      fitness centre
die **Flasche(-n)** bottle
das **Fleisch** no pl. meat
   fleißig hard-working
   fliegen★† to fly
der **Flohmarkt (-märkte)**
      flea market
der **Flug(-̈e)** flight
der **Flughafen(-̈)** airport
der **Flugplatz(-̈e)** (small)
      airport, airfield
das **Flugzeug(-e)** aeroplane
der **Flur(-e)** corridor
der **Fluss(-̈e)** river
   folgend- following
der **Fön(-e)** hair-drier

das **Foto(-s)** photo

fotografieren
to photograph

die **Frage(-n)** question

eine **Frage stellen** to ask a
question

fragen to ask

Frankreich France

französisch French

Französisch
French (language)

die **Frau(-en)** woman

Frau Mrs/Ms/Miss (any
adult female)

Fräulein! Waitress!

frech cheeky

frei free

im Freien in the open air

das **Freibad(-er)** open-air
swimming pool

Freitag Friday

die **Freizeit** leisure time

der **Freizeitpark(-s)**
theme/leisure park

die **Fremdsprache(-n)** foreign
language

sich **freuen** to be happy, pleased

die **Freude** joy

der **Freund(-e)** friend (male)

die **Freundin(-nen)**
friend (female)

freundlich friendly

die **Freundschaft(-en)**
friendship

frieren★ to freeze

frisch fresh

froh happy

der **Früchtetee(-s)** fruit tea

früh early

der **Frühling(-e)** spring

das **Frühstück(-e)** breakfast

frühstücken
to eat breakfast

die **Führung(-en)** guided tour

die **Füllung(-en)** filling

das **Fundbüro(-s)** lost property
office

der **Fuß(-e)** foot

zu Fuß on foot

der **Fußball** football

die **Fußgängerzone** pedestrian
precinct

G

die **Gabel(-n)** fork

ganz quite

der **Garten(-)** garden

die **Gasse(-n)** lane

der **Gast(-e)** guest

die **Gastfreundschaft**
hospitality

das **Gasthaus(-er)** pub

das **Gebäude(-)** building

geben★ to give

es gibt there is/are

**geboren: ich bin am …
geboren**
I was born on …

der **Geburtstag(-e)** birthday

geduldig patient

geeignet suitable

die **Gefahr(-en)** danger

gefallen★**: es gefällt mir**
I like it

gefährlich dangerous

gefroren frozen

das **Gefühl(-e)** feeling

gegen against

die **Gegend(-en)** landscape,
region

gegenüber opposite

die **Gegenwart** present (time)

gehagelt hailed

das **Geheimnis(-se)** secret

gehen★† to go

wie geht's? how are you?

gelb yellow

das **Geld** money

die **Geldbörse(-n)** purse

gemeinsam together

gemischt mixed

das **Gemüse** no pl. vegetables

genießen★ to enjoy

geöffnet open

geradeaus straight ahead

gerecht fair, just

das **Gericht(-e)** dish

gern gladly

ich mache es gern I like
doing it

der **Geruch(-e)** smell

die **Gesamtschule(-n)**
comprehensive school

das **Geschäft(-e)** shop

das **Geschenk(-e)** present, gift

die **Geschichte** history

geschieden divorced

die **Geschwister** pl. brothers
and sisters

gesellig sociable

das **Gespräch(-e)** conversation

gestern yesterday

gesund healthy

die **Gesundheit** health

das **Getränk(-e)** drink

getrennt separated

das **Gewitter(-)** thunderstorm

sich **gewöhnen an**
to get used to

es **gibt** there is/are

die **Gitarre(-n)** guitar

das **Glas(-er)** glass

die **Glatze(-n)** bald head

glauben to believe

das **Gleis(-e)** platform

das **Glück** luck, happiness

glücklich happy

golden gold

das **Gramm(-)** gram

gratis free, for nothing

grau grey

Griechenland Greece

die **Grippe** flu

groß large

Großbritannien (Great)
Britain

die **Großeltern** pl.
grandparents

die **Größe(-n)** size, height

die **Großmutter (-mütter)**
grandmother

der **Großvater (-väter)**
grandfather

die **Grünanlage(-n)**
green open space

der **Grund(-e)** reason

die **Grundschule(-n)** primary
school

grün green

die **Gruppe(-n)** group

gut good

gut gelaunt in a good
mood

das **Gymnasium (Gymnasien)**
grammar school

H

die **Haare** pl. hair

haben★ to have

der **Hafen(-)** harbour

das **Hähnchen(-)** chicken

halb half

der **Halbbruder(-)** half brother

die **Halbschwester(-n)**
half sister

die **Halbpension** half board

das **Hallenbad(-er)** indoor
swimming pool

der **Hals(-e)** neck, throat

die **Haltestelle(-n)** bus stop

der **Hamburger(-)** hamburger

der **Hamster(-)** hamster

die **Hand(ë)** hand
der **Handel** trade
sich **handeln um**
     to be a matter of
das **Handtuch(-tücher)**
     hand towel
das **Hauptgericht(-e)**
     main dish
das **Haus(ër)** house
die **Hausaufgabe(-n)**
     homework
zu **Hause** at home
die **Hausfrau(-en)** housewife
der **Hausmann(ër)**
     househusband
der **Haushalt(-e)** household
die **Hausnummer(-n)** house
     number
das **Haustier(-e)** pet
der **Heiligabend**
     Christmas Eve
heiraten to marry
heiß hot
heißen* to be called
hektisch hectic
helfen* to help
hell pale
der **Herbst(-e)** autumn
hereinkommen*† *sep.*
     to come in
Herr Mr
Herr Ober! Waiter!
der **Heuschnupfen** hayfever
heute today
hier here
die **Hilfe** help
hilfsbereit helpful
die **Himbeere(-n)** raspberry
hin und zurück
     return (ticket)
hinter behind
das **Hobby(-s)** hobby
das **Hochzeitsfoto(-s)**
     wedding photo
der **Hof(ë)**
     (school) playground
höflich polite
der **Honig(-e)** honey
hören to hear
das **Hotel(-s)** hotel
hübsch pretty
der **Humor** humour
humorlos humourless
der **Hund(-e)** dog
der **Hunger** hunger
hungrig hungry

I

die **Idee(-n)** idea
im Freien in the open air
das **Image** image
die **Imbissstube(-n)** snack bar
immer always
das **Immobiliengeschäft(-e)**
     estate agent
in Ordnung sein to be OK
Indien India
die **Industrie(-n)** industry
die **Informatik** information
     technology
die **Information(-en)**
     information, information
     desk
der **Ingenieur(-e)** engineer
     (male)
die **Ingenieurin(-nen)**
     engineer (female)
insgesamt altogether
das **Instrument(-e)** musical
     instrument
der **Intercityzug (-züge)**
     intercity train
interessant interesting
das **Interesse(-n)** interest
sich **interessieren für** to be
     interested in
Irland Ireland
Italien Italy

J

die **Jacke(-n)** jacket
das **Jahr(-e)** year
Januar January
die **Jeans(-)** *sing.* pair of jeans
jetzt now
der **Job(-s)** job
jobben to have a (part-
     time) job
der **Jogurt(-s)** yoghurt
jüdisch Jewish
die **Jugendherberge(-n)**
     youth hostel
der **Jugendklub(-s)** youth club
Juli July
jung young
der **Junge(-n)** boy
Juni June

K

der **Kaffee(-s)** coffee
der **Käfig(-e)** cage
der **Kakao** cocoa
kalt cold

der **Kamerad(-en)** companion,
     friend (male)
die **Kameradin(-nen)**
     companion, friend
     (female)
das **Kaninchen(-)** rabbit
das **Kännchen(-)** small pot (of
     coffee/tea)
die **Kantine(-n)** canteen
kaputt broken
die **Karotte(-n)** carrot
die **Kartoffel(-n)** potato
der **Karneval** Carnival
die **Karte(-n)** card, ticket, map
der **Käse(-)** cheese
die **Kassette(-n)** cassette
der **Kassierer(-)** cashier (male)
die **Kassiererin(-nen)** cashier
     (female)
die **Katze(-n)** cat
kaufen to buy
die **Kauffrau(-en)** saleswoman
das **Kaufhaus (-häuser)**
     department store
der **Kaufmann (-männer)**
     salesman
kaum hardly
der **Keks(-e)** biscuit
der **Keller(-)** cellar
der **Kellner(-)** waiter
die **Kellnerin(-nen)** waitress
kennen lernen to get to
     know
die **Kenntnisse** *pl.* knowledge
die **Kerze(-n)** candle
das **Kilo(-)** kilo
das **Kind(-er)** child
der **Kindergarten (-gärten)**
     nursery school
das **Kino(-s)** cinema
die **Kirche(-n)** church
die **Kirsche(-n)** cherry
die **Klamotten** *pl.* clothes
die **Klasse(-n)** class
die **Klassenfahrt(-en)**
     school trip
klassisch classical
das **Klavier(-e)** piano
das **Kleid(-er)** dress
der **Kleiderschrank**
     (-schränke) wardrobe
die **Kleidung** clothing
klein small
das **Kleingeld** *sing.*
     small change
die **Klimaanlage(-n)**
     air-conditioning
klingeln to ring (bell)

der **Klub(-s)** club
die **Kneipe(-n)** pub
das **Knie(-)** knee
  kochen to cook
der **Kochkurs(-e)** cookery course
  kommen*† to come
  komisch funny
die **Kommode(-n)** chest of drawers
  kompliziert complicated
  kontaktfreudig sociable, outgoing
das **Konzert(-e)** concert
der **Kopf(-̈e)** head
  kopieren to copy
der **Körper(-)** body
  korrigieren to correct
  kosten to cost
  kostenlos free of charge
  kräftig strong
das **Kraftwerk(-e)** power station
  krank ill
das **Krankenhaus (-häuser)** hospital
der **Krankenwagen(-)** ambulance
die **Krankheit(-en)** illness
die **Krankenschwester(-n)** nurse (female)
der **Krankenpfleger(-)** nurse (male)
die **Kreditkarte(-n)** credit card
der **Kuchen(-)** cake
die **Küche(-n)** kitchen
der **Kunde(-n)** customer (male)
die **Kundin(-nen)** customer (female)
die **Kunst** art
der **Kurs(-e)** exchange rate
  kurz short
das **Kuscheltier(-e)** cuddly toy
die **Kusine(-n)** cousin (female)
  kühl cool
die **Küste(-n)** coast

L

das **Labor(-s)** laboratory
  lachen to laugh
der **Laden(-̈)** shop
die **Lampe(-n)** lamp
das **Land(-̈er)** countryside, country
die **Landkarte(-n)** map

die **Landschaft(-en)** landscape
  lang long
  langweilig boring
der **Lärm** *no pl.* noise
  lässig cool
  launisch moody
das **Leben(-)** life
  laut loud
  lebendig lively
das **Lebensmittel(-)** food
das **Lebensmittelgeschäft(-e)** grocery store
  lecker tasty
das **Leder** leather
  ledig single (not married)
die **Lehre(-n)** apprenticeship
der **Lehrer(-)** teacher (male)
die **Lehrerin(-nen)** teacher (female)
  Leid: es tut mir Leid I'm sorry
  leider unfortunately
  leihen* to borrow
  leisten to afford
  lernen to learn, study
  lesen* to read
die **Leute** *pl.* people
das **Licht(-er)** light
  lieb nice
der **Liebeskummer** love sickness
  Lieblings- favourite
die **Limonade(-n)** lemonade
die **Linie(-n)** (bus etc.) route
  links left
die **Liste(-n)** list
  locker relaxed, laid-back
der **Löffel(-)** spoon
die **Lösung(-en)** solution
der **Lottogewinner(-)** lottery winner (male)
die **Lottogewinnerin(-nen)** lottery winner (female)
die **Luft** air
die **Luftpost** airmail
  lügen* to lie
  Lust haben*, etwas zu tun to fancy doing s.th.
  lustig funny

M

  machen to do, make
das **Mädchen(-)** girl
der **Magen(-̈)** stomach
die **Mahlzeit(-en)** meal
  Mai May
das **Make-up** make-up

  malen to paint
  manchmal sometimes
der **Mann(-̈er)** man
die **Mannschaft(-en)** team
das **Marketing** marketing
der **Marktplatz (-plätze)** market place
die **Marmelade(-n)** jam
  März March
die **Mathe(matik)** mathematics
die **Maus(-̈e)** mouse
der **Mechaniker(-)** mechanic (male)
die **Mechanikerin(-nen)** mechanic (female)
das **Medikament(-e)** medicine
das **Meer(-e)** sea
das **Meerschweinchen(-)** guinea pig
die **Meile(-n)** mile
  meinen to think
die **Meinung(-en)** opinion
  melden to report
der **Mensch(-en)** human being
das **Messer(-)** knife
  mies rotten
  mieten to rent
die **Milch** milk
das **Mineralwasser** mineral water
die **Minute(-n)** minute
  mitgehen*† *sep.* to go along (with s.o.)
das **Mitglied(-er)** member
  mitnehmen* *sep.* to take along
der **Mittag** midday, noon
das **Mittagessen(-)** midday meal
die **Mittagspause(-n)** midday break
die **Mitte(-n)** middle
  mittelgroß medium-sized
die **Mitternacht** midnight
  Mittwoch Wednesday
die **Mode(-n)** fashion
  modern modern
  modisch fashionable
  mögen* to like
der **Moment(-e)** moment
der **Monat(-e)** month
  Montag Monday
  morgen tomorrow
der **Morgen(-)** morning
  müde tired
die **Mülltonne(-n)** dustbin
  mündlich oral

der **Mund**(¨er) mouth
das **Museum (Museen)** museum
die **Musik** music
die **Mutter**(¨) mother

N

nachdenklich thoughtful
die **Nachhilfe**(-n) private tution
der **Nachmittag**(-e) afternoon
der **Nachname**(-n) surname
eine **Nachricht hinterlassen**★ *sep.* to leave a message
die **Nacht**(¨e) night
der **Nachteil**(-e) disadvantage
der **Nachtisch**(-e) dessert
die **Nachtruhe** quiet period at night
der **Name**(-n) name
die **Nase**(-n) nose
die **Nationalität**(-en) nationality
die **Natur** nature
die **Naturwissenschaften** *pl.* natural sciences
natürlich natural
nehmen★ to take
die **Nerve**(-n) nerve
nett nice
neu new
nie never
niemand nobody
noch einmal again
noch nicht not yet
der **Norden** north
normalerweise usually
die **Note**(-n) grade
nötig necessary
der **Notruf** emergency number, emergency call
November November
der **Nudelauflauf** (-läufe) pasta gratin
die **Nudeln** *pl.* pasta
nur only
die **Nuss**(¨e) nut

O

obdachlos homeless
oberflächlich superficial
die **Oberstufe** sixth form
das **Obst** *no pl.* fruit
oder or
öffnen to open

die **Öffnungszeit**(-en) opening time
oft often
ohne without
das **Ohr**(-en) ear
der **Ohrring**(-e) earring
Oktober October
der **Onkel**(-) uncle
die **Oper**(-n) opera
optimistisch optimistic
orange orange
der **Orangensaft** (-säfte) orange juice
das **Orchester**(-) orchestra
in **Ordnung sein** to be OK
der **Ort**(-e) place
der **Osten** east
Österreich Austria

P

das **Paar**(-e) pair
das **Päckchen**(-) package, parcel
die **Packung**(-en) packet
das **Papier**(-e) paper
das **Parfüm**(-s) perfume
der **Park**(-s) park
parken to park
der **Partner**(-) partner (male)
die **Partnerin**(-nen) partner (female)
passen to fit
passieren† to happen
die **Pause**(-n) break
die **Pension**(-en) guest house, B&B
die **Person**(-en) person
pessimistisch pessimistic
die **Pfandflasche**(-n) bottle with refundable deposit
der **Pfeffer** pepper
der **Pfennig**(-) pfennig
das **Pferd**(-e) horse
der **Pfirsich**(-e) peach
pflegen to care for
das **Pfund**(-) pound
die **Physik** physics
die **Pizza**(-s) pizza
der **Plan**(¨e) plan
das **Plastik** plastic
der **Platz**(¨e) place, seat
pleite sein to be broke
die **Polizei** police
der **Polizist**(-en) policeman
die **Polizistin**(-nen) policewoman

die **Pommes frites** *pl.* chips, fries
die **Popmusik** pop music
die **Post (Postämter)** post office
das **Poster**(-) poster
die **Postkarte**(-n) postcard
der **Preis**(-e) price
prima excellent
die **Privatschule**(-n) independent school
probieren to try
das **Problem**(-e) problem
das **Programm**(-e) schedule, (TV) listings
der **Programmierer**(-) programmer (male)
die **Programmiererin**(-nen) programmer (female)
das **Projekt**(e) project
der **Prospekt**(-e) brochure
Portugal Portugal
die **Prüfung**(-en) examination
der **Pullover**(-) pullover
pünktlich punctual
putzen to clean

Q

die **Quälerei** cruelty

R

das **Rad**(¨er) bicycle
Rad fahren★† to cycle
das **Radio**(-s) radio
der **Rat** advice
das **Rathaus** (-häuser) town hall
rauchen to smoke
die **Realschule**(-n) secondary modern school
die **Rechnung**(-en) bill
rechts right
recyceln to recycle
das **Recycling** recycling
die **Regel**(-n) rule
regelmäßig regularly
der **Regen** rain
regnen to rain
regnerisch rainy
reichen to be enough
das **Reihenhaus** (-häuser) terraced house
der **Reis** rice
die **Reise**(-n) journey
das **Reisebüro**(-s) travel agent
der **Reisebus**(-se) coach

der **Reisepass (-pässe)** passport

der **Reisescheck(-s)** traveller's cheque

reisen† to travel

reiten*(†) to ride

reizvoll attractive

die **Religion** religious education

das **Restaurant(-s)** restaurant

das **Resultat(-e)** result

richtig correct

riechen* to smell

riesig huge

der **Ring(-e)** ring

rosa pink

Rosenmontag the day before Shrove Tuesday

rot red

der **Rücken(-)** back

rücksichtslos inconsiderate

rücksichtsvoll considerate

die **Rückzahlung(-en)** refund

rufen* to call

ruhig peaceful

die **Rundfahrt(-en)** round trip

S

der **Saft(-̈e)** juice

sagen to say

die **Sahne** cream

der **Salat(-e)** salad, lettuce

die **Salbe(-n)** ointment

das **Salz** salt

sammeln to collect

Samstag Saturday

die **Sandale(-n)** sandal

satt full (no longer hungry)

sauber clean

die **Schachtel(-n)** box

schädlich harmful

schauen to watch

der **Schauspieler(-)** actor

die **Schauspielerin(-nen)** actress

die **Scheibe(-n)** slice

der **Schein(-e)** bank note

die **Schicht(-en)** shift

schick smart, fashionable

schicken to send

das **Schiff(-e)** ship

das **Schild(-er)** sign

der **Schinken(-)** ham

schlafen* to sleep

der **Schlafsack (-säcke)** sleeping bad

das **Schlafzimmer(-)** bedroom

die **Schlange(-n)** snake

schlecht bad

schlimm bad

das **Schloss(-̈er)** castle

schlucken to swallow

schmecken to taste

hat's geschmeckt? did it taste good?

die **Schmerzen** *pl.* pain

schmücken to decorate

schmutzig dirty

der **Schnee** snow

schneien to snow

schnell quickly

der **Schnupfen(-)** cold

der **Schnurrbart (-bärte)** moustache

die **Schokolade** chocolate

schön beautiful

Schottland Scotland

der **Schrank(-̈e)** wardrobe

schreiben* to write

die **Schreibwaren** *pl.* stationery

der **Schuh(-e)** shoe

der **Schuldirektor(-en)** headteacher (male)

die **Schuldirektorin(-nen)** headteacher (female)

die **Schule(-n)** school

der **Schüler(-)** pupil (male)

die **Schülerin(-nen)** pupil (female)

der **Schultag(-e)** school day

der **Schutz** protection

schützen to protect

schwach weak

schwarz black

das **Schweinefleisch** pork

die **Schweiz** Switzerland

die **Schwester(-n)** sister

schwierig difficult

die **Schwierigkeit(-en)** difficulty

das **Schwimmbad (-bäder)** swimming pool

schwimmen*† to swim

der **See(-n)** lake

die **See(-n)** sea

segeln to sail

sehen* to see

die **Sehenswürdigkeit(-en)** sights

sehr very

die **Seife** soap

seit since

die **Seite(-n)** page, side

der **Sekretär(-e)** secretary (male)

die **Sekretärin(-nen)** secretary (female)

die **Sekunde(-n)** second

selbstbewusst self confident

selbstsüchtig selfish

selten seldom

die **Sendung(-en)** programme

September September

die **Serie(-n)** series

Servus! Hi! Bye! (*Austrian*)

sich **setzen** to sit down

sicher certain

silbern silver

Silvester New Year's Eve

singen* to sing

Sinn haben* to have meaning

sitzen* to sit

sitzen bleiben* to repeat a year at school

Ski fahren*† to ski

das **Sofa(-s)** sofa

sofort at once

der **Sohn(-̈e)** son

der **Sommer(-)** Summer

das **Sonderangebot(-e)** special offer

Sonnabend Saturday

die **Sonne** sun

die **Sonnenbrille(-n)** sun glasses

sonnig sunny

Sonntag Sunday

sorgfältig carefully

das **Souvenir(-s)** souvenir

Spanien Spain

spanisch Spanish (adjective)

Spanisch Spanish (language)

sparen to save

die **Sparkasse(-n)** savings bank

der **Spaß** fun

spät late

spazieren gehen*† to go for a walk

der **Spaziergang (-gänge)** walk

der **Speck** bacon

die **Spezialität(-en)** speciality

der **Spiegel(-)** mirror

das **Spiel(-e)** play, game

spielen to play

der **Spielfilm(-e)** feature film

der **Spielplatz (-plätze)** (public) playground

spitze great

der **Sport (Sportarten)** sport

die **Sport-AG** sports club (after school)

sportlich sporty

der **Sportplatz (-plätze)** playing field

das **Sportzentrum (-zentren)** sports centre

die **Sprache(-n)** language

sprechen★ to speak

die **Staatsangehörigkeit(-en)** nationality

die **Stadt(⁻e)** town

die **Stadtmitte(-n)** town centre

der **Stadtplan(⁻e)** town plan

der **Stadtrand(⁻er)** outskirts of town

die **Stadtrundfahrt(-en)** sightseeing tour

stark strong

stattfinden★ sep. to take place

staubsaugen to vacuum, hoover

die **Stelle(-n)** job, position

stellen to place

das **Stellenangebot** job offer

sterben★† to die

die **Stewardess** stewardess

Stief- step-

der **Stiefel(-)** boot

der **Stoff(-e)** material

der **Strand(⁻e)** beach

die **Straße(-n)** street

die **Straßenbahn(-en)** tram

der **Streit(-e)** argument

sich **streiten★** to argue

streng strict

das **Stück(-e)** piece

das **Studium** university study

studieren to study (at university)

der **Stuhl(⁻e)** chair

die **Stunde(-n)** hour

der **Stundenplan (-pläne)** timetable

suchen to look for

die **Sucht (⁻e)** addiction

der **Süden** south

super super

der **Supermarkt (-märkte)** supermarket

die **Suppe(-n)** soup

süß sweet

die **Süßigkeit(-en)** sweet

sympathisch likeable

T

der **Tabak** tobacco

die **Tablette(-n)** tablet

die **Tafel** bar (of chocolate)

der **Tag(-e)** day

das **Tagebuch (-bücher)** diary

der **Tagesablauf (-läufe)** daily routine

täglich daily

die **Tankstelle(-n)** petrol station

die **Tante(-n)** aunt

tanzen to dance

das **Taschengeld** pocket money

die **Tasse(-n)** cup

die **Tätigkeit(-en)** activity

die **Technologie** technology

der **Tee(-s)** tea

teilen to share

teilnehmen★ sep. to take part

der **Teilzeitjob(-s)** part-time job

das **Telefon(-e)** telephone

telefonieren to telephone

die **Telefonkarte(-n)** phone card

die **Telefonnummer(-n)** telephone number

die **Telefonzelle(-n)** telephone booth

der **Teller(-)** plate

das **Tennis** tennis

der **Teppich(-e)** carpet

der **Test(-s)** test

teuer expensive

das **Theater(-)** theatre

das **Tier(-e)** animal

der **Tierpark(-s)** zoo

der **Tisch(-e)** table

das **Tischtennis** table tennis

der **Toast** toast

die **Tochter(⁻)** daughter

die **Toilette(-n)** toilet

tolerant tolerant

toll great

die **Torte(-n)** cake

total totally

der **Tourismus** tourism

tragen★ to carry

traurig sad

treffen★ to meet

Sport **treiben★** to do sport

treu faithful, loyal

trinken★ to drink

trocken dry

der **Tropfen(-)** drop

Tschüs! Bye!

das **T-Shirt(-s)** T-shirt

tun★ to do

die **Tür(-en)** door

die **Türkei** Turkey

das **Turnen** PE

die **Turnhalle(-n)** gym

der **Turnschuh(-e)** trainer

die **Tüte(-n)** bag

U

die **U-Bahn** underground railway

überhaupt nicht not at all

übernachten to spend the night

die **Uhr(-en)** watch

die **Umfrage(-n)** survey

der **Umgang** contact, dealings

die **Umgebung** surroundings

umsteigen★† sep. to change (buses etc.)

umtauschen sep. to exchange (currency etc.)

die **Umwelt** environment

umweltfeindlich environmentally unfriendly

umweltfreundlich environmentally friendly

die **Umweltverschmutzung** pollution

umziehen★† sep. to move

der **Umzug (-züge)** procession

unabhängig independent

unbedingt absolute

unerträglich unbearable

der **Unfall (-fälle)** accident

unfit unfit

unfreundlich unfriendly

ungeduldig impatient

ungesund unhealthy

die **Uniform(-en)** uniform

die **Universität(-en)** university

sich **unterhalten★** to talk, enjoy oneself

die **Unterhaltung** entertainment

der **Unterricht** no pl. lessons, teaching

der **Unterschied(-e)** difference

die **Unterschrift(-en)** signature

unterstützen to support

untersuchen to examine

die **Untersuchung(-en)** examination (medical)

der **Urlaub(-e)** holiday

die **USA** USA

usw. (= und so weiter) etc.

V

der **Vandalismus** vandalism

die **Vanille** vanilla

der **Vater(-)** father

der **Vegetarier(-)** vegetarian (male)

die **Vegetarierin(-nen)** vegetarian (female)

vegetarisch vegetarian

die **Verantwortung** responsibility

verbinden* to connect

verboten forbidden

der **Verein(-e)** club

die **Vergangenheit** past

verheiratet married

der **Verkäufer(-)** sales assistant (male)

die **Verkäuferin(-nen)** sales assistant (female)

der **Verkehr** traffic

das **Verkehrsamt (-ämter)** tourist information office

verlassen* to leave

verletzt injured

verlieren* to lose

sich **verloben** to get engaged

vermissen to miss

die **Verpackung(-en)** packaging

verpesten to pollute

verschieden different, various

verschmutzen to dirty

die **Versicherung** insurance

verstehen* to understand

die **Verzeihung** forgiveness

der **Vetter(-n)** cousin

das **Viertel(-)** quarter

das **Vitamin(-e)** vitamin

der **Vogel(-)** bird

das **Volk** people

voll full

der **Volleyball** volleyball

die **Vollpension** full board

vorbereiten sep. to prepare

das **Vorbild(-er)** idol

vorig- previous

der **Vormittag(-e)** morning

der **Vorname(-n)** first name

der **Vorort(-e)** suburb

die **Vorsicht** care, caution

vorsichtig carefully

die **Vorspeise(-n)** starter

sich **vorstellen** sep. introduce

die **Vorstellung(-en)** performance

der **Vorteil(-e)** advantage

W

die **Wahl(-en)** choice

wählen to choose, dial

wahnsinnig crazy, mad

während during

Wales Wales

die **Wand(-e)** wall

wandern† to hike

warm warm

sich **waschen*** to wash (oneself)

die **Waschmaschine(-n)** washing machine

der **Waschraum (-räume)** washing facilities

das **Wasser** water

wechseln to change

die **Wechselstube(-n)** bureau de change

der **Wecker(-)** alarm clock

der **Weg(-e)** way, route

weggehen*† sep. to leave

wegwerfen* sep. to throw away

weh tun* to hurt

Weihnachten Christmas

weinen to cry

die **Weintraube(-n)** grape

weiß white

weit far, wide

der **Wellensittich(-e)** budgerigar

die **Welt** world

der **Werbespot(-s)** commercial

die **Werbung(-en)** advertisement

das **Werken** handicrafts, woodwork

der **Westen** west

das **Wetter** weather

der **Wetterbericht(-e)** weather report

wichtig important

wie geht's? how are you?

wiederholen to repeat

windig windy

der **Winter(-)** winter

wirklich really

die **Woche(-n)** week

das **Wochenende(-n)** weekend

der **Wohnblock(-s)** tower block

wohnen to live

das **Wohnmobil(-e)** camper van

der **Wohnort(-e)** place of residence

die **Wohnsiedlung(en)** housing estate

die **Wohnung(-en)** flat

der **Wohnwagen(-)** caravan

das **Wohnzimmer(-)** living room

wolkig cloudy

die **Wolle** wool

das **Wörterbuch(-er)** dictionary

das **Würstchen(-)** small sausage

Z

zahlen to pay

zählen to count

der **Zahn(-e)** tooth

der **Zahnarzt (-ärzte)** dentist (male)

die **Zahnärztin(-nen)** dentist (female)

die **Zahnbürste(-n)** toothbrush

die **Zahnpasta** toothpaste

zeichnen to draw

das **Zeichnen** drawing (activity)

die **Zeit(-en)** time

die **Zeitschrift(-en)** magazine

die **Zeitung(-en)** newspaper

der **Zeitungsausträger(-)** newspaper boy

die **Zeitungsausträgerin(-nen)** newspaper girl

das **Zelt(-e)** tent

das **Zentrum (Zentren)** centre

der **Zettel(-)** note, receipt

das **Zeugnis(-se)** school report

ziemlich quite, rather

die **Zigarette(-n)** cigarette

das **Zimmer(-)** room

die **Zitrone(-n)** lemon

der **Zoo(-s)** zoo

der **Zucker** sugar

zuerst at first

der **Zug(-e)** train

die **Zukunft** future

zurück back

zusammen together

der **Zuschauer(-)**
      spectator (male)

die **Zuschauerin(-nen)**
      spectator (female)

zuverlässig reliable

der **Zwilling(-e)** twin

zwischen between

DEUTSCHLAND

0   50   100 km
0   25   50   75 Meilen

N o r d s e e

O s t s e e

N
W   O
S

Kiel •

SCHLESWIG-
HOLSTEIN

• Rostock

MECKLENBURG-
VORPOMMERN

Hamburg •

• Schwerin

HAMBURG

Bremen •

BRANDENBURG

Elbe

NIEDERSACHSEN

Berlin • ■ BERLIN

• Hannover

Magdeburg •

• Potsdam

SACHSEN-ANHALT

NORDRHEIN-WESTFALEN

Düsseldorf •

Leipzig •

Rhein

S A C H S E N

Erfurt •

• Dresden

HESSEN

T H Ü R I N G E N

• Chemnitz

Mosel

Wiesbaden • Frankfurt •

Main

RHEINLAND
-PFALZ

• Mainz

Rhein

• Nürnberg

Saarbrücken •

B A Y E R N

SAARLAND

Donau

• Stuttgart

BADEN-
WÜRTTEMBERG

Inn

München •

OXFORD
UNIVERSITY PRESS

Great Clarendon Street, Oxford OX2 6DP

Oxford University Press is a department of the University of Oxford. It furthers the University's objective of excellence in research, scholarship, and education by publishing worldwide in

Oxford New York

Auckland Bangkok Buenos Aires Cape Town Chennai Dar es Salaam Delhi Hong Kong Istanbul Karachi Kolkata Kuala Lumpur Madrid Melbourne Mexico City Mumbai Nairobi São Paulo Shanghai Taipei Tokyo Toronto

Oxford is a registered trade mark of Oxford University Press in the UK and in certain other countries

Acknowledgements
The publishers would like to thank the following for permission to reproduce photographs:

The publisher would like to thank the following for their permission to reproduce copyright material:

p18 Powerstock/A Gin (top right), David Simson (centre and bottom right); p19 David Simson (top left); p31 David Simson (bottom right); p34 David Simson; p37 Stockfile/Sang Tan (top left), David Simson (bottom left); p39 David Simson (left and right); p52 Pictor International (top left), Powerstock (top right), David Simson (centre and bottom right); p57 Corel Professional Photos (all); p60 Pictor International; p68 Schulz Verlag-Hamburg (top left), Sabine Oppenlander/R Johns (top right), Zefa Pictures (bottom right); p77 Pictor International (right); p85 Britstock/IFA/Gunter Graedenhain; p84 Britstock/IFA/Gunter Graedenhain (top), Britstock/IFA/Schmitt (centre), Britstock/IFA (bottom); p90 Corbis (left), Andes Press Agency/Irit Sapir (centre left), Travel Ink/Andrew Cowin (centre right), Britstock/IFA (bottom); p95 Britstock/IFA/Rolf Zscharnack; p99 John Warmsley (left), Corbis (top right); p102 David Simson; p108 Photofusion/Mark Campbell; p110 David Simson (bottom left), Tim Collins (centre right); p111 Stockfile/Steven Behr (top), David Simson (bottom); p113 Moviestore Collection (left), Rex Features/Brian Rasic (right); p115 David Simson (left), Travel Ink/Andrew Cowin (centre and right); p125 David Simson (top and bottom); p127 Rex Features/Camilla Morandi (left), Rex Features (right); p132 Powerstock/Zefa/David Harding; p133 Andes Press Agency/Marcel Reyes-Cortez (top left), Format/Ulrike Preuss (top right), Jeff Tabberner (centre), David Simson (bottom right), Britstock/IFA (bottom left); p135 David Simson (top and bottom left, bottom centre, and top right; Impact/Piers Cavendish (top centre), Britstock/IFA/Kopetzby (bottom right); p138 Pictor International (top left), David Simson (top right, centre, bottom left and bottom right); p141 David Simson; p149 Corel Professional Photos (left), Pictor International (right); p151 David Simson (left); p152 Potofusion; p153 David Simson (top left; p165 Britstock/IFA/Steffl (top left), Britstock/IFA/Thomas Rinke (bottom left), Britstock/IFA/H Schmidbauer (bottom right).

Front cover photograph by Roy Morsch/The Stock Market

All other photos by OUP.

The illustrations are by :

Lorraine Harrison, Bill Piggins, Tim Kahane, Phillip Burrows, Alison Everitt, Stefan Chabluk, Kathy Baxendale, Martin Aston, Mark Dobson, Bill Piggins, Tim Slade, Martin Shovel, Kathy Baxendale, Simon Smith, Russell Walker, and Shaun Williams.

The authors would like to thank the following people for their help and advice: Sheila Brighten and Jacqui Footman (course consultants), Marion Dill (language consultant), Deborah Manning.

Printed in Spain by Edelvives, Zaragoza.